Introduzione
allo studio della Bibbia

Supplementi 57

Introduzione
allo studio della Bibbia
Supplementi

57
Michael Walzer
All'ombra di Dio

Paideia Editrice

All'ombra di Dio

Politica nella Bibbia ebraica

Michael Walzer

Paideia Editrice

a Joseph, Katya, Jules, Stefan
e ai loro figli e nipoti

l'dor v'dor

ISBN 978.88.394.0847.1

Titolo originale dell'opera:
Michael Walzer
In God's Shadow
Politics in the Hebrew Bible
Yale University Press, New Haven and London 2012
Traduzione italiana di Franco Bassani
© Michael Walzer, 2012
© Paideia Editrice, Brescia 2013

Indice del volume

Premessa

Mio intento in questo libro è di esaminare le idee sulla politica, sui modi d'intendere governo e legge, che trovano espressione nella Bibbia ebraica. Che cosa pensarono della vita politica gli autori biblici? Non pretenderò di rispondere a questa domanda in veste di biblista; non conosco le lingue antiche, ho una conoscenza non più che scolastica dell'ebraico biblico e una competenza in materia di storia e archeologia del mondo antico da non addetto ai lavori. Parlerò come comune lettore del testo biblico così come ci è pervenuto, servendomi delle diverse traduzioni disponibili.

Per essere più precisi, parlerò da studioso della politica che legge la Bibbia sostanzialmente allo stesso modo in cui leggo John Locke, *Il Federalista*, Rousseau, o Hegel – sollevando lo stesso genere di domande. Come viene concepita la comunità politica? come dev'essere usato il potere politico? come viene definita, difesa e contestata l'autorità? quand'è giusto muovere guerra? come viene intesa, implicitamente o esplicitamente, la gerarchia? quali sono normalmente gli obblighi, i doveri, i compiti dei cittadini o dei sudditi? come viene disegnato lo spazio politico? com'è compreso il tempo, come viene usato il passato e come s'immagina il futuro? Infine, va da sé, un'ultima domanda, proprio come la porrei leggendo un qualsiasi altro testo politico: che cos'è possibile imparare da questo libro, da questi autori?

In considerazione del modo in cui spesso la Bibbia viene studiata in ambito accademico e il modo in cui compare nel discorso religioso e politico, devo essere molto chiaro su quel che non cerco di fare in questo libro. In primo luogo non tento di scoprire che cosa accadde realmente nei secoli in cui la Bibbia fu scritta. Gli storici che si occupano di quei tempi normalmente leggono il testo biblico come serie di indizi di una realtà che si trova in qualche modo dietro di esso. Riconosco che una simile realtà è esistita. In linea di principio la risposta alla domanda: «Che cosa è accaduto?» ha una giusta risposta, ma io non la conosco e non è questa che cerco. M'interessa soltanto ciò che gli autori biblici pensavano che fosse accaduto e quel che pensavano di ciò che erano convinti che fosse accaduto. M'interessa la storia che raccontarono o rielaborarono o che forse immaginarono.

In secondo luogo non miro a trovare riprove o precedenti biblici a sostegno di mie personali idee politiche. Non vorrei far pensare che gli autori biblici fossero buoni socialdemocratici o precursori del liberalismo moderno, oppure che credessero nei diritti umani, o nella guerra giusta o nell'intervento umanitario, o in qualsiasi altra cosa abbia sostenuto personalmente in altri libri. Non leggerò la Bibbia quasi fosse uno specchio in cui vedere me stesso. Anche se gran parte della Bibbia mi è familiare e se al pari di molti lettori la leggo da una vita, farò del mio meglio per riconoscere e accettare la sua alterità.

Terzo, non tenterò di costruire un quadro piacevole né di fornire un resoconto apologetico della politica biblica. Ci sono molti bei passi e molte leggi che ammiro, molte storie che riecheggiano nei secoli, ma ci sono anche passi orribili, leggi che infrangerei tranquillamente (e che in realtà infrango), e storie che sembrano incomprensibili. Desidero esporre la concezione politica degli autori biblici nello stesso modo in cui, al ritrattista ufficiale, Oliver Cromwell disse di voler essere rappresentato: «Tutto, virtù e vizi». Eviterò lo stile omiletico, in cui quasi naturalmente cade chi scrive sulla Bibbia. Interpretare è certo necessario, ma eccedere nell'interpretazione, anche se facile, è sempre un errore, specialmente se lo si fa con l'intento del predicatore. Potrei leggere il racconto della torre di Babele, per esempio, come argomento contro l'imperialismo o come difesa del pluralismo culturale, ma questa è roba da sermoni.

Quarto, non mi occuperò dell'influenza delle idee bibliche sul pensiero politico occidentale – né per quanto riguarda il medioevo o la prima età moderna (quando i testi biblici furono assai spesso studiati e citati) né tra i fondamentalisti religiosi di oggi. Il mio *Esodo e rivoluzione* è uno studio degli usi che si sono fatti di una storia biblica (la liberazione dalla schiavitù in Egitto e la marcia verso la terra promessa) in molti paesi nel corso di molti anni.[1] Qui il mio intento è un altro. Vorrei arrivare a capire quali fossero le idee degli autori biblici nel loro tempo e luogo, e se si considerano i testi di cui si dispone, la cosa è alquanto difficile. Ancor più difficile è rendersi conto dell'influenza che ebbero, perché questa non coincide col loro uso e le loro citazioni. Per dirla con Shakespeare, «ai suoi scopi il demonio può citare la Scrittura», ma è presumibile che non sia influenzato dalla Scrittura.

Se non tento di capire ciò che realmente accadde, non cerco conferma alle mie vedute politiche, non scrivo da apologeta né pretendo che le idee politiche della Bibbia abbiano una presenza forte nel nostro pensiero politico, che cosa allora mi prefiggo con un libro come questo? quale utilità ha porre le domande che uno studioso della politica rivolge a *questo* testo? La Bibbia è soprattutto un libro religioso – un racconto delle origini e dello sviluppo di una religione radicalmente nuova, di un monoteismo

1 M. Walzer, *Exodus and Revolution*, New York 1985 (tr. it. Milano 1986, rist. 2004).

forte ed esclusivo. Questa nuova religione è il portato di un popolo che al pari di altri popoli ha capi e leggi, che fa l'esperienza di aspri conflitti interni e di guerre con altre nazioni, che è diviso su questioni di autorità e di politica, che non è sordo alle critiche che vengono mosse pubblicamente al suo governo e alla sua società. Quello che rende particolarmente interessante la letteratura dell'Israele antico e merita che la si studi attentamente è che tutto ciò avviene all'ombra di un Dio onnipotente. È quindi una serie speciale di domande quella a cui ci si trova davanti nel caso di questo libro. Quale spazio può esservi per la politica quando chi governa in ultima istanza è Dio? in una nazione che vive sotto la dominazione divina e la protezione divina, quale spazio c'è per il processo decisionale guidato dalla prudenza? l'assolutismo religioso favorisce il fanatismo e la guerra santa oppure l'accordo e la pace? Non so se sarò in grado di rispondere a queste domande, ma in ogni caso sono certo che la risposta non è unica – molte e diverse sono le voci che s'incontrano nella Bibbia ebraica. Il mio intento è di rendermi conto come meglio posso di che cosa dicono queste voci.

La Bibbia è soprattutto un libro religioso, ma è anche un libro politico. Le sue storie offrono un racconto affascinante di quelli che oggi sono chiamati mutamenti di regime – la tirannide del faraone cede il posto alla guida di Mosè e di Giosuè; a questa fa seguito il governo intermittente dei giudici, chiamato anche governo di Dio; questo è rifiutato dagli anziani e dal popolo, i quali chiedono d'essere governati da re che secoli dopo saranno abbattuti dagli eserciti conquistatori di assiri e babilonesi per essere sostituiti da imperatori stranieri affiancati dai loro sacerdoti. Tutto ciò è raccontato con una certa dovizia di particolari, così che nella Bibbia si può trovare tutto il materiale necessario per una teoria politica comparata. Ancor più, i libri biblici contengono codici di leggi, regole per la guerra, idee sulla giustizia e i doveri, critica sociale, visioni di una buona società, racconti di esilio e di spoliazione. Fino al termine del periodo biblico la religione israelitica è inequivocabilmente terrena; la sua scena è la storia e le sue manifestazioni sono facilmente accessibili all'analisi e al commento.

Ma nella Bibbia non c'è teoria politica. La teoria politica è un'invenzione greca. Non c'è nemmeno il concetto chiaro di un ambito politico autonomo e distinto, né di una attività chiamata politica, come pure di una condizione che somigli alla cittadinanza greca. Non c'è alcun tentativo sistematico di riflessione su quest'ambito, su quest'attività o su questa condizione, di tracciare mappe concettuali o di fare confronti con altre aree, attività e condizioni. L'Israele biblico è una cultura religiosa i cui testi sono di natura giuridica, storica, profetica, liturgica, sapienziale ed escatologica – mai espressamente politica. Gli autori biblici sono impegnati nella politica ma, come non mi stancherò di ripetere in questo libro, in un senso molto importante non sono veramente interessati alla politica. Per meglio dire, un numero esiguo di autori sono interessati, alcuni indifferenti, altri invece realmente ostili. I testi biblici mostrano una profonda propensione antipolitica che consegue dall'idea che Dio è un «uomo di guerra» (*Esodo* 15,3) e il più grande dei re – e allora che cosa resta da fare agli uomini? L'antipolitica fa la sua prima comparsa nella storia dell'esodo, che racconta di una liberazione in assenza di attori umani riconosciuti e autonomi, per ricomparire secoli dopo negli scritti profetici.

Tuttavia anche l'antipolitica è una sorta di politica, e gli autori che non sono interessati alla politica hanno nondimeno molto di politicamente interessante da dire. Gli autori biblici mostrano inoltre un ovvio interesse – e un interesse esplicito – per la legge e la giustizia, che per noi, se non per loro, sono temi altamente politicizzati. Di qui il mio programma in questo libro: prendere in considerazione gli scritti biblici, in ordine più o meno cronologico, quando trattano dei diversi patti, dei tre codici di leggi, dei regimi che si susseguono, delle guerre dei giudici e dei re d'Israele e dell'esperienza della conquista imperialista, e illustrare le argomentazioni, quantomeno quelle individuabili, avanzate dagli autori a proposito di legittimità, gerarchia e giustizia sociale. Tutte queste argomentazioni saranno viste non tanto nel loro contesto storico, anche se non potrò astenermi da qualche ipotesi di tipo storico, quanto piuttosto nel contesto dei testi. Proprio com'è un libro di libri, una storia di storie, così la Bibbia è anche uno scritto politico di scritti politici, e ogni pezzo va collocato tra gli altri e con questi confrontato. Come ho già accennato, cercherò di capire quali siano le forme specifiche che assumono la politica e il pensiero politico in una cultura religiosa in cui ogni regime e ogni legge ha, o si dice che abbia, relazioni col divino e dove nessun regime o codice di leggi possiede un'autonomia pratica o riconosciuta. Quale parte hanno in questa cultura re e sacerdoti, tribunali di giudici e tribunali regi, personale mercenario e magistrature, assemblee alle porte della città e nei recinti del tempio, profeti che parlano «in modo piano» (*Isaia* 30,10) e profeti che avanzano critiche?

Dovrò ribadire di continuo che non c'è una versione unica della buona vita politica e che non c'è un regime che sia ritenuto il migliore. Molti, forse la maggioranza, degli autori biblici furono sostenitori della monarchia, ma i testi contengono anche dure critiche di questa. Rispetto alla monarchia di Dio, quella umana appare idolatra – creazione di esseri umani, alla quale attribuiamo poteri che appartengono solo al vero sovrano. Ma a rigor di termini il governo del vero sovrano non è propriamente politico, mentre la monarchia umana è un regime politico, e nella misura in cui gli autori biblici pensano in termini politici lo fanno dal punto di vista del re, come sostiene Allan Silver in *The Jewish Political Tradition*.[1] Nei testi biblici non compaiono repubbliche e democrazie (anche se i commentatori ve le hanno trovate); dopo che gli esuli tornati da Babilonia non riuscirono a ripristinare la successione regale davidica, l'ultimo regime biblico fu un'oligarchia sacerdotale. In ragione della varietà di governanti – giudici, re e sacerdoti – e delle discussioni sulla monarchia, nella Bibbia ebraica non può esserci nulla di simile a una costituzione politica autorevole. Il libro del Deuteronomio (o meglio un suo passo: 16,18-22) può essere stato scritto nella speranza che sarebbe servito da testo costituzionale, ma nelle storie deuteronomiche o nelle Cronache non gli viene mai attribuito un simile statuto, né pare che la forma specifica della monarchia limitata di cui si parla nel Deuteronomio sia stata per i profeti un'idea normativa.

Nell'Europa del XVII secolo si assistette a molti tentativi accademici di costruire una costituzione ebraica e si giunse a molte costruzioni differenti.[2] Certamente il materiale c'è, si trova nei vari codici di leggi e in una storia lunga ottocento o novecento anni, sulla cui base è possibile costruire una difesa della monarchia assoluta, della monarchia limitata, della teocrazia, di un governo repubblicano, di una «democrazia primitiva» degli anziani o di un regime retto dai sacerdoti del tempio. Il vero problema, tuttavia, è perché gli autori biblici stessi fossero così poco interessati a impegnarsi in costruzioni del genere.

La mia intenzione è di leggere la Bibbia così com'è, anche se diventa subito evidente a ogni lettore che è necessario far propria qualcuna delle ipotesi relative alle varie parti del testo e all'ordine della loro composizione. La letteratura specialistica su questi problemi è sterminata, e il disaccordo tra studiosi eminenti e d'immensa erudizione toglie il fiato. L'ipotesi documentaria, che spezzava la Bibbia in sette od otto parti – i documenti J ed E nella torà, gli scritti sacerdotali, l'opera dei Deuteronomisti e degli storici successivi, la letteratura sapienziale, gli scritti profetici, la riscrittura delle storie ad opera dei cronisti – è stata rivista o forse sostituita da un gran numero di ipotesi subdocumentarie. Tutte le parti hanno parti; oggi la Bibbia è uno strano gioco di pazienza, un rompicapo che si può ricomporre in molti modi diversi – anche se a questo punto qualsiasi soluzione critica del puzzle lascia fuori qualche pezzo sconnesso e oscuro. Provo ammirazione per gran parte di questa letteratura, ne apprezzo l'erudizione e da essa ho cercato di imparare; ma leggere una Bibbia fatta a pezzi rende

---

1 V. il commento di Allan Silver sui testi biblici critici in M. Walzer - M. Lorberbaum - N.J. Zohar - Y. Lorberbaum (edd.), *The Jewish Political Tradition*, 1. *Authority*, New Haven 2000.
2 Cf. E. Nelson, *The Hebrew Commonwealth. Jewish Sources and the Transformation of European Political Thought*, Cambridge 2010. Per un'ingegnosa costruzione, che risente molto della mentalità degli ebraisti del XVII secolo di cui scrive Nelson, si veda Y. Hazony, *Does the Bible Have a Political Teaching?*: Hebraic Political Studies 1, no. 2 (inverno 2006) 137-161.

assai difficile comprenderla sia in senso politico sia in qualsiasi altro senso. È evidente che non è questo il modo in cui i suoi autori e redattori vollero che la si leggesse. Il gruppo dei redattori finali, chiunque essi fossero, intendeva comporre un'opera unitaria, e in questo modo si deve cercare di leggerla. Al tempo stesso non è possibile negare che la composizione rivela le sue cuciture e non si può far finta di non vedere le diverse parti – o quantomeno alcune di esse.

Il mio modo di leggere la Bibbia è quindi un compromesso in cui cerco di dimostrarmi attento ai redattori antichi che misero insieme il tutto e al tempo stesso agli studiosi odierni che hanno smembrato questo tutto per poi faticare a rimetterlo insieme. Ma poiché gli specialisti hanno fornito spiegazioni assai diverse delle parti del testo e delle sue ricostruzioni più plausibili, è impossibile prestare attenzione a tutti. Non posso che formulare dotte congetture su chi di loro dica cose giuste. Ho scelto gli studiosi che mi sono parsi utili al mio progetto, e tali si sono rivelati perlopiù quelli della mia stessa generazione (e i loro allievi), con i quali sono cresciuto e che sono state le mie prime guide ai testi. Ho anche consultato regolarmente i rabbi antichi lettori della Bibbia, quelli della letteratura midrashica e talmudica, oltre ai commenti posteriori di Rashi e di Nahmanide. Talvolta le letture midrashiche sono sbalorditivamente strampalate (anche se difficilmente più di quelle dei critici biblici d'oggi), ma talaltra si mostrano precise e acute.

I libri della Bibbia ebraica si susseguono in un ordine differente da quello che hanno nell'Antico Testamento cristiano, e la loro sistemazione rispecchia sensibilità religiose differenti: i cristiani fanno della Bibbia una grande storia che va dalla creazione alla redenzione; la versione ebraica rispecchia un impegno non concluso con la storia. La mia esposizione del pensiero politico biblico presuppone questo impegno non finito; prendo il racconto degli autori delle Cronache come l'ultima parte della storia e lo stato dei sacerdoti del tempio come l'ultimo dei regimi biblici. La definizione del canone ebraico fu un processo lungo, che non si concluse prima del lavoro dei rabbi di Jabne, intorno al 100 d.C.[1] Di fatto la redazione dei libri era pressoché conclusa (tranne forse per il libro di Daniele) circa trecento anni prima. Ai miei intenti il periodo successivo al 200 a.C. viene considerato qui postbiblico. Il mio argomento è la storia politica di Israele fino a quel punto – ripeto, non ciò che realmente accadde, ma ciò che riferiscono gli autori biblici e il modo in cui lo riferiscono.

Non leggerò il testo come parola di Dio ma come parola dei suoi autori. Chi fossero questi autori non è noto, se non per i profeti letterari e per Esdra e Neemia, che sono presumibilmente gli autori (di almeno parte)

---

[1] Per il significato della costituzione del canone si veda M. Halbertal, *People of the Book. Canon, Meaning, and Authority*, Cambridge 1997.

dei libri che portano il loro nome.[1] Né si sa quando gli autori scrissero, quando i testi furono pubblicati e fino a che punto furono riveduti al momento della loro divulgazione. I commentatori rabbinici ribadiscono che il testo, in quanto parola di Dio, non ha una sequenza temporale. Per loro tutti i detti furono enunciati simultaneamente; prima e poi (anche all'interno del racconto storico della Bibbia) sono categorie irrilevanti; ogni versetto è in grado di spiegare qualsiasi altro. Io invece dovrò supporre una qualche successione, attenendomi come meglio posso agli studiosi della Bibbia che mi sembrano i migliori – come quando leggo la trattazione sulla monarchia di *Deuteronomio* 17 come commento alla discussione al riguardo nel primo libro di Samuele e alla storia del regno di Salomone nel primo dei Re. Sull'esegesi intrabiblica Michael Fishbane ha scritto uno studio brillante: in questo libro ho cercato di seguire lui e studiosi come lui, in particolare per lezioni e correzioni di natura giuridica.[2]

Dovrebbe però esser chiaro che quando attribuisco opinioni politiche a questo o a quell'autore o gruppo di autori biblici, non mi riferisco realmente ad autori e redattori. In un certo senso – e senza per questo essere un lettore postmoderno – miei «argomenti» sono i testi stessi. Penso sempre ad autori veri, a soggetti in senso forte, con idee e convincimenti loro propri che cerco di comprendere.

Interpretazioni autorevoli della Bibbia in fin dei conti non ce n'è. La sola quantità di letture religiose, di appropriazioni a scopi omiletici e di studi specialistici ha di che sconvolgere. È possibile criticarne ed eliminarne molte, ma non si può semplicemente pensare che siano tutte riducibili a un'unica esposizione corretta. Tutti noi che scriviamo su questo testo entriamo in una discussione che è stata portata avanti per migliaia d'anni e che non promette di avere termine. Dice il profeta Zaccaria che nei giorni a venire «ci sarà un unico Signore e il suo unico nome» (14,9). Ma sono certo che anche allora la parola del Signore non sarà una sola; i credenti, al pari degli scettici e dei non credenti, non si troveranno d'accordo sul significato del testo biblico e sulle idee politiche dei suoi autori.

Quando cito la Bibbia mi servo il più delle volte della versione di re Giacomo semplicemente per il suo bell'inglese – l'inglese di Shakespeare e di Donne. In ogni caso ho riscontrato tutti i passi su versioni specialistiche più recenti, in particolare quella edita nel 1988 dalla Jewish Publication Society: *Tanakh. The Holy Scriptures*, particolarmente pregevole per il gran numero di versetti accompagnati da note a piè di pagina con la chiosa «significato dell'ebraico incerto».[3] Ricorro a questa traduzione qui e là, quando mi pare più precisa e più comprensibile al lettore d'oggi, indican-

---

1 Lasciarsi andare a congetture è tuttavia divertente, cf. R.E. Friedman, *Who Wrote the Bible?*, New York 1987.   2 M. Fishbane, *Biblical Interpretation in Ancient Israel*, Oxford 1985.
3 *Tanakh. The Holy Scriptures*, Philadelphia 1988.

do questi casi con la sigla NJPS. Tutte le altre citazioni provengono dalla Bibbia di re Giacomo, anche se ho rinunciato a SIGNORE tutto in maiuscola, ho ridotto a tondo gli sporadici corsivi e ho ignorato la regola degli editori del XVII secolo di andare a capo a ogni versetto o paragrafo. Ho consultato anche la piacevole traduzione annotata della torà di Robert Alter, che dibatte molti punti incerti nei primi cinque libri.[1] Grandi specialisti possono avanzare dotte congetture sul significato del testo; il lettore comune deve cavarsela con congetture poco elaborate. Leggere la Bibbia è un'impresa complessa e congetturale, ma non un'impresa alla quale sia necessario essere invitati; tutti, se lo desideriamo, ne siamo lettori.

1 *The Five Books of Moses*, New York 2004.

Ringraziamenti

Ho iniziato a studiare la Bibbia ebraica con rabbi Hayim Goren Perelmuter, straordinario insegnante, a Johnstown, in Pennsylvania, sul finire degli anni '40. L'ho studiata più recentemente e continuo a studiarla con i membri del minjan «tradizionale/ugualitario» al Princeton University's Center for Jewish Life. Le nostre discussioni settimanali mi hanno deciso a portare a termine questo libro che è stato sul mio tavolo per molti anni. Aveva avuto inizio nel 1990 alla New School for Social Research di New York con un corso sulle idee politiche della Bibbia. Ho preparato la versione finale durante la mia fellowship al Tikvah Center della New York University Law School e al Hebrew University's Institute for Advanced Studies di Gerusalemme.

Sono particolarmente in debito con Moshe Greenberg, che molti anni or sono a Gerusalemme (quando lavoravo a Esodo e rivoluzione) ha letto con me testi biblici e mi ha incoraggiato a scrivere sulla Bibbia dalla prospettiva dello studioso di politica. Moshe era un grande studioso e una persona straordinariamente dolce e gentile, il cui incoraggiamento fu per me una sorta di autorizzazione – non penso che senza di essa avrei potuto scrivere questo libro. David Hartman mi fornì a Gerusalemme una dimora intellettuale e mi fu d'esempio per l'impegno sui testi e la responsabilità verso l'ebraismo, ispirando molto del mio lavoro nel corso dei decenni passati, non solo per questo libro ma anche – insieme ai colleghi dello Shalom Hartman Institute – per The Jewish Political Tradition. Menachem Lorberbaum, Moshe Halbertal, Noam Zohar, Haim Shapira, Ariel Furstenberg, Yitzhak Benbaji e Yuval Jobani hanno letto alcuni capitoli del libro e mi hanno offerto sostegno, incoraggiamento e utili critiche. Ho imparato molto dalle discussioni con Bernard Levinson e Allan Silver negli anni in cui furono all'Institute for Advanced Study di Princeton – e con Allan anche in occasione di incontri a Gerusalemme. Gary Anderson fu mio collega al Tikvah Center e mi ha introdotto a recenti letture cristiane dei testi biblici. Sono intellettualmente in debito con Robert Alter, Michael Fishbane, e Israel Knohl, i cui libri mi hanno insegnato come leggere la Bibbia, e ho attinto coraggio da Daniel Elazar e Aaron Wildavsky, studiosi di politica lettori della Bibbia: cammino sulle loro orme anche se ho preso una strada diversa. Nessuna di queste persone è responsabile della presunzione di questo libro e dei suoi errori. Judith Walzer ha letto tutti i capitoli e ha assistito alla maggior parte delle lezioni in cui ho messo alla prova le mie argomentazioni (per alcune di esse più di una volta); è il mio critico più esigente, ma non potrei incolparla dei miei errori.

Tre di questi capitoli (4, 5 e 11) sono serviti da Samuel and Althea Stroum Lectures all'Università di Washington – e ho tratto profitto dalle vivaci discussioni con gli studenti e con membri di quella facoltà. Il capitolo sulla sapienza biblica è nato come lezione tenuta prima allo Shalom Hartman Institute di Gerusalemme, poi all'Università di Toronto. Ho esposto a mo' di esperimento il capitolo sulla profezia e la politica internazionale al Tavistock Institute di Londra. Il capitolo sui codici di leggi fu la prima Robert Cover Lecture alla Yale Law School e fu poi pubblicato in The Yale Journal of Law and the Humanities, i cui lettori con i loro commenti sono all'origine della prima di molte revisioni. Una prima versione del capitolo sulla guerra santa comparve molti anni or sono in The Journal of Religious Ethics, insieme a una risposta di John Howard Yoder. Il capitolo sull'esilio fu in origine una lezione che tenni quando fui insignito del Leopold Lucas Prize all'Università di Tübingen; fu pubblicato col titolo Exilpolitik in der Hebräischen Bibel da Mohr Siebeck nel 2001. I capitoli 6 e 11 sui profeti e gli anziani sono stati pubblicati più di recente nella nuova rivista Hebraic Political Studies. Sono grato a tutti gli editori di libri e riviste e agli organizzatori di conferenze che mi hanno dato l'occasione di scrivere e parlare della Bibbia ebraica.

Per più di trent'anni sono stato professore (ora professore emerito) all'Institute for Advanced Study di Princeton. È difficile immaginare un luogo migliore in cui lavorare, migliori colleghi di quelli che vi ho trovato e un personale più competente e disponibile. Sono particolarmente grato ad Amelia Dyckman, Linda Garat e Nancy Cotterman, il cui provetto servizio di segreteria ha reso la stesura di questo libro molto più agevole di quello che altrimenti sarebbe stato.

La Yale University Press mi ha fornito il suo ben noto ed eccelso aiuto. Le garbate sollecitazioni di William Frucht hanno fatto avanzare il libro più rapidamente di quanto mi sarebbe stato possibile, e l'esperta cura editoriale di Mary Pasti ne ha fatto un libro migliore.

Capitolo 1
I patti

Israele fu fondato due volte, una volta come famiglia, come gruppo parentale, un'altra volta come nazione, come comunità politica e religiosa – e in entrambi i casi un patto fu lo strumento della fondazione. Il primo patto fu con Abramo (viene raccontato due volte, in *Genesi* 15 e 17), e comprende una promessa e una profezia sul suo «seme». Abramo sarà «padre di molte nazioni» (17,5), di una nazione in particolare, i suoi diretti discendenti, che un giorno erediteranno il paese di Canaan. È questo il patto della carne, eterno come il succedersi delle generazioni, suggellato con la circoncisione. Questo patto, o almeno il suo sigillo, si estende a stranieri, ma solo a stranieri – schiavi o servi – che vivono nella casa di Abramo e dei suoi eredi: «colui che è nato nella casa o è stato comperato con denaro» (17,12). Fondamentalmente la promessa di Dio riguarda la famiglia, è un diritto acquisito con la nascita che passa da una generazione alla successiva.[1]

Il secondo patto, sul Sinai, è col popolo d'Israele – col popolo d'Israele, non con Mosè e i suoi discendenti. Mosè funge da intermediario. Sale e scende dalla montagna recando messaggi, ma per quanto riguarda il patto Mosè è semplicemente uno del popolo. Condivide con gli altri la promessa generale; non si dice nulla del suo «seme» – e nel prosieguo in sostanza non si sente più parlare della sua discendenza.[2] Il patto del Sinai è un patto che ha la natura della legge e si trasmette per mezzo di parole, non di coltelli. «E queste parole che ti ordino in questo giorno saranno nel tuo cuore, e tu le insegnerai con cura ai tuoi figli» (*Deuteronomio* 6,6-7). In seguito i profeti accuseranno i connazionali israeliti di avere un «cuore incirconciso», che significa che sono stati infedeli al (secondo) patto; non sono vissuti secondo la legge. Questo patto non è segnato nella loro carne, i suoi effetti sono incerti come quelli delle parole, anche di parole insegnate con diligenza.

Anche se i Deuteronomisti avevano scritto che le parole di Dio devono essere insegnate «ai tuoi figli», in realtà le parole possono essere insegna-

---

1 Il patto con la famiglia di Abramo è il modello di quello con David e i suoi discendenti (ci se ne occuperà più avanti, nel cap. 3). Cf. D.R. Hillers, *Covenant. The History of a Biblical Idea*, Baltimore 1969, cap. 5.
2 Sull'uguaglianza nell'ambito del patto, cf. Hillers, *Covenant*, 78-89.

te a chiunque. Dio stesso non parla solo ai discendenti di Abramo, ma anche alla «varia moltitudine» venuta con loro dall'Egitto (*Esodo* 12,38), e quando in *Deuteronomio* 29 il patto viene proclamato di nuovo, alla proclamazione partecipano gli stranieri che sono nel campo, al pari degli uomini, delle donne e dei bambini d'Israele. In questa comunità del patto l'unità fondamentale è ancora la famiglia, e nel Deuteronomio gli stranieri sono «i taglialegna e i portatori d'acqua», simili ai servi di Abramo, anche se molto più numerosi e con una famiglia propria. Il patto unisce ora una gran quantità di famiglie, di ascendenza nota e ignota.

Molti secoli più tardi i rabbi accuseranno questa «varia moltitudine» di tutte le ribellioni d'Israele a Dio e a Mosè negli anni nel deserto – le «dieci mormorazioni». L'accusa fa pensare che venisse dato grande peso al modello parentale: il seme di Abramo non poteva aver peccato in modo tanto grave e tanto di frequente. Per contro, gli autori biblici rimproverano le mormorazioni proprio agli israeliti; la sola eccezione è *Numeri* 11,4: «La canaglia [*ha'safsuf*] fra di te è di una voracità disperata» (NJPS).[1] A detta di Rashi «questa è la moltitudine eterogenea che si era raccolta fra loro quando se ne andarono dall'Egitto», e la resa di *Numeri* 11,4 nella Bibbia di re Giacomo lo segue («e la moltitudine eterogenea che era fra loro fu presa da cupidigia»). Come che sia, questo gruppo non verrà più menzionato. Gli autori paiono dare per presupposto che la moltitudine eterogenea venne assorbita, anche se non è chiaro se nella nazione o nella famiglia, in virtù del patto o di matrimoni misti.

Questi due patti rispecchiano il modo in cui la Bibbia intende quella che in fin dei conti è una caratteristica comune delle comunità politiche e religiose: si può essere nati al loro interno, come la maggioranza dei loro membri, ma si può anche entrarvi e venire ad aggiungersi per il tramite di qualche procedura di adesione (naturalizzazione o conversione). C'è una tensione permanente, intrinseca, fra il modello dell'appartenenza per nascita o per adesione.[2] Il primo privilegia politiche di nativismo e di esclusione (come nei libri di Esdra e Neemia), il secondo di apertura e accoglienza, di proselitismo ed espansione (e anche di conversione forzata, come in età asmonea, benché si supponga che l'adesione sia spontanea). La pratica dei matrimoni misti è il banco di prova della forza relativa dei due patti. All'approssimarsi della morte Abramo fa giurare al servo più anziano e probabilmente più fidato «che non prenderai per mio figlio una moglie tra le figlie dei cananei tra i quali dimoro, ma andrai nel mio pae-

1 *Tanakh. The Holy Scriptures*, Philadelphia 1985 (d'ora in avanti citato con la sigla NJPS). Nel testo si rinvia anche a passi del Talmud babilonese e di altre opere giudaiche postbibliche senza riportarli per esteso.

2 Per un'utile disamina di questa tensione si veda D.J. Elazar (ed.), *Kinship and Consent. The Jewish Political Tradition and Its Contemporary Uses*, Piscataway, N.J. 1997.

se e ai miei parenti» (*Genesi* 24,3-4). Una promessa simile esige Neemia dai giudaiti del v secolo: «non daremo le nostre figlie al popolo del paese, né prenderemo le loro figlie per i nostri figli» (10,30). Al contrario, il libro di Rut (che potrebbe essere stato scritto per contrastare le politiche di Esdra e Neemia e che certamente rispecchia una diversa sensibilità) racconta la storia non solo di un matrimonio misto ma anche di un'adesione volontaria: «il tuo popolo sarà il mio popolo e il tuo Dio il mio Dio» (1, 16). Rut avrebbe potuto aggiungere «la tua legge la mia legge», dal momento che la sua vita da donna israelita fu largamente determinata dalle leggi matrimoniali.

In linea di principio il patto della legge è aperto a chiunque sia disposto ad accettarne gli oneri; perciò non è del tutto privo di plausibilità affermare che non c'è un popolo eletto ma solo un popolo che ha eletto. Sarebbe tuttavia sbagliato pretendere che il secondo patto sostituisca il primo. In tutta la storia biblica la dottrina dell'adesione è messa in ombra e talvolta offuscata dalla dottrina della parentela, la legge dalla carne, la decisione dall'elezione. La speranza sempre rinnovata che Dio non abbandonerà un popolo i cui membri violano di continuo la sua legge si basa sul modello della parentela e dell'elezione. Nel lungo dibattito sul proselitismo, che pare sia iniziato durante l'esilio babilonese e che si protrasse per molti secoli, i sostenitori dell'adesione finirono col vincere, benché la vittoria fosse lungi dall'essere risolutiva: fra i membri della comunità del patto rimase un sospetto profondo nei confronti dei convertiti. Le élites di Israele erano orgogliose della loro genealogia (fino ai tempi dei rabbi al riguardo si era divisi). Il patto sacerdotale con Aronne e quello regio con David sono entrambi esemplati sulla promessa di Dio ad Abramo: sono patti su carne, seme e successione delle generazioni.

L'intento polemico del libro di Rut è evidente dove alla sua eroina, nata moabita, viene riconosciuta una posizione di spicco fra gli ascendenti del re David. Per contro i Deuteronomisti sottolineano la necessità per il re del legame familiare: «Farai re su di te uno che sia dei tuoi fratelli; non porrai sopra di te uno straniero che non sia tuo fratello» (17,15). Questo versetto è stato accostato alla norma della costituzione americana per la quale il presidente deve essere nato cittadino, non può essere un naturalizzato – prova che la tensione fra i due patti è tanto secolare quanto religiosa, moderna quanto antica. Non sono tuttavia sicuro che i Deuteronomisti avrebbero accettato come legittimo re di Israele il figlio, e nemmeno il nipote, di una moabita «naturalizzata». Come per i sacerdoti, la cui legittimità, stando al Levitico, dipendeva dalla discendenza diretta da Aronne. Chi non avesse potuto dimostrare la propria provenienza familiare era squalificato – come avvenne ad alcuni esuli al ritorno da Babilonia nel 538 a.C.: «Questi cercarono i loro documenti fra coloro che erano stati registrati secondo la genealogia, ma non furono trovati; perciò furono esclusi dal sacerdozio, perché contaminati» (*Esdra* 2,62).

Il patto del Sinai, facendo seguito alla liberazione dalla schiavitù in Egitto, fu il più importante dei patti d'Israele, e gli autori biblici non sembrano aver dubbi che dipendesse dal consenso, non dal sangue. Le leggi avevano valore perché il popolo le aveva accettate. Nei loro scritti i rabbi sono al riguardo particolarmente chiari, e anche avanzano l'idea, in un celebre midrash (commento), che Dio avesse offerto il suo patto ad altre nazioni, che l'avevano rifiutato – ma di ciò non v'è indizio nel testo biblico. Un altro midrash parla di Mosè in piedi davanti al popolo, il libro nella mano: «Mosè lesse ad alta voce al popolo tutto ciò che sta nella torà [il Pentateuco], affinché potessero conoscere esattamente ciò di cui si stavano facendo carico». Si riconoscono qui le condizioni essenziali di quella che oggi viene chiamata teoria del consenso.[1] Prima che vi sia effettivo consenso devono darsi conoscenza piena e possibilità di rifiuto.

Ma è realmente possibile dire di no a un Dio onnipotente? Un racconto rabbinico più scettico e ironico mostra quanto sia difficile. Vi si dice che Dio sollevata la montagna, tenendola sospesa sulle teste degli israeliti riuniti in assemblea dice loro: «Se accettate la torà, bene; altrimenti la vostra tomba sarà sotto questa montagna». Un rabbi, grande sostenitore della teoria del consenso, del racconto di questa storia dice che è «una grande protesta contro la torà», perché fa della torà una legge non vincolante, basata unicamente sulla forza, non sull'impegno.[2] Su simili argomenti teorici il libro dell'Esodo non ha nulla da dire, ma insiste sul consenso del popolo, fornendo per così dire una base alle ipotesi successive.

La vicenda del patto è raccontata due volte, e ciò fa pensare che tradizioni diverse siano state cucite insieme, ma le parole decisive compaiono in ambedue i racconti: sulla questione del consenso popolare le tradizioni non differiscono. In *Esodo* 19 Mosè comunica un breve messaggio divino, dopodiché «tutto il popolo rispose a una sola voce e disse: Tutto quello che il Signore ha detto noi lo faremo». In *Esodo* 24, dopo una lunga esposizione degli obblighi del patto, la risposta viene ripetuta: «Metteremo in pratica tutto quello che il Signore ha detto e gli obbediremo». L'accordo è generale; tutto il popolo accetta tutte le leggi. Non si parla di alcun dibattito fra gli israeliti: non si tratta di un patto oggetto di negoziazione. Nel capitolo seguente si mostrerà come la sostanza delle leggi debba essere stata oggetto di discussione, non sul momento ma nel corso degli anni, poiché i codici di leggi sono tre e diversi, e di ciascuno si dice che è

---

1 Del patto del Sinai e della teoria del consenso ho trattato in *Esodo e rivoluzione*, cap. 3.

2 *bShabbat* 88a; cf. M. Walzer, M. Lorberbaum, N.J. Zohar, Y. Lorberbaum (edd.), *The Jewish Political Tradition*, 1. *Authority*, New Haven 2000, 28-29, e il commento di M.J. Sandel, 30-31.

stato rivelato da Dio sul Sinai. Di fatto essi sembrano rappresentare modi successivi o concorrenti d'interpretare quanto Dio intese rivelare o di comprendere ciò che poté voler dire la sua rivelazione. Si deve pensare a sacerdoti, profeti e scribi che discutono fra loro; diversamente, poiché Dio non cambia il suo pensiero né le sue leggi, il racconto scritto non avrebbe senso. E i redattori dell'ultima versione del racconto scritto devono in qualche modo aver riconosciuto e accettato questo pluralismo giuridico (espressione anacronistica che verrà precisata più avanti).

Il mito fondante, benché insista sul consenso, non lascia spazio alla discussione. Nel patto i contraenti non sono uguali. Fare un accordo con Dio non è affatto simile a una transazione. Che cos'è, allora? Spesso si è sostenuto che vi sia una stretta somiglianza fra il patto del Sinai e gli antichi trattati fra re e vassalli nel Vicino Oriente antico.[1] Le affinità sono infatti tanto strette da far pensare che sia pressoché certo che gli autori biblici conobbero e usarono il modello del trattato. Dio era il re d'Israele, Israele la nazione vassalla o serva di Dio. E i motivi che inducevano ad accordarsi con patti erano forse simili a quelli che portavano ad accettare un sovrano secolare: una combinazione di gratitudine, prudenza e necessità. Ma fra i trattati e i patti ci sono anche differenze importanti; non ci si limitò a servirsi del modello ma lo si trasformò.

I trattati hanno portata internazionale, sono imposti da governi più potenti ad altri meno potenti, stabiliscono solo gli obblighi in materia di politica estera dei due contraenti – talvolta obblighi di uno solo dei due, il meno potente, che promette di non cercare mai un sovrano diverso. Israele fa una promessa simile – ossia di non adorare nessun altro dio. Il suo patto, tuttavia, ha carattere essenzialmente interno: il popolo s'impegna a vivere in un certo modo. Come già si è detto, non c'è nessun accordo speciale con colui che è alla guida del popolo, né l'accordo si limita a quanto fanno i capi. Le sue clausole, alquanto circostanziate, si spingono a tutti gli aspetti della vita quotidiana, anche molto individuali. In un certo senso, per dirla con un commentatore rabbinico, al Sinai tra Dio e gli israeliti non c'è un unico patto ma 600 000. Ogni atto di assenso è anche un atto di adesione, un consenso a far parte della comunità del patto. Per questo il patto biblico, esemplato sul trattato antico, funge a sua volta da modello al contratto sociale moderno (XVI e XVII secolo).[2]

1 Hillers, *Covenant*, cap. 3; G.E. Mendenhall *Law and Covenant in Israel and the Ancient Near East*, Pittsburgh 1955; J. Bright, *Covenant and Promise. The Prophetic Understanding of the Future in Pre-Exilic Israel*, Philadelphia 1976, cap. 1; M. Weinfeld, *Deuteronomy and the Deuteronomic School*, Oxford 1972, parte I, cap. 2.

2 D.J. Elazar costruisce tutta una teoria politica biblica sulla base del patto preso come modello, ma si tratta in gran parte di costruzione, non della messa in luce di un dato. Il patto nei testi c'è, la dottrina mi pare che non ci sia. Si veda D.J. Elazar, *Covenant and Polity in Biblical Israel. Biblical Foundations and Jewish Expressions*, New Brunswick, N.J. 1995.

Il risalto dato all'adesione individuale comporta per il patto un altro motivo, che non interviene nei trattati con i sovrani – la fede in *questo* Dio e l'ammirazione per le sue leggi. Nel Deuteronomio, che si può leggere come un unico lungo documento pattizio, Mosè esorta il popolo all'ammirazione come pure alla gratitudine:

perché questa è la vostra sapienza e la vostra intelligenza agli occhi delle nazioni, che verranno a conoscenza di questi ordinamenti e diranno: Certo questa grande nazione è un popolo sapiente e intelligente... E quale nazione c'è... che abbia ordinamenti e giudizi così giusti come tutta questa legge che oggi ho posto dinanzi a voi? (4,6.8).

La legge mostra il modo migliore di vivere, non semplicemente perché è ordinata da un re divino e onnipotente ma perché tutti gli esseri umani – tutti, non solo quelli che hanno fatto l'esperienza storica degli israeliti – possono riconoscerne la sapienza e la giustizia. Il riconoscimento della giustizia non è conseguenza della legge, pare dire il testo, ma la precede, è oggetto d'intuizione o di conoscenza comune. In proposito i problemi sono molti e gravi, ma non si può dire che gli autori biblici, nemmeno i Deuteronomisti, vi siano interessati. È in ogni caso chiaro che essi sono convinti che il popolo abbia ragione ad accettare la legge – è una buona legge, e quindi il popolo dovrebbe accettarla, ma solo se l'accetta sarà obbligato dalle sue disposizioni.

Una di queste disposizioni, come si è visto, esige che i membri della comunità del patto insegnino la legge ai loro figli. I figli sono obbligati a mettere in pratica questi insegnamenti, oppure è necessario anche il loro consenso prima che l'obbligo valga per loro? Gli autori biblici si trovarono evidentemente alle prese con questo problema, anche se è difficile estrarre dai loro testi una qualche dottrina che ne dia una soluzione coerente. Al riguardo la tensione fra parentela e patto è molto evidente. Nel prologo storico del Deuteronomio, Mosè dice al popolo che «il Signore nostro Dio ha fatto con noi un patto sul Horeb (Sinai). Il Signore non fece il patto con i nostri padri ma con noi, proprio con tutti quelli che siamo qui oggi ancora in vita» (5,2-3).

Questa affermazione non risponde al vero. All'epoca del discorso di Mosè gli adulti che erano al Sinai erano ormai morti tutti (tranne Giosuè e Caleb); al Sinai le persone cui qui ci si rivolge erano bambini o non erano ancora nate. La prima persona plurale è per così dire un collettivo genealogico. Designa gli eredi della generazione presente al Sinai. I vantaggi della liberazione si erano trasmessi, ma si erano trasmessi anche gli obblighi del patto? La risposta alla domanda non è chiara. Per un verso la risposta è no, poiché l'intento del discorso di Mosè è persuadere il popolo «ancor oggi in vita» a pattuire di nuovo, a riaffermare l'impegno di Israele, ed è evidente che, in linea di principio, l'accettazione del patto è altrettanto libera questa seconda volta quanto lo era stata la prima. «Ho posto davanti a voi» – dice Mosè – «vita e morte, benedizione e maledizione, perciò scegliete la vita» (*Deuteronomio* 30,19).

Per altri versi la scelta pare invece avere conseguenze che vanno oltre gli uomini e le donne reali che l'hanno fatta. E anche qui il testo è esplicito:

E io non soltanto con voi faccio questo patto e questo giuramento, ma lo faccio con chi oggi sta qui... al cospetto del Signore nostro Dio, e anche con chi oggi non è qui con noi (29,14-15).

L'autore di questo passo non sostiene che tutti gli uomini che mai verranno al mondo sono compresi nel patto. Solo gli israeliti che «non sono qui» – vale a dire le future generazioni d'Israele – sono considerati come fossero presenti alla stipula del patto. Per loro, così pare, il patto e tutti i suoi obblighi sono infatti ereditati; il collettivo genealogico, il plurale «voi» o «noi» che eravamo al Sinai, ricompare in ogni generazione e determina la risposta necessaria ogni volta che l'antico assenso viene rinnovato.

Ma se il patto viene ereditato, perché per Israele è necessario pattuire di continuo? Talvolta si afferma di aver rinvenuto nel testo tracce di un rito annuale in cui non tanto si rinnova il patto, quanto piuttosto si ripete la pattuizione originaria in un rituale che presuppone l'implicita continuità del legame giuridico e morale che la storia ricorda e reintegra nella coscienza popolare.[1] Ma le occasioni in cui di fatto viene di nuovo pattuita l'alleanza non sembrano essere di natura rituale, quantomeno non paiono essere meramente rituali. In gioco è molto più che celebrare correttamente un rito. In *Giosuè* 24, al momento della supposta conclusione della conquista di Canaan, quando le tribù stanno per separarsi il rinnovamento del patto ha un'ovvia finalità politica, e Giosuè, che ne richiede il rinnovamento, sembra anticipare resistenze:

E se non vi piace servire il Signore, scegliete pure oggi a chi preferite servire: se agli dei cui servirono i vostri padri sull'altra sponda del fiume o se agli dei degli amorrei, nella cui terra abitate: quanto a me e alla mia casa, serviremo il Signore (24,15).

Di nuovo, come già nell'Esodo e nel Deuteronomio, si presuppone una vera decisione, o almeno così l'autore vuole far credere, forse perché condivide con noi l'idea che senza decisione non c'è obbligo.

I due altri grandi rinnovamenti avvengono ai tempi della riforma di Giosia, quando si trovò nel tempio il «libro della legge», e all'epoca della riforma di Esdra, dopo il ritorno da Babilonia, quando all'assemblea del popolo fu presentato un altro «libro della legge». Giosia riunì «tutto il popolo, piccoli e adulti, e lesse loro tutte le parole contenute nel libro». Espose poi gli obblighi contenuti nel loro accordo: «seguire il Signore, osservare i suoi comandamenti... con tutto il cuore e con tutta l'anima». «E

1 Hillers, *Covenant*, 76-77.

tutto il popolo acconsentì al patto» (2 *Re* 23,2-3). Nessuna discussione – di nuovo l'unanimità –, ma la situazione non è certo di natura rituale. Il libro andava accettato perché stava per essere applicato – e applicato con rigore, con costi considerevoli per qualche membro della comunità.

Identica situazione nel caso del patto di Esdra, dove si sa che l'accordo ebbe un particolare scopo politico che incontrò una forte opposizione. In *Neemia* 8, 9 e 10 sembrano confluire due avvenimenti molto diversi: il primo è la lettura del «libro della legge» a «tutto il popolo... uomini e donne», con i leviti che provvedono a spiegare esattamente che cosa ciò significhi – «lessero quindi nel libro... con precisione e spiegarono il significato e fecero comprendere loro quanto era stato letto» (8,8); il secondo è un patto più ristretto, forse anche settario, al quale aderirono soltanto alcuni del popolo, i cui nomi vengono debitamente aggiunti. Che cosa sia accaduto realmente in quella circostanza non sono in grado di spiegarlo; le discussioni degli specialisti sono affascinanti, ma probabilmente non hanno alcun rilievo per il nostro problema. Quel che tuttavia qui viene messo in chiaro, in modo più evidente di quanto non avvenga in qualsiasi altro passo, sono la centralità e la serietà del patto per il pensiero israelita. Il popolo comprende i termini dell'accordo; il rifiuto è possibile (e probabilmente effettivo, quantomeno da parte di alcuni), e l'accettazione ha immediate conseguenze politiche.

La conseguenza di tutto ciò pare essere che in certi momenti critici – quando si pensa a politiche radicalmente nuove o si ritiene necessaria una riforma religiosa – i capi d'Israele hanno bisogno del consenso del popolo. Ma per effetto di questi accordi Israele stesso si costituiva o ricostituiva? chi negava il consenso usciva dalla comunità? i giovani adulti diventavano membri a pieno titolo soltanto dopo aver ascoltato la lettura del «libro della legge», dopo aver compreso la lettura e accettato i comandamenti? A quest'ultima domanda si può soltanto rispondere che non c'è nessun documento di simili atti di accettazione (sul modello dell'anabattismo del XVI secolo, ad esempio), prima dei tempi del proselitismo e delle conversioni, ampiamente postbibliche. Quelli che si riunivano periodicamente per ascoltare la lettura del libro erano già israeliti, uniti in un collettivo genealogico. Come in altre nazioni storiche, sono contemporaneamente all'opera parentela e patto, lignaggio e consenso. Sorprendente nella Bibbia è la profonda consapevolezza dei due momenti: questo patto, che prima di diventare vincolante richiede il nostro consenso, è anche il «patto dei nostri padri» al quale abbiamo già consentito e che è già vincolante.

A che cosa il patto obbliga coloro che gli sono soggetti? Una volta che il popolo ha dichiarato: «Noi lo faremo», che cosa deve fare? Ogni individuo, uomo o donna, che si unisce a quel «noi», è tenuto a obbedire alla legge di Dio. È probabilmente un bene che in *Esodo* 19 essi diano subito il loro consenso, prima di avere visto la legge in tutta l'estensione, il numero completo dei comandamenti. Sono comunque tenuti all'osservanza, all'obbedienza e alla fedeltà religiosa. Che nel corso dei secoli questo vincolo sia stato inteso coerentemente in termini di patto è testimoniato dall'immagine dell'infedeltà usata normalmente dai profeti, che presenta Israele come donna adultera e Dio come amante e marito tradito. Negli scritti profetici l'immagine di Dio come padre non è frequente (compare più spesso come il Dio *dei nostri padri*), mentre Israele non è un figlio ma un adulto consenziente.[1] Anche i singoli che ne fanno parte sono tutti adulti consenzienti, tenuti a fare quanto hanno promesso di fare.

Tutto ciò che hanno promesso è tuttavia l'obbedienza e la fedeltà personali. Nei testi biblici non pare ci sia alcunché che vada oltre; ai singoli non viene rivolta alcuna richiesta di agire politicamente per garantire obbedienza e fedeltà in generale o di contribuire alla creazione di una comunità santa o giusta. La questione non si pone; l'attività politica della gente comune non è un argomento biblico; né si trova un qualche riconoscimento esplicito di uno spazio politico, di un'agorà o di un foro dove ci si riunisca a discutere e prendere decisioni circa le politiche della comunità. «Le porte della città» sono l'equivalente biblico dello spazio pubblico ma, stando ai nostri testi, le questioni che vi si trattano sono di natura giuridica, non politica. In *Deuteronomio* 16 e 17 ci si rivolge collettivamente al popolo ordinandogli (o permettendogli) di darsi un re e di stabilire giudici («giudici e funzionari stabilirai a tutte le porte... nelle tue tribù», 16,18), ma non si racconta poi che ci si sia riuniti per procedere a nomine del genere. Per effetto dei patti il popolo esiste come entità collettiva, ma non pare che agisca in forma collettiva.[2]

Ci sono funzionari pubblici forniti di maggiore o minore autorità, le cui responsabilità vanno oltre l'obbedienza alla legge di Dio e che possono pronunciare sentenze di legge su ciò che è la legge e prendere decisioni politiche, oltre a esercitare anche quella che chiamiamo critica sociale. Costoro detengono il loro ufficio per nascita, come i sacerdoti e i re dell'ulti-

---

1 Inutile dire che non tutte le donne della Bibbia acconsentono al matrimonio; il contratto di matrimonio (*kᵉtubbah*) è un'invenzione postbiblica. Ma non manca l'esempio di Rebecca, alla quale viene chiesto: «Vuoi andare con quest'uomo? Ed essa rispose: Andrò» (*Genesi* 24,58). Quando i profeti immaginano Dio come marito d'Israele, pare anche che abbiano in mente una sposa che ha dato il suo consenso. Sul matrimonio nella Bibbia cf. C. Meyers, *Discovering Eve. Ancient Israelite Women in Context*, New York 1988, 182-187.

2 J.A. Berman, in *Created Equal. How the Bible Broke with Ancient Political Thought*, Oxford 2008, ribadisce con forza l'importanza di questa entità collettiva nata dal patto. Ma affermare che il «tu» del Deuteronomio rappresenta quella cittadinanza fraterna e ugualitaria che in politica è il primo organismo politico (p. 60) è un'esagerazione. Ci si aspetterebbe che questo primo organismo politico operasse politicamente, ma non c'è indizio che né i Deuteronomisti né qualsiasi altro autore biblico abbia mai pensato a un'azione politica di questo genere.

mo periodo (i primi re, fondatori di dinastie, sono scelti da Dio per mezzo dei suoi profeti), oppure vengono investiti dell'ufficio – non sappiamo come e da chi – come i giudici. I profeti sono «chiamati» da Dio e di solito raccontano la storia della loro chiamata; se si sono nominati da sé sono falsi profeti. Cittadini nel senso greco, uomini che sanno di doversi interessare alla vita politica per difendere il bene comune, non ce ne sono. Gli anziani d'Israele, che si potrebbe pensare che rappresentino la cittadinanza, compaiono spesso, ma non se ne dà una giustificazione dottrinale (v. sotto, cap. 11); della loro funzione o della loro autorità poco viene detto – in netto contrasto con re, sacerdoti, profeti e giudici, sui quali il testo ha molto da dire.

Per quanto posso affermare, nel periodo biblico non ci si chiede mai se la responsabilità individuale dell'israelita vada oltre l'obbedienza. Più tardi i commentatori rabbinici di *Esodo* 19 se ne preoccuparono e furono in disaccordo tra loro. Già si è detto del rabbi a parere del quale al Sinai i patti furono 600 000 perché ogni israelita aveva fatto a Dio una promessa. Un altro rabbi disse che i patti furono 600 000 × 600 000, avendo ogni israelita promesso a ogni altro israelita di vivere secondo la legge di Dio. «Qual è il loro problema? Rabbi Mesharsheja diceva che tra loro il problema era quello della responsabilità personale e della responsabilità per gli altri».[1] Non penso che gli autori biblici abbiano mai avuto coscienza che i comuni israeliti erano responsabili della condotta gli uni degli altri. Come si vedrà, erano responsabili del benessere gli uni degli altri; il patto esigeva da loro di prestare attenzione alle necessità dei membri più vulnerabili della comunità. Ma non erano politicamente responsabili: nessun autore biblico sostiene che gli israeliti ricchi e potenti, quelli che, secondo il profeta Amos, «fanno soffrire il giusto... pretendono regalie e... in giudizio privano il povero del suo diritto» (5,12), debbano essere criticati da altri israeliti (oltre che dai profeti) o contestati da un partito o da un movimento di cittadini arrabbiati. Nella Bibbia non v'è traccia di questo tipo di critica o di contestazione non autorizzata – a meno di considerare non autorizzati e abusivi gli stessi profeti, nonostante le storie che raccontano.

Senza il patto è difficile immaginare la profezia con i suoi toni critici, dal momento che gli obblighi a carico del popolo non sono invenzioni dei profeti; questi non fanno che ricordare al popolo gli obblighi che questo ha già e che sa di avere.[2] E merita osservare che i profeti non provengono indistintamente dai ceti superiori e ricchi della società israelita, ma da tutti gli strati sociali. Qui di nuovo il patto può essere stato la condizione che rese possibile a qualcuno come Amos, «mandriano e raccoglitore dei frut-

---

1 *bSotah* 37a-b; cf. Walzer e al., *Jewish Political Tradition* I, 34-35.
2 Come ho argomentato anni fa in *Interpretation and Social Criticism*, Cambridge 1987, cap. 3 (tr. it. *Interpretazione e critica sociale*, Roma 1990).

ti del sicomoro» (7,14), di affrontare sacerdoti e re. Amos sarebbe rientrato anche nel meno inclusivo dei racconti del patto, quello di *Giosuè* 24, nel quale si trovano riuniti solo gli uomini che sono a capo di famiglie di Israele. L'elenco deuteronomico degli israeliti chiamati a raccolta comprende pressoché tutti (non figurano donne non maritate); il patto di Giosia, come si è detto, è stipulato con «tutti, piccoli e grandi», ed Esdra presenta la legge a un'assemblea «di uomini e donne». Ma a eccezione dei profeti nessuno è mai rappresentato in qualche funzione attiva; né molti né pochi colgono mai l'opportunità di denunciare violazioni alla legge pattizia. Ciò dimostra forse la forza della gerarchia sociale, anche se al tempo stesso la denuncia dei profeti dimostra la vulnerabilità della gerarchia.

Si potrebbe pensare che il popolo avrebbe avuto interesse a violazioni del patto – dal momento che ne era continuamente ritenuto responsabile. Le punizioni di Dio sono quasi sempre di natura collettiva. Approfondirò il problema della responsabilità collettiva nel cap. 7. Qui basti dire che la sconfitta militare, l'assoggettamento e l'esilio hanno effetti altrettanto generali dei patti. Il patto vincola tutti, e tutti soffrono quando Dio punisce. Talvolta la punizione colpisce la dinastia, non la nazione, come nel caso degli eredi di Salomone e di Geroboamo; più raramente è individuale, come nel caso di Gezabele; ma il più delle volte le catastrofi predette dai profeti sono generali, anche se i peccati denunciati dai profeti sono, in misura soverchiante, i peccati dei ricchi e dei potenti. In ciò non vedo nulla d'insolito: non c'è dubbio che molte sono le nazioni che hanno sofferto per l'iniquità delle loro élites. Se c'è una cosa in cui Israele è diverso, è che in esso il dovere di evitare l'iniquità non è soltanto un dovere dei capi ma di tutta la nazione. Grazie alla ripetizione della pattuizione la legge morale, quantomeno in linea di principio anche se non in pratica, si trova a essere radicalmente democratizzata.

«Astenersi dall'iniquità» è l'espressione che qui ci vuole (ma al riguardo si veda sotto, al cap. 9), perché contribuisce a far capire che ne fu della pratica del patto nei secoli successivi all'esilio babilonese. Gli esempi più evidenti sono postbiblici, e sono degli ultimi secoli anteriori all'era volgare; la setta di Qumran fa pensare alla nuova forma di comunità del patto. *Neemia* 9 e 10 può rappresentare un caso molto antico dello stesso fenomeno: qui il patto sembra interessare un sottoinsieme della nazione – «si erano separati dalla popolazione delle terre per stare sotto la legge di Dio» (10,29) – che si considera rappresentante dell'intera nazione. Sono troppe le controversie tra gli specialisti per poter dire qualcosa di certo su quest'episodio; non si sa chi s'intenda con «popolazione delle terre» né chi fossero quelli che se ne separavano (benché se ne conosca perlomeno qualcuno dei nomi).[1] Il verbo «separati» sembra tuttavia indicare, come si

1 Cf. J.M. Myers, *Ezra. Nehemiah* (Anchor Bible), Garden City, N.Y. 1963, introduzione.

è accennato, un raggruppamento settario i cui membri sono più interessati a riformare la propria vita che non la vita ordinaria del popolo in cui vivono – e l'autore del testo pare simpatizzare con tale intento. Questo è il carattere distintivo del settarismo sia in religione sia in politica. Mediante lo strumento del patto, più tardi gruppi settari si assunsero obblighi speciali in nome della purità e della giustizia, definendo rigorosamente ciascuna delle due e lasciando gli altri, chiunque fossero, avvoltolarsi nella corruzione. Si costituiscono come «resto» e sperano che un giorno prenderanno il posto della comunità decaduta a cui un tempo appartenevano.

Nella storia politica dell'Occidente sono frequentissimi i casi in cui il settarismo è la risposta al fallimento della pratica politica. Nella storia d'Israele il settarismo sembra emergere dall'assenza di qualsiasi pratica effettiva della politica – ma anche come conseguenza di due impressionanti delusioni politiche: anzitutto l'incapacità dei reduci dall'esilio di ripristinare il regno davidico, in secondo luogo, secoli dopo, la trasformazione dei rivoltosi asmonei, dopo il loro successo militare, in sacerdoti-re ellenistici. Il secondo caso è particolarmente interessante, perché la rivolta iniziò con un'affermazione esaltante del patto nazionale. Così parla Mattatia a Modin: «Chiunque ha zelo per la torà e osserva il patto, mi segua» (1 *Maccabei* 2,27). Volutamente le parole ricordano il grido di Mosè che chiamava a raccolta all'epoca della vicenda del vitello d'oro: «Chi sta con il Signore? venga con me!» (*Esodo* 32,26). Più di un millennio separa Mosè da Mattatia, e in tutto questo tempo non s'incontrano chiamate alla mobilitazione politica paragonabili a queste (nessuno dei profeti d'Israele cercò mai di organizzarsi un seguito tra il popolo). Quando gli Asmonei si rivelarono non all'altezza delle aspettative che avevano suscitato, i pii israeliti si trovarono di fronte alla scelta classica tra quelli che Albert Hirschman ha chiamato «voce» e «uscita», protesta politica e separazione.[1] In assenza di una tradizione popolare di protesta, la separazione era l'opzione più probabile, e l'impegno a vivere secondo il patto in un certo modo veniva facilmente adattato ai fini della setta. Ma l'idea dell'elezione era questa: applicata in origine alla collettività genealogica, alla nazione come famiglia, sembra abbia funzionato altrettanto bene per il «resto» separatista. Se i farisei, il cui nome deriva probabilmente da un verbo che significa «separare», non avessero mantenuto un senso forte del legame nazionale, Israele avrebbe benissimo potuto disintegrarsi in una moltitudine di sette in conflitto tra loro. Se in definitiva a sorreggere l'unità della nazione sia stata la parentela o la fede nel patto è una questione alla quale qui non sono in grado di dare una risposta. Gli autori biblici concepirono Israele come una realtà che era stata fondata su entrambe.

1 A.O. Hirschman, *Exit, Voice, and Loyalty. Responses to Decline in Firms, Organizations, and States*, Cambridge 1970.

Capitolo 2
I codici di leggi

La Bibbia contiene molte leggi, ma più importante è che contiene tre diversi codici di leggi. Le molte leggi sono facilmente comprensibili, e altrettanto comprensibile è il desidero del popolo che il giogo del patto fosse meno pesante. Un'antica leggenda popolare racconta che il giorno dopo la rivelazione del Sinai gli israeliti si levarono di buon mattino e a tutta velocità si allontanarono dalla montagna in modo che non venissero date loro altre leggi.[1] La fuga repentina si rivelò affatto inutile. Storicamente le leggi continuarono ad accumularsi – anche se non nella forma di aggiunte e revisioni esplicite al codice dell'alleanza di *Esodo* 20,23, ma nella forma di due nuovi codici, quello sacerdotale del Levitico e quello deuteronomico. Ciascuno di questi codici è presentato come se fosse stato anch'esso consegnato al Sinai, e non si vede nessuno sforzo, né prima né poi – nemmeno quando i libri entrarono a far parte del canone –, di accordare il Levitico e il Deuteronomio con l'Esodo. I tre codici differiscono grandemente per la varietà di attività sociali che regolamentano, per lo stile in cui sono redatti e per il contenuto delle norme che fissano. Tutti tuttavia sono imposti dallo stesso Dio. Non c'è stata una successione di divinità, ciascuna con una sua propria legge, come in altre nazioni del Vicino Oriente antico, dove i re succedutisi promulgarono codici di leggi nuovi e contrastanti, il più recente dei quali sostituiva il precedente. Come spiegare le differenze sotto l'eterno governo di un unico legislatore divino?

La tesi documentaria fornisce una spiegazione storica che, come si è detto, mi pare soddisfacente, quantomeno nella sua forma più generale. I codici rappresentano tre diverse tradizioni, appartenenti a periodi diversi, trasmesse da gruppi diversi e messe insieme in tempi recenti da redattori ignoti. Nel corso della mia esposizione mi baserò su questa tesi, che in ogni caso non dà risposta a quella che è certamente una domanda difficile e interessante: perché le diverse tradizioni furono *messe insieme*, una accanto all'altra, anziché essere disposte in successione o riscritte e armonizzate? come spiegare la sopravvivenza di tutte le tre tradizioni?

Dal punto di vista teologico i tre codici sono letteralmente inspiegabili – ed è questo il motivo per cui nel testo le loro differenze non vengono mai riconosciute. Non essendo ammesso alcun legislatore umano, non esisto-

1 L. Ginsberg, *The Legends of the Jews* III (tr. H. Szold), Philadelphia 1910, 242.

no procedure convenute per apportare aggiunte alle leggi rivelate da Dio o per rivederle, meno ancora per sostituirle. In linea di principio la regola di *Deuteronomio* 4,2 – «Non aggiungerete nulla alle parole che vi ordino, né ne toglierete alcunché, affinché possiate osservare i comandamenti del Signore» – in teoria vale anche per il codice del patto dell'Esodo e avrebbe dovuto impedire che venisse scritto lo stesso Deuteronomio. La sua scrittura, invece, ebbe luogo, e – come Michael Fishbane ha dimostrato nel suo studio sull'«esegesi giuridica interbiblica» – questa scrittura fu accompagnata dalla discussione, interpretazione e revisione in tribunali e scuole scribali.[1] Con la pubblicazione del primo codice ebbe inizio un processo di aggiunta e di eliminazione. In un certo senso fu un processo del tutto normale di adattamento al cambiamento sociale. Poiché tuttavia si trattava di un processo non riconosciuto, nemmeno il suo risultato può essere ammesso. Aggiunte e sottrazioni rimangono surrettizie col risultato di una parola divina in disaccordo con se stessa.

Come spesso si pensa, è senz'altro possibile che col Deuteronomio i suoi autori intendessero sostituire formulazioni precedenti della legge di Dio – che lo scritto fosse cioè un tentativo consapevole di fornire un testo nuovo e alternativo.[2] In realtà gli autori fornirono un testo che non sostituisce ma piuttosto coesiste con le versioni precedenti. La situazione è la stessa che s'incontra nei libri storici: con la loro storia purgata gli autori delle Cronache probabilmente miravano a sostituire i libri di Samuele e dei Re, dando gran risalto al culto del tempio e alla funzione del sacerdozio. Devono aver sperato che i lettori avrebbero avuto a loro disposizione solo il loro racconto.

Quel che ottennero fu invece che fin dall'inizio i lettori fecero come noi, che prendiamo le Cronache semplicemente come un *altro* racconto, stranamente diverso da Samuele e dai Re, ma coesistente con questi e con la pretesa di avere la stessa autorità. La storia scritta del popolo di Dio, al pari della codificazione della legge di Dio, non può essere soppiantata. Ogni versione pretende d'essere l'unica, benché anche la più rapida lettura della Bibbia nel suo insieme smascheri la finzione.

Il fallimento di qualsiasi tentativo di sostituzione e l'accumularsi di versioni differenti della legge e della storia danno alla Bibbia il suo carattere particolare. È come se Dio presiedesse al tutto, avallando perciò le diverse versioni e quindi necessariamente anche le divergenze che vi si rispecchiano. Le divergenze non possono essere riconosciute apertamente, ma

1 M. Fishbane, *Biblical Interpretation in Ancient Israel*, Oxford 1985.

2 A detta di J. Blenkinsopp (*Wisdom and Law in the Old Testament. The Ordering of Life in Israel and Early Judaism*, Oxford 1983, 94) il Deuteronomio rappresenta il primo tentativo di creare un testo «canonico» – ossia un testo destinato a diventare la base unica per un commento e un'interpretazione continui.

neppure possono essere espunte dal testo.[1] Rendono urgente altra esegesi, dal momento che sentenze di legge e condotta politica e religiosa richiedono d'essere giustificate sulla base del testo; la nuova esegesi, a sua volta, dà origine a nuove discrepanze. E poiché le nuove discrepanze non possono essere riconosciute, di nuovo ancora non è possibile risolverle.

Come scrive Fishbane, il testo biblico mimetizza la «dipendenza della parola divina dalla sua trasmissione e interpretazione umane».[2] Il mimetismo nasconde la divergenza delle interpretazioni e nasconde anche l'identità, i nomi propri e la posizione sociale degli interpreti rivali. Benché si conoscano i nomi di tutti i sommi sacerdoti e di alcuni scribi regi, gli autori del codice sacerdotale e del Deuteronomio sono necessariamente anonimi; ufficialmente non esistono. Non potendosi identificare gli interpreti, neppure è possibile stabilire un ordine tra loro, non si riesce a stabilire l'autorità che qualcuno di loro ha esercitato su altri. Per quanto riguarda il testo, il solo autore è Dio stesso (o Mosè che scrive su suo dettame). Ma dietro questo Dio, garantiti dalla sua autorità, parlando in suo nome, tutta una schiera di autori umani costruisce la legge, leggendola, commentandola e applicandola. Sacerdoti, giudici, scribi e profeti: solo l'ultimo di loro ci dice chi siano e annuncia quel che talvolta suona come nuova parola divina; gli altri (anche i profeti, almeno quasi sempre) leggono e rivedono le antiche parole. Nessuno ha il monopolio della produzione delle nuove versioni della legge. O per meglio dire, il monopolio di Dio lavora contro il consolidamento nella società israelita di un potere d'interpretazione e serve a legittimare la pluralità di interpreti. Questi sono i segreti legislatori d'Israele. Se non fosse esistita una dottrina della parola divina, la loro opera sarebbe forse diventata la norma e un qualche gruppo politico o religioso avrebbe preso il controllo assumendo il monopolio dell'interpretazione della legge. Finché la religione esigeva il diniego e l'anonimato (tranne che per i profeti), non poteva esserci normalizzazione.

Secoli dopo che l'ultimo testo biblico era stato scritto, i rabbi provvidero infine a stabilire qualcosa di simile a un monopolio dell'interpretazione (benché i caraiti vi si opponessero). Poterono farlo solo ribadendo che la legge ormai era proprietà degli uomini, non più cosa che Dio dovesse dare. Citando un versetto del Deuteronomio, dichiaravano che la legge «non sta in cielo» (30,12) – cioè che il suo significato andava determinato qui sulla terra, da una maggioranza in questa o quella corte rabbinica (bBaba Meṣia 59b). Ciò che gli autori deuteronomici intendevano con questo versetto era tuttavia qualcosa di molto diverso. Intendevano dire che la legge è facile da conoscere, che è facilmente accessibile, non all'interpretazione ma all'obbedienza. Bastava studiare il loro testo. Non assegnavano al-

---

[1] È possibile che alcune discrepanze siano state eliminate dal testo e che quindi ci siano ignote. Molte tuttavia restano.   [2] Fishbane, *Biblical Interpretation in Ancient Israel*, 272.

la legge una collocazione terrena allo scopo di giustificare la loro propria attività legislativa per il semplice motivo che non riconoscevano, né potevano riconoscere, una simile attività. Perciò non potevano impedire ad altri di fare quel che loro stessi avevano fatto – finché quest'attività rimaneva segreta.

I tre codici (e molti esempi sparsi di leggi e di esegesi giuridica enunciati autonomamente) sono dunque tutti ugualmente validi e in vigore contemporaneamente. Il più antico è il codice dell'alleanza dell'Esodo, che probabilmente, in una forma o nell'altra, era la legge della confederazione delle tribù e della monarchia più antica.[1] Al pari degli altri codici questo è lontano dall'essere un sistema completo di leggi e finora non si è giunti a individuarvi principi di appartenenza o d'ordine. Il Levitico è costituito per la massima parte da una legislazione nuova, anche se la sua sezione centrale, il codice di santità dei capp. 19-25, si occupa in gran parte della materia di cui tratta l'Esodo. Il suo grande interesse per il sacrificio e la purità è tipico di autori di ambiente sacerdotale; l'opera fu iniziata probabilmente all'epoca del primo tempio, ma, come spesso si sostiene, fu terminata solo quando venne edificato il secondo tempio e ne fu avviato il culto. Pare tuttavia evidente che chiunque abbia scritto il Deuteronomio conosceva molte delle leggi riportate nel Levitico, che in una qualche versione anteriore doveva esistere già nel VII secolo. Se, come ha sostenuto Moshe Weinfeld, il Deuteronomio è opera di scribi regi (o di qualche gruppo sostenuto da riformatori dell'ambiente di corte), si deve pensare a due scuole contemporanee e rivali di ignoti legislatori che scrivevano nuove leggi, rivedevano le antiche, pretendendo che anche la loro opera fosse stata consegnata da Dio a Mosè sul Sinai.[2]

Il Deuteronomio è il culmine della legislazione d'Israele: questa, almeno, è la conclusione cui comunemente giungono commentatori accademici che forse avvertono nel libro l'opera di autori assai simili a loro. I principi di appartenenza e d'ordine non vi sono più evidenti che altrove, ma il libro nel suo complesso ha l'aspetto della composizione erudita dalla retorica complessa, in certa misura verbosa, didascalica e – l'anacronismo non è inutile – ideologica.[3] Il Levitico pare la registrazione di pratiche sacerdotali, indubbiamente idealizzate. Il Deuteronomio è più programmatico e mira consapevolmente a una riforma religiosa e forse anche politica.

---

1 Per una disamina dei tre codici e dei loro probabili contesti storici cf. Blenkinsopp, *Wisdom and Law*, capp. 4 e 5.

2 M. Weinfeld, *Deuteronomy and the Deuteronomic School*, Oxford 1972, 179-189.

3 L'assenza di principi d'appartenenza e d'ordine non ha scoraggiato i tentativi di trovare o inventare principi d'ordine in grado di spiegare il testo così come si trova; si veda ad esempio C.M. Carmichael, *The Laws of Deuteronomy*, Ithaca, N.Y. 1974.

Le sue leggi sono state definite profetiche, umanitarie, secolari, liberali, perequative e finanche femministe – benché esso paia del tutto inadatto ad aggettivi del genere. Come che sia, se l'Esodo è la legge delle tribù e il Levitico la legge del tempio, il Deuteronomio è la legge della nazione o, più in particolare, forse la legge della corte regia e della capitale che rappresentano la nazione. Lo si può pensare (altro anacronismo) come uno dei primi esempi nella storia occidentale dell'opera di intellettuali urbani.

Spesso si è affermato che la legge israelita – i tre codici presi insieme – è più «avanzata», ossia più umanitaria, liberale, ecc. di quella di altre popolazioni antiche. Gli stessi Deuteronomisti avanzano una simile pretesa, quando a Mosè fanno chiedere davanti all'assemblea degli israeliti: «E quale nazione è tanto grande da avere statuti e giudizi tanto giusti quanto tutte queste leggi che oggi ho posto dinanzi a voi?» (*Deuteronomio* 4,8).[1] Qui Mosè riconosce che altre nazioni hanno leggi, anche se meno giuste di quelle d'Israele; gli altri non sono fuori della legge, non sono barbari. Ma è evidente che non ricevono le loro leggi direttamente da Dio. Tranne che per il comandamento di *Genesi* 9 – «Chiunque spargerà sangue d'uomo, il suo sangue sarà sparso da uomo, perché a sua immagine Dio l'ha fatto uomo» – non c'è una rivelazione divina all'umanità in generale o alle «nazioni», ma solo a Israele.

È un fatto curioso, ma come ha mostrato Moshe Greenberg, proprio questa legge universale contro l'omicidio distingue il codice criminale di Israele da tutti gli altri noti del mondo antico. Per i casi di omicidio gli altri codici autorizzano l'indennizzo in denaro, mentre la Bibbia esige con forza la pena capitale.[2] Se questa legge sia più giusta o più umanitaria è una questione aperta, anche se il rifiuto dei legislatori biblici di punire con la morte i reati contro la proprietà – rifiuto che pare collegato a quella legge – è certo molto interessante per il lettore moderno. Per gli autori biblici la vita umana è un valore assoluto, e questo paradossalmente li porta a condannare a morte gli omicidi. La proprietà ha invece soltanto valore relativo, e quindi il furto non è mai un delitto capitale. Questa distinzione, a dire di Greenberg, è una innovazione biblica e un progresso umano.

La scoperta e la traduzione di un numero crescente di codici di natura giuridica provenienti dalla Mesopotamia e dall'Asia Minore impone tuttavia di essere scettici nei confronti di analisi, meno rigorose di quella di Greenberg, che tentano confronti apologetici e moraleggianti. L'argomento ripetuto che l'esperienza della schiavitù in Egitto ha comportato in

---

1 Il testo parla come se l'autore avesse in mente un termine o una serie di termini di confronto, ma è impossibile dire a quali nazioni stia pensando. Per un confronto odierno che conduce a una conclusione simile si veda L. Epsztein, *Social Justice in the Ancient Near East and the People of the Bible*, London 1986.

2 Seguo qui la tesi di M. Greenberg, *Some Postulates of Biblical Criminal Law*, in F. Greenspahn (ed.), *Essential Papers on Israel and the Ancient Near East*, New York 1991, 333-352.

Israele la giustizia sociale non ha equivalenti altrove. Tuttavia il contenuto delle leggi bibliche, specialmente di quelle riguardanti la famiglia e l'economia, non è in alcun modo singolare od originale; i legislatori d'Israele operavano evidentemente entro una tradizione giuridica comune al Vicino Oriente.[1] La protezione che procuravano ai deboli – schiavi, stranieri, donne – talvolta è superiore talaltra inferiore a quella offerta da altri codici antichi. Le pene che prescrivevano per le violazioni della legge sono talvolta più clementi talaltra più aspre. La differenziazione sociale è notevolmente più rigida nella legislazione babilonese, ad esempio, che in quella d'Israele, ma le differenze nazionali fanno maggior differenza in Israele che in Babilonia.

Nell'ultimo capitolo si tornerà sulla questione del significato di giustizia e ingiustizia per gli autori biblici. Quel che qui importa maggiormente non è il contenuto della legge ma la sua provenienza e il modo in cui la legge viene presentata. Già si è detto degli effetti inaspettatamente pluralisti della paternità delle leggi esclusiva di Dio. Riguardo alla provenienza divina della legge c'è tuttavia una questione più strettamente politica da sollevare – e due altre problematiche relative alla sua presentazione nei testi. Nonostante sopra si sia respinta l'idea che per il contenuto i tre codici siano superiori ad altri codici antichi, gli aspetti che qui si illustreranno forniranno a lettori liberali e democratici d'oggi ragioni per ammirare i legislatori biblici. Come che sia, si cercherà di evitare lo stile apologetico.

La legge d'Israele, anzitutto, è legge soltanto di Dio; per essa non c'è altro possessivo. Soprattutto, e a differenza di altri codici del Vicino Oriente, essa non è la legge del re. Malgrado i sostanziosi resoconti narrativi relativi al periodo monarchico d'Israele, scrive Martin Noth, «mai si sente parlare di attività legislativa dei re».[2] Né la legge viene mai presentata come opera di un'assemblea di anziani e neppure come codificazione sacerdotale o costruzione filosofica o invenzione di giudici. La massima del giudice di corte suprema Oliver Wendell Holmes, che legge è ciò che i giudici dicono essere legge, può valere di fatto per l'Israele antico così come per gli Stati Uniti d'oggi, ma per gli autori biblici l'affermazione sarebbe stata letteralmente inammissibile. Politicamente, questo significa che tutti – re, anziani, sacerdoti, giudici – sono soggetti, davvero ugualmente soggetti, all'autorità della legge. L'uguaglianza è una questione di principio; i reali rapporti di potere vigenti in una comunità in un momento dato possono lasciare la loro impronta e distorcere la messa in atto del principio; ciò non toglie che i principi siano importanti, come è dato vedere nella storia di Ahab e Nabot in *1 Re* 21.

1 Cf. W.W. Davies, *The Codes of Hammurabi and Moses*, New York 1905.
2 M. Noth, *The Laws in the Pentateuch*, London 1984, 14.

Sovrano del regno settentrionale d'Israele, Ahab desidera ardentemente la vigna di Nabot, adiacente ai terreni del suo palazzo. Offre a Nabot una «vigna migliore» o un pagamento in denaro. Nabot rifiuta, dicendo che «il Signore mi proibisce di consegnarti l'eredità dei miei padri». Stando alla legge data a Mosè nel deserto, infatti, il Signore lo vieta (*Numeri* 27 e 36). Ahab non può fare niente; torna a casa «abbattuto e irritato», si mette a letto e volta la faccia verso il muro. Sua moglie, Gezabele, una fenicia che adora Baal anziché Jahvé e non conosce né rispetta la legge di Israele, trova il modo di far morire Nabot. A questo punto Ahab, che ha preso possesso della vigna, viene affrontato dal profeta Elia che gli chiede: «Hai ucciso, e ora usurpi il possesso?» (*1 Re* 21,19). È una scena stupenda, sulla quale si tornerà nel capitolo sulla profezia. Ma qui più del giusto sdegno di Elia interessa lo sconforto di Ahab. Il re riconosce implicitamente le leggi sul possesso dei terreni e sa d'esservi soggetto anch'egli. Non c'è modo per lui di cambiare la legge.

I soli che potrebbero contestare apertamente la legge e cambiarla sono i profeti, i quali rivendicano un rapporto diretto con Dio. Mosè, il primo profeta, quello che ha il rapporto più diretto, fa aggiunte alla legge originaria che ha trasmesso – ma solo portando una causa «davanti al Signore» (*Numeri* 27,5) e aspettando fino a che «si manifestasse loro la volontà del Signore» (*Levitico* 24,12). Il primo di questi passi è particolarmente interessante, perché la causa in questione è avviata dalle «figlie di Salfaad», che parlano davanti all'assemblea d'Israele in difesa del loro diritto di ereditare la terra del padre. Dio dice a Mosè che la loro richiesta è giusta e gli ordina di promulgare una nuova legge sull'eredità.[1] In questo caso le figlie sembrano più importanti del profeta, e la scena in cui compaiono fa capire come l'autore vede la possibilità di accedere alle procedure giuridiche oltre che la natura popolare del modo di argomentare giuridico. Ma la legge non sarà mai più discussa pubblicamente in questo modo. Nemmeno i profeti posteriori avranno l'autorità per rivedere la legge tanto apertamente.

In tutti gli scritti profetici conosco un solo passo in cui sembra che la parola viva venga contrapposta alla legge scritta. In esso il profeta Geremia parla alla popolazione di Gerusalemme:

Come potete dire: Siamo savi, e la legge del Signore [*torat jhwh*] è con noi? Ecco, sì... la penna degli scribi è vana. I saggi sono svergognati, atterriti e presi al laccio: hanno respinto la parola del Signore, e quale sapienza è in loro? (8,8-9).

Il senso di questi versetti è oscuro, perché non c'è nessuna legge particolare che il profeta rifiuti o cancelli. Probabilmente il profeta se la prende

---

1 In seguito il successo delle figlie di Salfaad verrà compromesso. Si veda *Numeri* 36 con le considerazioni di Fishbane, *Biblical Interpretation in Ancient Israel*, 98-99 e 104-105.

più con la «sapienza» scribale che col codice di diritto. Un esempio migliore del rapporto dei profeti con la legge è quello di *Geremia* 17,21-22, dove le leggi sul sabato vengono emendate o, come Geremia precisa, elaborate: «Abbiate cura di voi stessi, non portate pesi in giorno di sabato e non fatene entrare per le porte di Gerusalemme». Nei tre codici di leggi non si fa menzione di una proibizione di portare pesi; ma subito Geremia aggiunge: «Santifica il giorno del sabato, come ho comandato ai tuoi padri», riportando il suo emendamento alla legge originaria. Anche il profeta è vincolato dalla legge, non può svolgere la parte del capo carismatico di Max Weber e proclamare: «La legge dice questo e quest'altro, ma io vi dico...». I profeti, tuttavia, cambiano la legge senza riconoscere ciò che fanno, e lo stesso vale per sacerdoti, giudici e scribi. I re, invece, non possono cambiare la legge ma soltanto violarla. Possono metterci mano, con violenza, ma non lasciarvi la loro impronta intellettuale o morale (in 1 *Samuele* 30,25 si attribuisce a David uno «statuto» riguardo all'uguale spartizione del bottino, ma allora David non era ancora re).

Il secondo tratto distintivo della legge israelita è il suo profondo radicamento in un racconto storico. Poiché questa narrazione, riportata nell'Esodo e in Numeri e ricapitolata nel Deuteronomio, si estende soltanto dalla liberazione dalla schiavitù in Egitto alla morte di Mosè alla vigilia dell'invasione di Canaan, i re israeliti non vi hanno parte, e tranne che in *Deuteronomio* 17, che anticipa e regola il governo regio, non compaiono mai nei testi di legge. Non sorprende quindi che essi non figurino tra gli interpreti della legge, non fra quelli riconosciuti ma neppure fra quelli non riconosciuti (Salomone è celebrato per la sua sapienza, non per la scienza giuridica). La storia della liberazione è la cornice testuale di un legalismo antiautoritario e orientato alla giustizia. Alle generazioni future degli israeliti viene ordinato non solo di studiare la legge ma anche di continuare a raccontare la storia. I testi giuridici si richiamano regolarmente al racconto storico e invitano quindi a un'interpretazione conforme a questo – donde il significato speciale (quale ne sia il tenore) delle disposizioni relative a schiavi, stranieri, poveri e indigenti, vedove e orfani. Nei preamboli dei loro codici i re babilonesi e assiri insistono, forse a ragione, sulla protezione che offrono a questi stessi gruppi, ma la loro protezione è compito speciale dei potenti – *noblesse oblige*. Soltanto in Israele questo compito è democratizzato, radicato in una comune esperienza di oppressione.

Ma questa esperienza non ha indotto i legislatori israeliti a sopprimere la schiavitù. Secondo il codice dell'alleanza e quello deuteronomico un israelita non può essere tenuto schiavo per più di sei anni, regola questa che di fatto trasforma la schiavitù in una forma di coercizione temporanea (*Esodo* 21,2-6; *Deuteronomio* 15,12-18). Nulla d'altra parte si dice degli schiavi stranieri, per i quali l'anno sabbatico probabilmente non comporta la liberazione. Il Levitico è esplicito nel consentire l'asservimento permanente di stranieri: «saranno vostri schiavi per sempre» (25,46). Dev'essere stato questo anche il modo di pensare del faraone egiziano riguardo ai figli d'Israele. È curioso che il modello del Levitico per il trattamento dell'«asservito» israelita si riferisca a quella che parrebbe una classe etnicamente indifferenziata: questi va trattato «come servitore ingaggiato e come ospite». D'altro canto deve restare e servire per quarantanove anni, finché non lo liberi l'anno giubilare, non quello sabbatico. Non può essere trattato con la stessa durezza dello schiavo (straniero), dal momento che, al pari di tutti gli israeliti «liberi», appartiene a Dio. Il Deuteronomio riconosce anche la classe interetnica dei «servitori ingaggiati» (salariati) ed esige esplicitamente pari trattamento per tutti i suoi membri: «non opprimerai un servitore ingaggiato che è povero e bisognoso, sia che sia tuo fratello o uno straniero» (24,14). Qui si è davanti a un'applicazione generale dell'esperienza della schiavitù in Egitto: «ma ricorda che fosti schiavo in Egitto». Il comandamento deuteronomico di non riconsegnare lo schiavo fuggitivo («dimorerà presso di te, fra i tuoi, nel luogo che si sarà scelto in una delle tue città dove più gli piace» [23,15-16]) sembra avere valore anche per gli stranieri, quantunque non vi sia consenso sul significato preciso.[1]

Le differenze tra le leggi sulla schiavitù fanno sospettare un dibattito vivace e serio – del tutto rispondente a una comunità con una memoria condivisa di schiavitù. E la discussione deve avere riguardato sia l'esperienza sia le leggi stesse: quale morale e quali conseguenze giuridiche trarre dal ricordo dell'Egitto? quale significato aveva essere una nazione in condizione di sudditanza, una comunità di servi di Dio? Rispondere a domande come queste equivaleva a giustificare una o l'altra interpretazione delle leggi.

Queste domande conducono infine al terzo carattere distintivo dei codici d'Israele: molte leggi che vi sono contenute sono leggi argomentate, leggi giustificate. A quanto è dato vedere, negli altri codici di leggi del Vicino Oriente le giustificazioni sono rare. I grandi re mesopotamici non dovevano fornire motivi per le loro leggi. Nemmeno Dio lo fa, e molte delle sue leggi, come le loro, sono date senza giustificazione e sembrano totalmente arbitrarie – le leggi di santità e di purità ne sono gli esempi più evidenti. Per contro, le leggi in materia sociale ed economica si presentano spesso accompagnate da motivazioni. Talvolta queste si richiamano esplicitamente al racconto storico: «non opprimerete lo straniero, perché conoscete il cuore dello straniero, sapendo che foste stranieri in terra

<hr>

1 I commentatori ebrei normalmente pensano che il fuggiasco sia uno straniero; si veda ad esempio Ramban (Nahmanide), *Commentary on the Torah. Deuteronomy*, New York 1976, 287 s.

d'Egitto» (*Esodo* 23,9). Talvolta le giustificazioni fanno appello a una morale più comune se non semplicemente al buonsenso:

Se... prendi in pegno il mantello del tuo prossimo [*sc.* come garanzia], devi renderglielo prima che cali il sole. Perché è la sua sola coperta, è la veste della sua pelle: dove altrimenti dormirebbe? (*Esodo* 22,25-26).

Quando costruisci una casa nuova, farai una merlatura al tuo tetto così da non portar sangue sulla tua casa se qualcuno cade di lì (*Deuteronomio* 22,8).

Da un punto di vista teorico la distinzione tra legge giustificata e legge ingiustificata è più interessante della distinzione usuale tra gli specialisti fra legge casuistica e legge apodittica. Negli studi si è sostenuto che nella Bibbia e in altri codici dell'antichità la legge comune è quella giurisprudenziale, mentre gli imperativi perentori in forma apodittica («non devi...») molto probabilmente sono esclusiva d'Israele. Considerazioni del genere, anche se rispondenti al vero, sono tuttavia molto contestate e di significato incerto. Più importante è quella che David Weiss Halivni ha chiamato «predilezione ebraica per la legge giustificata», sempre che veramente esista,[1] dal momento che nei testi biblici essa si palesa soltanto a intermittenza (la frase spesso ripetuta nel Levitico, «perché sono il Signore vostro Dio», può fornire un motivo per obbedire alle leggi, ma non una effettiva giustificazione del loro contenuto). D'altra parte le leggi argomentate compaiono tanto spesso da richiedere una spiegazione. Qual è il motivo di queste spiegazioni? Una possibile risposta alla domanda sta nella forza dell'idea del patto. Si potrebbe dire che le leggi devono essere giustificate perché il patto richiede il consenso del popolo. Benché il popolo abbia già dato un consenso di massima – «tutto ciò che il Signore ha detto noi lo faremo» (*Esodo* 19,8) –, i legislatori d'Israele non sembrano disposti ad affidarsi soltanto a esso. Cercano di aggiungervi qualcosa di più specifico e particolare, come se avessero in mente una comunità fondata su un autentico consenso i cui membri sanno esattamente quel che fanno e perché.

Forse però i legislatori si premurano di darsi spiegazioni anzitutto fra loro e solo incidentalmente ad altri membri della comunità. Un'altra motivazione delle formule giustificative che s'incontrano nei codici biblici vi vede il riflesso di dibattiti che effettivamente si svolsero in ambienti di sacerdoti, scribi o giudici. Sono il residuo testuale della difesa orale – di quanto fu detto realmente in difesa della riforma e della revisione delle leggi. In questa prospettiva lo stile argomentativo del Talmud si pone al termine di un'evoluzione continua che ha qui il suo inizio. Ma l'inizio è assai diverso dalla fine – e molto più ostico per noi da comprendere. Come ricostruire la mentalità che all'inizio ispirò le argomentazioni giuridiche israelite? Quali che siano le sofisticherie e, come sono propensi a pensare

1 D. Weiss Halivni, *Midrash, Mishnah, and Gamara. The Jewish Predilection for Justified Law*, Cambridge 1986.

i lettori d'oggi, l'umanitarismo che si manifestano ad esempio nella legge sui pegni, i legislatori biblici erano evidentemente aperti all'idea dell'intervento divino, mentre i rabbi generalmente no. Quando Dio interveniva parlando direttamente a Mosè, mediante i misteriosi *urim* e *tummim* o per mezzo di suoi profeti, non dava spiegazioni. La parola *torah*, che di solito significa «istruzione», «testimonianza», «legge», «decisione», significa anche «oracolo». Sia i sacerdoti sia i profeti pronunciavano oracoli, spesso oscuri e sempre senza argomentazione. Come le risposte a domande specifiche date da *urim* e *tummin*, gli oracoli hanno a che fare con la politica, non con la legge. Sono dichiarazioni sul futuro, avvertimenti e predizioni, non sentenze giuridiche. Eppure le leggi bibliche furono elaborate da chi credeva sia negli avvertimenti sia nelle sentenze, da chi aveva il senso della prossimità misteriosa di Dio, che in gran parte venne a mancare in età rabbinica. I rabbi, quantomeno alcuni di loro, erano apertamente scettici circa la possibilità (e anche l'auspicabilità) dell'intervento divino quando si dovevano prendere decisioni.

Mentalità a parte, tuttavia, le leggi argomentate non hanno nulla di misterioso; si rivolgano a colleghi legislatori o a comuni cittadini, loro intento è di persuadere. Questo intento pare che comporti due conseguenze per la concezione biblica delle leggi. La prima è che quella biblica non è in alcun senso una concezione semplicemente positivistica della legge. Indubbiamente la legge di Dio possiede autorità perché Dio è onnipotente, è il sovrano dell'universo, ma nessuna formulazione o interpretazione particolare della legge è autorevole per questa ragione. Il positivismo giuridico funziona solo se il potere sovrano si manifesta in modo regolare e visibile. Per contro le manifestazioni di Dio, nonostante la sua onnipotenza, sono saltuarie e di solito invisibili. Di conseguenza la sua autorità è di fatto esercitata da legislatori occulti d'Israele. Nessuno di loro possiede alcunché di simile al potere sovrano (il re è escluso), così che essi sono indotti a pensare alla legge come a qualcosa che richiede d'essere argomentato.

Se occorrono dimostrazioni, devono esserci anche regole a cui gli argomenti possano richiamarsi. Una legge giustificata comporta la preliminare esistenza di idee relative alla giustificazione; nel caso di leggi civili e penali, di idee riguardanti la giustizia. È evidente che Dio stesso è vincolato da queste idee, come Abramo gli dice davanti a Sodoma: «non opererà con giustizia il giudice di tutta la terra?» (*Genesi* 18,25). Se il potere di Dio non rende autorevoli le sue decisioni, nemmeno la sua giustizia le renderà giuste. Gli autori biblici non erano positivisti morali più di quanto non fossero positivisti in fatto di legge. Il vanto di Mosè nel Deuteronomio, per il valore della legge israelita, contiene lo stesso presupposto del rimprovero di Abramo: benché la legge sia consegnata da Dio, ordinata da Dio, non stabilisce che cosa sia giusto ma soltanto lo fa capire. Quando anche neppure coglie ciò che è giusto, perché è sempre possibile che le ragioni fornite per questa o quella legge vengano messe in discussione (anche se mai esplicitamente).

L'effetto delle controversie è d'altro canto di pluralizzare la legge. Le vecchie leggi non vengono cancellate; piuttosto si aggiungono nuove leggi o versioni rivedute delle vecchie. Già si è detto come altri codici di leggi del Vicino Oriente siano caratterizzati da un processo di sostituzione più che di addizione. Pare che soltanto presso gli ittiti le sostituzioni siano rese esplicite (e solo in un codice privo del consueto preambolo regio, a quanto pare destinato all'uso di giuristi): «se qualcuno acceca un uomo libero o gli fa cadere un dente, in passato gli avrebbe dato una mina d'argento, ora gli darà 20 sheqel d'argento e in pegno il suo terreno come garanzia».[1] Del cambiamento non viene data nessuna ragione, sia perché il comune ittita non aveva alcun bisogno di saperla, sia perché l'autorità legislativa del re o dei suoi giudici non furono mai in questione. Tra gli israeliti le aggiunte e le revisioni, non venendo riconosciute, perlopiù nemmeno venivano giustificate. Le argomentazioni che probabilmente venivano avanzate sulla base di giustificazioni fornite in altri casi, sono da ricostruire, anche se tuttavia non manca un bellissimo esempio di aggiunta con annessa giustificazione.

In *Esodo* 21,2-6 si richiede che il «servo ebreo» (schiavo) nell'anno sabbatico sia liberato. Se ne «andrà libero, gratuitamente». Nel Deuteronomio questa legge viene ripetuta con un'aggiunta importante:

E quando lo rimetterai in libertà, non lo lascerai partire a mani vuote: gli darai liberamente del tuo gregge e della tua aia e del tuo pigiatoio: di ciò di cui il Signore tuo Dio ti ha benedetto, farai parte anche a lui. E ricorderai che fosti schiavo in terra d'Egitto (15,13-15).

L'addentellato storico è qui particolarmente appropriato, dal momento che dall'Egitto gli israeliti non «se ne andarono a mani vuote» (*Esodo* 12, 35-36). Essi dovranno senz'altro comportarsi con i loro propri connazionali almeno con la bontà con cui gli egiziani si comportarono con loro! Ma a quanto pare questo argomento non era del tutto convincente, perché gli autori del Deuteronomio ne aggiungono un altro: «non ti sembrerà grave rimandarlo libero... perché ha meritato il doppio di un servo ingaggiato» (15,18). Non sono sicuro di ciò che questo precisamente significhi, forse che i servi trattati bene lavorano con particolare impegno. Oppure vi si potrebbe alludere a una disposizione del codice di Hammurabi che prevede la liberazione dello schiavo per debiti dopo tre anni, anziché dopo i sei anni di servizio degli schiavi israeliti. Se così fosse, si tratterebbe di un ragguaglio comparativo più specifico di quello di *Deuteronomio* 4,8 – anche se ciò potrebbe far pensare che Babilonia avesse sta-

[1] H.W.F. Saggs, *Civilization before Greece and Rome*, New Haven 1989, 167.

tuti e sentenze giuste quanto Israele o anche di più. In ogni caso il revisionismo in materia di leggi ricorreva manifestamente sia ad argomenti economici sia ad argomenti storici.

Talvolta anche il revisionismo si serviva di argomenti di tipo si direbbe ideologico, che sono espressione di disaccordi riguardo al sistema politico e religioso. Le leggi deuteronomiche sulla schiavitù, ad esempio, mirano chiaramente a migliorare la condizione delle donne, anche se i miglioramenti non vengono apertamente sottolineati né difesi esplicitamente. Il limite di sei anni, dal quale il codice dell'Esodo escludeva le donne, ora le comprende esattamente come gli uomini (si confronti *Esodo* 21,7 con *Deuteronomio* 15,12). Gli schiavi, siano uomini o donne, vanno trattati allo stesso modo, benché non si dica nulla contro un loro diverso trattamento in passato. Esempio ancor più interessante di quello che è stato chiamato il «femminismo» del Deuteronomio è la revisione del decimo comandamento. La versione dell'Esodo recita:

Non desiderare la casa del tuo prossimo, non desiderare la moglie del tuo prossimo, né il suo servo né la sua serva, né il suo bue, né il suo asino, né qualsiasi cosa sia del tuo prossimo (20,17).

Questa invece la versione del Deuteronomio:

Non bramare la moglie del tuo prossimo, né desiderare la casa del tuo prossimo, il suo campo, o il suo servo, o la sua serva, il suo bue, o il suo asino o qualsiasi cosa sia del tuo prossimo (5,21).

Nel comandamento riveduto la moglie sta a sé, è intenzionalmente estrapolata dall'elenco delle cose possedute e le è per così dire assegnato un verbo apposito. Anche qui non si dà nessuna ragione del piccolo ma importante mutamento; il testo fa intendere che questo, appunto, è ciò che Dio disse veramente sul Sinai. Ma pare ovvio che leggendo la versione precedente qualcuno non la gradì. Si può solo immaginare ciò che lettore o lettrice che fosse deve aver detto ai colleghi o alle colleghe legislatori.

L'esistenza di tre codici significa che la tradizione giuridica d'Israele ebbe carattere pluralista, in grado di includere in sé (con quanto sforzo non si sa) discussione e disaccordo. Considerata la «predilezione per la legge giustificata» si è in grado di vedere a che cosa potessero assomigliare le argomentazioni. Nel capitolo precedente si è avanzata l'idea che l'Israele antico non ebbe una cultura della cittadinanza; i testi biblici non forniscono una dottrina in difesa della partecipazione politica – alla quale neppure paiono interessati –, ma certo quella cultura fu una cultura della legge. Non intendo necessariamente una cultura della controversia, anche se il ricorso al tribunale pare sia stato facile e i giudici abbastanza occupati, benché non sempre giusti nella loro attività. La frequenza con cui vengono criticati dai profeti fa pensare all'importanza delle loro decisioni nella vita quotidiana. Proprio all'inizio del Deuteronomio, isolato da tutti gli altri, compare questo comando: «quando giudicate non abbiate riguardo per le persone ma date ascolto al piccolo come al grande» (1,17). I giudici babilonesi ed egiziani venivano probabilmente ammoniti in termini analoghi; non saprei dire se dovevano essere oggetto di qualcosa di simile alle geremiadi quando venivano meno alle loro responsabilità. Per quello che qui interessa, processi e integrità dei giudici sono meno importanti della legislazione e dell'autorità dell'interpretazione

In questo consiste il tratto distintivo – e aggiungerei permanente – della cultura giuridica d'Israele. Sembra che già in tempi assai antichi un gran numero di persone, in sostanza tutta l'intellighenzia della nazione, per quanto potesse valere, fosse occupata a discutere di legge. Che sacerdoti, giudici, anziani, profeti e scribi attribuissero a Dio i loro argomenti può esser preso come segno sia di pietà sia di presunzione. Nell'un caso come nell'altro una simile attribuzione legittimava la loro propria attività. In linea di principio essi illustravano il contenuto del patto del Sinai, di fatto – in più di un caso – stabilivano quale fosse questo contenuto. Il processo decisionale fu politico (e morale) come pure legislativo, ma non fu mai concepito o difeso in termini politici. Nemmeno furono mai precisate le procedure mediante le quali si ammettevano singoli a tale processo. I sacerdoti avevano il loro ufficio per nascita, ma i sacerdoti erano tanti, e alcuni di loro svolgevano funzioni superiori a quelle di altri. I giudici venivano nominati; da chi non si sa, probabilmente dal re. Gli anziani del popolo o più probabilmente i patriarchi del clan svolgevano le loro funzioni nei tribunali locali o sedevano alla porta delle città. I profeti erano chiamati da Dio, ma riguardo alla loro chiamata si dispone soltanto dei loro stessi racconti. Poco si sa degli scribi, quelli che qui ho chiamato i legislatori occulti d'Israele – indubbiamente un'élite, ma assai poco irregimentata, la cui consapevolezza del patto e della legge probabilmente non era in tutto diversa da quella della nazione in generale.

La mancanza di rigore di questa élite ebbe qualcosa a che vedere con l'esistenza di tre codici – e assenza di rigore e triplicità ebbero qualcosa a che vedere con l'unicità di Dio, che in nessuna parte della società israelita poteva essere imitato o anche rappresentato autorevolmente. Nessuno di costoro, inutile dirlo, produsse una *dottrina* pluralista. Nessun autore biblico sostenne la legittimità di interpreti o di interpretazioni della legge antagoniste. Nessuno di loro fu pluralista nel senso odierno del termine. Nemmeno si trova nella Bibbia alcunché di simile alle parole che nel Talmud s'incontrano riguardo agli insegnamenti contraddittori di Hillel e Shammai: «queste e quelle sono le parole del Dio vivente» (*b'Erubin* 13b). Ciò nondimeno, considerati nell'insieme gli scrittori biblici, autori e redattori, hanno conservato nel testo canonico il retaggio di codici molteplici e contraddittori e la testimonianza di interpretazioni e revisioni non accolte. Sulle loro ragioni sono possibili soltanto ipotesi; forse avevano quello che Geoffrey Hartman chiama il «rispetto del dissenso».[1] Come che sia, essi rifiutarono le due possibili soluzioni del conflitto – sostituzione metodica e armonizzazione redazionale integrale –, preferendo al contrario convivere con la molteplicità e l'incoerenza. Il risultato della loro opzione fu una legge scritta che rese possibili quelle strane conversazioni giuridiche infinite di cui è fatta la legge orale del giudaismo posteriore.

[1] G. Hartman, *The Struggle for the Text*, in G. Hartman - S. Budick (edd.), *Midrash and Literature*, New Haven 1988, 13.

Capitolo 3

Conquista e guerra santa

Per il lettore d'oggi la conquista di Canaan, con tutte le carneficine che l'hanno accompagnata, è il momento più problematico della storia dell'Israele antico. Non c'è ragione di pensare che fosse altrettanto problematica per gli autori biblici, nessuno dei quali si diede a elaborare motivazioni in favore delle sette nazioni cananee, paragonabili agli argomenti di Abramo in difesa di Sodoma e Gomorra (due città cananee). Sia il Levitico sia i Deuteronomisti, entrambi autori sacerdotali, si premurano di attribuire a Dio ragioni morali per il suo comandamento di espellere o sterminare le sette nazioni – «non per la giustizia o per la rettitudine del tuo cuore possederai la loro terra, ma per la malvagità di queste nazioni» (*Deuteronomio* 9,5) –, e l'argomento viene talmente ripetuto e ribadito da indurre qualche commentatore a concludere che Israele non si sentisse la coscienza a posto per la conquista.[1] Ma per certi passi della Bibbia ripetuti due o tre volte ci sono tante altre spiegazioni che sostengono tesi tanto diverse da far pensare che la conclusione sia debole. Come poi si vedrà, il comandamento in questione sembra riflettere una dottrina religiosa, anch'essa ripetuta molte volte senza traccia di coscienza sporca. Sarebbe più facile sostenere che gli israeliti coscienziosi si sentivano tenuti per dovere a prendere parte all'impresa sanguinosa della conquista senza mostrare pietà.

La dottrina religiosa della guerra santa – l'espressione non è biblica, ma neppure è anacronistica – non pare avere qualche rapporto intrinseco con la fede di Israele nel patto. Si sono fatti tentativi di associare la guerra santa al monoteismo o all'idea di elezione. Soltanto un Dio geloso e un popolo eletto – si è affermato – poterono ispirare una giustificazione *religiosa* del genocidio.[2] Il politeismo, al contrario, favorisce la coesistenza, degli dei anzitutto, ma anche degli uomini. Ma questo principio ha cessato d'essere plausibile da quando fu scoperta, quasi cent'anni or sono, la pietra moabita dell'VIII secolo che fornisce un resoconto delle guerre tra Israele e Moab, perfettamente parallelo ai primi capitoli del secondo libro dei

---

1 W.D. Davies, *The Territorial Dimension of Judaism*, Berkeley 1992, 15-16. Si veda anche D. Jacobson, *The Story of Stories. The Chosen People and Its God*, New York 1982, 37.

2 Cf. R.M. Schwartz, *The Curse of Cain. The Violent Legacy of Monotheism*, Chicago 1997, capitolo 2.

Re. Il resoconto è in prima persona, come se a scrivere fosse Mesha, re dei moabiti:

Poi Kemosh [il dio nazionale moabita] mi disse: «Va, prendi Nebo da Israele!»; andai di notte, ho combattuto contro di essa dall'affacciarsi dell'alba fino a mezzogiorno; la presi e uccisi tutti quanti, settemila uomini e donne, ospiti maschi e femmine e schiave, perché l'avevo consacrata ad Astar Kemosh» (tr. G. Garbini).[1]

Il passo ricorda molto da vicino i racconti biblici della guerra santa, e poiché l'ebraico e il moabitico erano dialetti di una stessa lingua reciprocamente comprensibili, le due nazioni in guerra possono essersi scambiate idee riguardo alla santità. Come che sia, Mesha proclama una dottrina che dev'essere stata nota anche agli autori biblici: certe guerre sono ordinate dalla divinità nazionale e vengono combattute a suo esclusivo vantaggio; prigionieri e bottino le vengono offerti e non restano nelle mani dei soldati vincitori. Non cito qui l'iscrizione moabita per giustificare le guerre d'Israele – quasi a dire che così ci si comportava allora. In definitiva a Israele viene ordinato ripetutamente di non imitare le usanze, soprattutto quelle religiose, delle nazioni circostanti. Perché allora esso accolse fra le sue dottrine l'idea di consacrazione o qualcosa di simile, per la quale ciò che è consacrato è anche condannato?[2]

Vi furono anche dottrine di diverso tipo. Moabiti e israeliti combatterono guerre secolari e limitate come pure guerre sante e totali, e i testi biblici contengono regole per guerre limitate insieme, e anche mischiate, con leggi per il ḥerem, la messa al bando, che consegnava intere città alla distruzione totale. Le forme alternative non si accordano affatto con la semplicità divina del ḥerem (in quanto si adattano alle situazioni reali della coesistenza fra nazioni) e non pare che in qualche libro della Bibbia vi sia una critica esplicita della guerra santa, anche se vi si trovano rifiuti espliciti a intraprenderla. Ciononostante, anche se gli autori del Deuteronomio considerano essenziale il ḥerem, sembra lo facciano scontrandosi con una forte opposizione – da parte dei re, ad esempio, che di solito desideravano godere dei frutti delle loro vittorie e compensare i loro soldati con qualcosa di più dell'approvazione divina. Forse poi i re non vedevano alcun senso nei massacri prescritti dalla religione; una storia midrashica racconta del re Saul che chiede a Samuele se fosse realmente necessario uccidere innocenti (bJoma 22b). Ci si potrebbe attendere una domanda simi-

---

1 J.B. Pritchard (ed.), *The Ancient Near East. An Anthology of Texts and Pictures*, Princeton 1958, 209-210.

2 Mi soffermo su questo aspetto fra i molti che vengono comunemente rinvenuti nella dottrina della guerra santa perché è di particolare interesse per la teoria politica – e d'interesse generale per tutti i lettori in grado di immaginare se stessi tra i consacrati. Per un'esposizione esaustiva della dottrina e per un tentativo di fissarne la cornice storica, si veda G. von Rad, *Holy War in Ancient Israel*, 1951 (rist. Grand Rapids, Mich. 1991) e S. Niditch, *War in the Hebrew Bible. A Study in the Ethics of Violence*, New York 1993, capp. 1 e 2.

le da parte dei Deuteronomisti, dato che erano il partito della riforma. Uno dei problemi più ardui riguardo alla politica biblica è come si spieghi la crudeltà del loro libro: in che senso il *ḥerem* è una dottrina riformista?

Non intendo sollevare il problema se non dopo aver studiato i racconti della conquista nei quali la crudeltà viene o meno messa in atto. Questi testi sono doppi; della conquista si forniscono due versioni molto diverse. Sono anche evidenti alcuni rozzi tentativi di armonizzazione, che tuttavia non cancellano le differenze. Questi testi sono anche materia di frequente dibattito tra gli studiosi che cercano di immaginare quello che, a meno di qualche sensazionale scoperta archeologica, è impossibile immaginare: il reale processo di insediamento d'Israele in Canaan. Ma qui interessano maggiormente le idee dei diversi autori riguardo a quello che sarebbe potuto e sarebbe dovuto accadere.

La prima versione della storia della conquista, che suona come la versione ufficiale, si legge nel libro di Giosuè ai capp. 1-11 e termina con le parole «Giosuè dunque s'impossessò di tutto il paese, conformemente a tutto ciò che il Signore disse a Mosè... E il paese riposò dalla guerra» (11,23) – affermazione che di fatto si accorda soltanto con alcuni dei discorsi fatti da Dio a Mosè, quali ora li possediamo. Il «riposo» del paese arriva al termine di una campagna sistematica, segnata da vittorie miracolose, nelle quali caddero rovinando mura di città e il sole ristette fermo. Per tutto questo tempo la legge del *ḥerem* fu applicata rigorosamente – dalla prima battaglia, l'assedio di Gerico, dove «completamente distrussero tutto ciò che c'era nella città, uomini e donne, giovani e vecchi, e buoi e pecore e asini, tutto passarono a fil di spada» (6,21), alla battaglia per la regione montagnosa, dove «distrussero tutto ciò che aveva vita, come il Signore Dio d'Israele aveva comandato» (10,40), fino alla battaglia per il nord, la valle di Jezreel e la bassa Galilea: «e non vi rimase anima viva» (11,14).

Dello scrupolo con cui si faceva tutto ciò è testimone la storia di Acan, che occupa l'intero cap. 7 del libro di Giosuè. A quanto pare Acan era non un capo ma un comune soldato israelita, che in una casa di Gerico si era impadronito di un po' d'oro e argento e di una «splendida veste babilonese», nascondendo poi il bottino nella sua tenda. Darsi al saccheggio era una violazione della dottrina della guerra santa, che esigeva la distruzione totale, e questo fece cadere Acan e la sua famiglia sotto la maledizione – a riprova che la maledizione andava al di là di qualsiasi differenza nazionale. L'intera famiglia («figli e figlie») con tutti suoi beni, compresa la tenda, fu condotta in un luogo fuori del campo e qui lapidata e bruciata. Non occorre dire che il *ḥerem* non era una proibizione del saccheggio del tipo di quella comparsa in seguito nel diritto internazionale. Lo scopo della moderna proibizione è di lasciare a una popolazione conquistata le sue proprietà, così che qualcosa che assomigli alla vita ordinaria possa ricominciare. In questo caso il saccheggio è un crimine contro la vita di uomini e donne. Al contrario, Acan ha peccato solo contro Dio; a Gerico non fu lasciato vivo nessuno che potesse portare la splendida veste che egli aveva rubato.

Secondo questa versione della storia, infatti, al termine della campagna di Giosuè in Canaan non rimasero cananei – a eccezione dei gabaoniti, che strinsero un patto con Israele e per molti secoli vissero fra le tribù israelite. Furono i soli a restare della popolazione originaria, e la loro sopravvivenza è spiegata col complicato racconto di un improbabile stratagemma diplomatico del quale si dovrà dire di più in seguito. Ma questa storia di genocidio riuscito, in tutto compiuta, viene subito dopo contraddetta dai suoi autori, costretti a riconoscere una tradizione alternativa – o forse ad ammettere il fatto ovvio che nel paese vivevano ancora cananei. Di qui *Giosuè* 16,10: «E non espulsero i cananei che abitavano in Gezer, ma i cananei dimorano tra gli efraimiti fino ad oggi». Sempre in Giosuè si riconosce la stessa cosa per una quantità di città delle valli del Giordano e di Jezreel, come se le campagne trionfali raccontate solo pochi capitoli prima non avessero mai avuto luogo:

I figli di Manasse non poterono però scacciare gli abitanti di quelle città, ma i cananei continuarono a dimorare in quel territorio. E accadde che quando i figli d'Israele divennero molto forti fecero loro tributari i cananei, ma non li cacciarono del tutto (17,12-13).

Gli autori o redattori di Esodo e Deuteronomio hanno inserito alcuni versetti, attribuiti esplicitamente o meno a Dio, che hanno l'evidente scopo di spiegare il perdurare della presenza dei cananei – versetti che non è facile far stare insieme ai comandamenti della cacciata o della distruzione. Nel Deuteronomio Mosè dice al popolo: «il Signore tuo Dio caccerà a poco a poco queste nazioni dinanzi a te. Non potrai distruggerli d'un tratto, affinché non crescano a tuo danno le bestie feroci della campagna» (7, 22). Questo testo non dice nulla dell'imposizione di un lavoro a cottimo ai cananei rimasti (lo stesso tipo di lavoro, così pare, che il faraone impose agli israeliti in Egitto); la sua formula programmatica è decisamente più radicale: «Li percuoterai e li distruggerai interamente; non farai nessun patto con loro, né avrai per loro misericordia» (7,2). Ma gli israeliti invasori non furono in grado di realizzare questo programma, e se anche si dice che Dio stesso ne prolungò la realizzazione per non lasciare disabitata la terra, l'estensione della dilazione («fino ad oggi») deve aver fatto sembrare debole e non convincente la spiegazione. Il redattore deuteronomico del libro dei Giudici dà un'altra spiegazione, molto più solida ma anche alquanto strana: per punire gli israeliti per aver adottato pratiche religiose cananee, Dio sentenzia che «d'ora in poi non caccerò davanti a loro nessuna delle nazioni che Giosuè lasciò quando morì» (2,21). Ma tutto lo scopo della cacciata era d'impedir loro di insegnare a Israele le loro pratiche religiose – perché, come si vedrà, è questa la ragione della loro espulsione fornita dagli autori del Deuteronomio. Dio pare avere rinunciato proprio per la ragione sbagliata.

La seconda versione della conquista si trova esposta nel modo più chiaro nei capitoli iniziali dei Giudici, nonostante accenni a quanto precede. Si è davanti a un racconto asistematico di un processo asistematico. Ora gli israeliti paiono essersi infiltrati nel paese più che averlo invaso, sembrano essersi insediati dove potevano, combattendo quand'era necessario, stipulando trattati, riscuotendo tributi, contraendo matrimoni con le nazioni cananee, integrandole, e in questo processo apprendendone le forme di vita. Una conquista di tal genere non esclude la messa al bando, anche se ne richiede un'applicazione molto più flessibile – che è appunto quanto fanno capire i testi della seconda versione. «Il ḥerem in tempo di guerra poteva avere una portata diversa di volta in volta» – scrive Max Weber – «e in ogni caso le regole sulla spartizione del bottino mostrano che non sempre l'intero bottino – uomini, donne, bambini, animali, case, suppellettili domestiche – veniva dichiarato tabù».[1] Nel libro dei Giudici l'anatema viene applicato soltanto talvolta (si veda in 1,7 l'unico richiamo esplicito alla legge del ḥerem), e non vi si parla di massacrare «tutto ciò che ha vita». Questo secondo racconto della conquista non si conclude con un'affermazione di vittoria, ma con la confessione di un insuccesso, dovuta presumibilmente al redattore deuteronomico del libro:

E i figli d'Israele dimorarono tra i cananei, gli ittiti, e gli amorrei, e i perizziti, e gli evei e i gebusei, e presero in moglie le loro figlie e diedero in moglie le proprie figlie ai loro figli e servirono i loro dei (3,5-6).

Ma il fallimento è religioso, non politico, perché in entrambe queste versioni della storia Israele riesce a stabilirsi in Canaan – uccidendo o spossessando molti dei suoi abitanti, rapidamente o gradualmente, pervenendo a dominare sugli altri. Un esiguo numero di antiche città stato cananee riuscirono a mantenersi fino ai tempi di David (fra queste, a quanto pare, anche Gerusalemme), ma il potere dei loro re fu sostituito da quello delle tribù israelite, dei loro anziani e dei loro giudici guerrieri carismatici. A un certo momento si cessa semplicemente di dar notizia delle guerre con i cananei; le tribù (e probabilmente quanto rimaneva delle sette nazioni che erano con loro) sono ora impegnate con nemici esterni, madianiti, moabiti, filistei, ecc. Quando in reazione a queste nuove guerre il popolo d'Israele instaura una sua propria monarchia, questa è di natura tri-

---

[1] M. Weber, *Ancient Judaism* (1921), Glencoe, Ill. 1952, 93 (tr. it. *Il giudaismo antico*, in *Sociologia delle religioni* II, Torino 1976, 916 s.).

bale e nazionale, non di base urbana; quale che sia la sorte dei loro dei, il regime politico dei popoli cananei non esiste più.

Il secondo racconto della conquista sembra più verisimile del primo, se non altro perché riconosce una realtà che gli autori confessano di non trovare allettante. Si è più propensi a prestar fiducia a racconti di fallimenti che di trionfi. Ed è da aggiungere che una dottrina della guerra – non formulata esplicitamente come quella della guerra santa, ma ben visibile nei testi – corrisponde bene al secondo racconto. Questa dottrina non esclude l'occasionale ricorso all'anatema, ma fissa una regola alternativa, quella della guerra limitata, del rispetto dei trattati, dei tributi e delle corvées, piuttosto che la deportazione e il massacro. Se ne trova l'eco nello stesso Deuteronomio, composizione del VII secolo che si rifà all'età della conquista, ma la sua formulazione più chiara compare in testi che trattano della prima monarchia. I re d'Israele e di Giuda evidentemente non si consideravano vincolati dalle leggi del *herem*. È possibile che in questa o quella circostanza abbiano invocato la dottrina della guerra santa, come fece Mesha di Moab, ma erano a conoscenza di un'altra legge e pare abbiano considerato anche questa una legge antica.

Il profeta Amos, vissuto nell'VIII secolo, fornisce la migliore indicazione di ciò che richiedeva quest'altra legge. Nel suo atto d'accusa delle nazioni che circondano Israele, egli elenca una serie di crimini di guerra (come oggi li si chiamerebbe), nella sostanza identici agli atti di pietà della guerra santa. Eccone un riassunto parziale, nel linguaggio stesso, talvolta metaforico, del profeta (*Amos* 1 e 2):

il popolo di Damasco «ha stritolato Galaad con trebbiatrici di ferro»;
il popolo di Gaza «ha deportato prigionieri tutti quanti per consegnarli a Edom»;
il popolo di Tiro «non ha ricordato il patto fraterno»;
il re di Edom «ha inseguito con la spada suo fratello, ha soffocato ogni pietà e ha conservato in perpetuo un furore senza limiti»;
gli ammoniti «hanno sventrato le donne incinte di Galaad»;
il re di Moab «ha bruciato le ossa del re di Edom facendone calce».

Fare tutto questo era male, e presumibilmente lo era indipendentemente da chi lo facesse. Weber pensa che l'elenco di Amos rispecchi una sorta di legge internazionale riconosciuta, se non coerentemente rispettata, sia da Israele sia dai suoi vicini.[1] Se si pensa alle proibizioni che stanno dietro le accuse dei profeti, qui si è davanti a un codice di convivenza, non necessariamente pacifico, che di fatto presuppone una condizione di guerra permanente. Intento del codice è di garantire la sopravvivenza delle parti, affinché possano quantomeno continuare a combattersi. Nemmeno al-

[1] M. Weber, *Ancient Judaism*, 302 (tr. it. 1154-1155).

la disfatta più radicale deve seguire l'esilio di una nazione o l'uccisione di donne e bambini.

Questo codice non figura né nell'Esodo né nel Levitico, ambedue poco interessati alla politica estera. La confederazione delle tribù, alla quale era probabilmente destinato il codice del patto dell'Esodo, non aveva una politica estera stabile o coerente, e gli autori sacerdotali del Levitico lasciarono questi problemi ai re d'Israele (e in seguito agli imperatori stranieri). Gli autori deuteronomici mostrano invece per questi problemi un chiaro interesse, e ciò che essi dicono merita d'essere considerato da vicino. *Deuteronomio* 20, il testo decisivo, presenta tracce di revisione, e sulle orme di Michael Fishbane sosterrò che le dottrine della guerra santa e quella della guerra limitata furono tenute insieme con difficoltà – con la semplice aggiunta della seconda alla prima, senza che questa venisse eliminata o sostituita.[1] Ma poiché tesi interpretative di questo tipo, che fanno affermazioni sull'origine non di interi libri, di codici di leggi, o di sequenze narrative, ma di singoli versetti, sono ipotetiche e sommamente incerte, non cercherò di costruirvi sopra troppo.

Le regole del comportamento da tenere in guerra iniziano in *Deuteronomio* 20,10, dopo un elenco di uomini esentati dal combattere (le esenzioni non si adattano a un esercito invasore di tribù nomadi e presumibilmente sono di un'epoca successiva e si applicano ad essa). Ritto sulla riva del Giordano – così è immaginato – Mosè ordina al popolo:

Quando ti avvicini a una città per combatterla, mostrale i vantaggi della pace. E sia pace, se ti dà risposte di pace e ti apre le porte... che tutto il popolo che vi si trova dentro sia tuo tributario e ti serva. E se non vuol fare pace con te, ma vuole combattere contro di te, l'assedierai. E quando il Signore tuo Dio l'avrà messa in mano tua, passerai a fil di spada tutti i maschi. Le donne, invece, e i piccoli e il bestiame e tutto ciò che è nella città, anche tutto quanto il suo bottino, li porterai via con te (20,10-14).

Si tratta di una formulazione sommaria della dottrina della guerra limitata. Si accorda interamente con le accuse di Amos e con molto del materiale storico del primo e secondo libro dei Re. Da un punto di vista contemporaneo le limitazioni che vengono poste sembrano inadeguate – e la guerra nel suo insieme con ogni probabilità pare guerra di aggressione: «Quando ti avvicini» non fa pensare all'autodifesa (i rabbi in seguito chiamarono questo tipo di guerra «facoltativa», mentre una guerra santa è «comandata»).[2] Ma in questo racconto il *ḥerem* è escluso, quantomeno nelle sue versioni più radicali. La stessa estromissione è ancor più evidente in 21,10-14, dove si espongono norme per il trattamento di donne cat-

---

1 M. Fishbane, *Biblical Interpretation in Ancient Israel*, Oxford 1985, 199-200.
2 Si veda M. Walzer, *War and Peace in the Jewish Tradition*, in T. Nardin (ed.), *The Ethics of War and Peace. Religious and Secular Perspectives*, Princeton 1996, 95-114.

turate. Ai soldati vincitori sono date solo due possibilità: sposare la prigioniera o lasciarla libera. La legge del ḥerem, al contrario, esige che le donne siano uccise, e la ragione del massacro è proprio la paura del matrimonio misto (e del sincretismo religioso – aspetti entrambi che come si vedrà sono costantemente associati).

Poiché, stando al testo, vengono proclamate alla vigilia dell'attraversamento del Giordano, queste leggi sembrerebbero valere per le battaglie che seguono immediatamente. Ma *Deuteronomio* 20,15 lo nega con foga, introducendo invece la legge della guerra santa (20,15-18):

Farai questo in tutte le città che sono molto lontane da te, che non sono città di queste [sette] nazioni [cananee]. Ma delle città di questo popolo che il Signore Dio tuo ti ha dato in eredità, non lascerai vivo nulla di ciò che respira. Li distruggerai interamente... affinché non v'insegnino a seguire tutte le loro abominazioni.

La successione dei versetti è particolarmente singolare e induce a pensare, come sostiene Fishbane, «all'aggiunta della legge del ḥerem a una più antica legge relativa all'assedio», diventata tanto autorevole da non potere essere espunta dal testo. Forse le norme sulle donne prigioniere avevano un'autorevolezza simile; oppure potrebbero rispecchiare il supposto femminismo degli autori deuteronomici, un po' incongruo in questa sede, dato che il rispetto per le donne sembrerebbe dipendere da un preliminare rispetto per la vita stessa. Come che sia, l'espressione «molto lontane», con cui sono caratterizzate le città, non viene ripetuta nel capitolo 21, lasciando così le norme in esso contenute in radicale disaccordo con 20,18.

C'è quindi una legge che si adatta alla seconda versione della conquista, e un'altra, radicalmente diversa, che si adatta alla prima versione. Della difficoltà di legare l'una legge con l'altra fornisce un'illustrazione la storia dei gabaoniti, nazione cananea con la quale Israele firmò un trattato di pace, conformemente alla legge «più antica». Il trattato dev'essere stato molto conosciuto e, all'epoca in cui fu scritto il libro di Giosuè dovevano essere ancora presenti i gabaoniti, o di loro ci si dovette ricordare, se gli autori del libro si sentirono obbligati a spiegare quest'apparente noncuranza per il ḥerem proprio nel tempo e nel luogo in cui si riteneva fosse in vigore. Il loro racconto è abile, anche se un po' difficile da credere. Gli anziani dei gabaoniti, avendo letto evidentemente il libro del Deuteronomio, indossarono vesti da viaggiatori e dissero di venire da molto lontano. Giosuè e i «capi della comunità», senza cercare l'oracolo della «bocca del Signore» o senza consultare al riguardo esploratori e spie per sapere dove fosse Gabaon, «fecero con loro il patto di lasciarli vivere» (*Giosuè* 9,15). «Servendosi della legge biblica per eluderla», come scrive Fishbane, i gabaoniti evitano il ḥerem.[1] La tesi evidente degli autori o dei redattori del libro di Giosuè, buoni Deuteronomisti che scrivevano molto

1 M. Fishbane, *Biblical Interpretation in Ancient Israel*, 207.

dopo i fatti, è che questa nazione cananea, al pari di tutte le altre, avrebbe dovuto essere annientata.

Guardando indietro dagli ultimi anni della monarchia, i Deuteronomisti erano convinti che i mali di Israele avevano un'unica causa: il culto di divinità cananee, l'imitazione di pratiche religiose aborrite da Jahvé. Il motivo di questo peccato continuamente reiterato era la persistente presenza dei cananei nel paese e la mescolanza sessuale delle due popolazioni. L'invenzione del *ḥerem* con la sua radicalità fu quindi probabilmente una risposta retrospettiva ai pericoli della mescolanza etnica. La dottrina deriva presumibilmente da qualche pratica più antica – ne si è vista la descrizione sulla pietra moabita – per la quale uomini e donne, animali e persino i manufatti materiali delle città conquistate, venivano sacrificati al dio del conquistatore. Tracce dell'idea di sacrificio si possono trovare ancora nel Deuteronomio (13,17), ma gli autori del libro forniscono anche una spiegazione esplicita del *ḥerem* di tipo totalmente diverso, facendone qualcosa di simile a un equivalente funzionale del divieto dei matrimoni misti. Quando i due precetti compaiono insieme, come in *Deuteronomio* 7,2-3, uno dei due è superfluo. Se i cananei fossero stati sterminati, la preoccupazione per i matrimoni misti non avrebbe più avuto un oggetto; se il divieto dei matrimoni misti avesse funzionato, il genocidio non avrebbe avuto fini religiosi. Che il suo intento fosse religioso, non etnico o razziale, è dimostrato dalla legge della città sedotta (13,12-17), che condanna gli israeliti idolatri allo stesso annientamento collettivo dei cananei. Ma i testi biblici fanno di fatto pensare a un particolare timore per le donne straniere, veicoli di contaminazione religiosa. Le mogli cananee abbindolano e inducono i mariti al culto degli idoli; le figlie d'Israele, al contrario, sono tanto schive e caste da essere incapaci di un comportamento analogo in favore di Jahvé (cf. *Deuteronomio* 7,3-4, dove la differenza è evidente).

Nel Deuteronomio il *ḥerem* è una pratica possibile perché ai tempi di Giosuè e di Giosia, seicento anni più tardi, quando probabilmente il libro fu scritto, Israele possedeva realmente un esercito in grado di metterlo in atto – anche se l'esercito di Giosia dev'essere stato costituito in gran parte di mercenari, strumento quindi inadatto alla guerra santa. I profeti letterari dell'VIII e VII secolo presentano generalmente la guerra come impresa divina. Dio combatterà per Israele; non serve l'esercito del re (v. sotto, cap. 6). Ai tempi di Esdra e Neemia, dopo il ritorno da Babilonia, non esisteva esercito; Israele era stato smilitarizzato radicalmente.

Israele, in realtà, veramente militarizzato non lo era mai stato, quantomeno agli occhi degli autori biblici. Nelle tradizioni relative alla guerra totale o a quella limitata, in sostanza non compaiono eroi guerrieri, né la Bibbia esalta mai le virtù militari. Gionata e il giovane David sono indizi di un «ideale alternativo» che in definitiva, come ha scritto Oliver O'Donovan, «in Israele farà poca strada».[1] Ai tempi di Giosia e a quelli dei re un esercito nondimeno c'era, mentre dopo l'esilio e fino alla rivolta dei Maccabei non ci fu più. Per questo nei testi biblici postesilici il *ḥerem* non compare, né vi si parla di una nuova conquista sul modello di quella antica. Ora il ragionamento è rigorosamente imperniato sul matrimonio interetnico. Esdra e Neemia, come pure gli autori chiamati cronisti, che probabilmente scrissero i libri o la versione finale dei libri che prendono nome da loro, furono fortemente influenzati dal Deuteronomio. Tutti questi avevano rinunciato, o erano stati costretti a rinunciare, alla fantasia di risolvere col genocidio i problemi che avevano davanti. Il loro obiettivo era ancora lo stesso, la santità di Israele, che adesso però si doveva ottenere mediante la separazione da tutte le nazioni circostanti, non con la guerra totale contro di loro.

Nemmeno per i Deuteronomisti il genocidio rappresentava ovviamente una possibilità effettiva, dato che a quel tempo i cananei erano già stati sottomessi e assorbiti. I matrimoni misti combinati col potere politico avevano di fatto contribuito a creare una sola nazione, più israelita che cananea, benché le sue pratiche religiose avessero un evidente carattere sincretistico. Come ben compresero i profeti, non fu più possibile a un Israele santo distruggere un Canaan idolatra. Furono invece costretti a esortare gli empi assiri e babilonesi a punire un Israele idolatra. Fortunatamente né gli assiri né i babilonesi, per quanto crudeli (soprattutto gli assiri), erano dediti al *ḥerem*. Come spiegare che gli autori del Deuteronomio si siano schierati a suo favore? Come Moshe Weinfeld scrive in una delle migliori letture del Deuteronomio, il loro era il radicalismo di scrittori al tavolo di lavoro.[2] E penso vi sia una certa verità nell'idea di Weinfeld che la brutalità di certi intellettuali sia funzione della loro distanza dalla politica o dall'impegno militare reali (si dovrebbe però ricordare che anche il pacifismo degli intellettuali viene comunemente attribuito alla stessa causa). Nel VII secolo – scrive Max Weber – «proprio come oggi troviamo in tutti i paesi il massimo della sete di guerra proprio in quegli strati di letterati che sono i più lontani dalle trincee e i meno portati per loro natura ad attività guerriere».[3] Al contrario, i re d'Israele, pur avendo combattuto molte guerre, non erano favorevoli alla guerra santa.

Questo ragionamento allontana semplicemente il problema, invitandoci a prendere le distanze da questi letterati lontani dalla realtà e vanamente feroci (che in tanti altri modi ci sono molto vicini). Conviene piuttosto

1 O. O'Donovan, *The Desire of the Nations. Rediscovering the Roots of Political Theology*, Cambridge 1996, 5 5.

2 M. Weinfeld, *Deuteronomy and the Deuteronomic School*, Oxford 1972, 167.

3 M. Weber, *Ancient Judaism*, 1 1 2 (tr. it. 939).

riconoscere l'autorità degli autori deuteronomici e affrontare più direttamente le loro idee politiche e religiose. Il libro del Deuteronomio espone
fin nei particolari una visione di Israele come «popolo santo», comunità
di «fratelli». La sua tendenza costante è di rafforzare nel popolo la com-
pattezza e l'impegno reciproco. La gerarchia conta ben poco (quantomeno negli scritti sacerdotali) e gli obblighi religiosi sono imposti con maggior senso di uguaglianza a tutti gli israeliti. Le donne sono più pienamente integrate nella comunità; partecipano ai riti dell'alleanza (mentre in *Esodo* 19,15 agli uomini d'Israele, prima del patto del Sinai, viene ordinato di
evitare per tre giorni ogni contatto con donne: «non vi accostate alle vostre mogli») e, a quanto pare, partecipano anch'esse ai pellegrinaggi di fe-
sta a Gerusalemme. Gli autori del Deuteronomio manifestano un interesse spiccato per i membri più deboli della comunità, e le pratiche sociali
ed economiche che indicano hanno il chiaro intento di ridurre al minimo
la crudeltà dei rapporti di classe. Come afferma Weinfeld, anche il sistema sacrificale viene concettualmente riformulato, in modo da potere servire a scopi assistenziali: «l'importanza di continuo ripetuta dell'obbligo
di condividere il pasto sacrificale con indigenti dà l'impressione che lo scopo principale del sacrificio sia di procurare il nutrimento agli elementi bisognosi della società israelita».[1]

Questa disposizione si estende al forestiero (*ger*, che significa «forestiero residente», non «straniero»), come pure a vedove, orfani, poveri in genere e ai leviti privi di terra. Quel che però il testo sottolinea sono gli obblighi interni alla comunità pattizia parentale: «Apri grande la tua mano
a tuo fratello, al tuo povero e al tuo bisognoso che sono nel tuo paese»
(*Deuteronomio* 15,11). I possessivi qui sono importanti (v. anche *Deuteronomio* 24,14: «il tuo forestiero... entro le tue porte»), com'è importante il termine «fratello» di continuo ripetuto – cinquanta volte e più nel libro del Deuteronomio, mentre solo diciannove nel Levitico. Pure importante è che le leggi riguardo alla purità rituale (santità) nel Deuteronomio
siano imposte soltanto ai fratelli, benché il Levitico esiga la purità da chiunque viva nella terra santa. Tutti questi dati presi insieme contribuiscono
a dare all'unione un'intensità che manca negli altri testi biblici. Questa intensità è in buona misura concettuale, indubbiamente, date le guerre civili
raccontate nel libro dei Giudici, la successiva divisione del regno e i conflitti sociali di cui sono testimoni i profeti. Ma essa costituisce la premes-
sa necessaria per qualsiasi comprensione della guerra nel Deuteronomio.

Comunità santa e guerra santa sono idee correlate – non necessariamente perché la santità contribuisca all'ostilità nei confronti delle nazioni straniere, ma più probabilmente perché vi contribuisce la comunità. La relazione non è essenziale, ma costante. Anche la santità potrebbe avere effet-

1 M. Weinfeld, *Deuteronomy and the Deuteronomic School*, 211-212.

ti simili, ma un popolo santo potrebbe tendere (come si vedrà) a converti-
re e integrare nazioni straniere; comunità strettamente unite, per contro,
resistono comunemente a questo tipo di espansione, che potrebbe allenta-
re la loro fratellanza. «Contraendo alleanze» – scrive Jean-Jacques Rousseau – «diventiamo realmente i nemici del genere umano».[1] Quanto più
forte è l'unione, tanto maggiore l'inimicizia. Rousseau affrontò questo problema – che è veramente un problema, anche se mai riconosciuto come
tale nel Deuteronomio – imponendo alla sua repubblica un separatismo radicale. Bandiva il commercio con nazioni straniere e i viaggi all'estero,
rendendo così altamente improbabili i matrimoni al di fuori della propria
comunità politica. Le sue idee sull'educazione ricordano in modo sorprendente *Deuteronomio* 6,7, che esige l'insegnamento «accurato» e in sostanza a tempo pieno della storia e delle leggi d'Israele. Nelle sue *Considerazioni sul governo della Polonia* Rousseau scrive: «Voglio che imparando a
leggere legga cose del suo paese...; che a quindici anni ne conosca tutta la
storia; a sedici tutte le leggi».[2] Vi sono ben poche altre cose che occorre sapere o imparare. Il mondo di fuori è una grande tentazione, e poiché Rousseau non desidera lanciarsi in una guerra contro di esso, raccomanda l'iso-
lamento e l'ignoranza.

Ai tempi di cui parla il Deuteronomio queste non erano opzioni che
Israele aveva – né erano opzioni realistiche anche al tempo di Esdra, quando realmente venne proposto qualcosa di simile al programma di Rousseau. Di qui la guerra santa, che intendeva allontanare o sterminare i cananei prima che corrompessero la nazione santa. Il proposito si manife-
stava a fatti accaduti, dopo secoli di corruzione, anzitutto al tempo dei giudici, i quali combatterono quelle che erano essenzialmente guerre profane
contro i nuovi vicini d'Israele e ne sposarono anche le figlie (Sansone è il
classico esempio), poi all'epoca dei re, la maggior parte dei quali sembra
essersi sistematicamente ispirata alle pratiche religiose dei cananei. I libri
dei Giudici, di Samuele e dei Re hanno poche cose da dire sulla santità di
Israele o sui legami di fratellanza che tenevano unita la comunità. Ciò che
raccontano della vita comune è spesso poco bello e a ragione può fungere
da retroterra realistico del programma di riforma del Deuteronomio. Ma
i loro autori (o gli autori dei resoconti e delle cronache sulla base dei quali
furono scritte le storie) furono capaci di una visione, contrariamente agli
autori del Deuteronomio, del tutto non ideologica della guerra, come nel
racconto delle guerre con Aram (v. sotto, cap. 4). L'esempio più interessante proviene dal libro dei Giudici, e poiché si tratta anche dell'ultimo dei rac-

---

1 J.-J. Rousseau, *L'état de guerre and projet de paix perpetuelle*, ed. Shirley G. Patterson, New
York 1920, 25 (tr. it. in J.-J. Rousseau, *Scritti politici* II, Bari 1994, 320).
2 J.-J. Rousseau, *Considerations on the Government of Poland*, in *Political Writings*, ed. F. Wat-
kins, Edinburgh 1953, 176 (tr. it. in J.-J. Rousseau, *Scritti politici* III, Bari 1994, 191).

conti di conquista nella Bibbia, esso fornisce qui una buona conclusione.

A detta di *Giudici* 18 la tribù di Dan non era riuscita a insediarsi in quella parte del paese assegnatale in origine da Giosuè. Perciò i daniti inviano, in cerca di un'altra posizione, esploratori, i quali trovano un popolo cananeo che vive a Lais e nei suoi pressi: una popolazione pacifica, priva di governanti ereditari (sotto questo aspetto come gli israeliti) e senza stretti legami con i vicini. Gli esploratori portano la notizia, e i daniti organizzano una schiera di combattenti di seicento uomini – una cifra più verisimile di tutte le altre che compaiono nei racconti dell'esodo e della conquista; tutta la vicenda ha un'aria realistica. Il risultato è presto detto: «mossero contro Lais, contro un popolo che stava tranquillo e sicuro e li passarono a fil di spada e appiccarono il fuoco alla città. E non ci fu nessuno che la soccorresse» (18,27-28). Martin Buber avanza l'idea che l'autore di questi versetti intendesse proporre un argomento in favore della monarchia: «Un popolo senza re depreda, un popolo senza re viene depredato».[1] Potrebbe essere vero, ma per sostenere la sua spiegazione l'autore avrebbe dovuto assumere un atteggiamento critico nei confronti del primo popolo (il suo) e di compassione nei confronti del secondo (il suo nemico). Per ragioni di cui dovremmo preoccuparci, gli autori deuteronomici non erano capaci né di critica né di compassione.

1 M. Buber, *Kingship of God*, Atlantic Highlands, N.J. 1990, 80 (tr. it. *La regalità di Dio*, Genova 1989, 74).

Capitolo 4

Governo di re

L'esposizione della storia d'Israele nella Bibbia è segnata da due nette cesure. Inizia come storia di famiglia, con Abramo, Isacco e Giacobbe, le loro mogli e concubine, i figli e le figlie. Il conflitto familiare è il suo primo tema: la rottura di Abramo col padre, la lite di Sara con Agar, la lotta di Giacobbe con Esaù, la rivalità e poi la riconciliazione di Giuseppe con i fratelli e molto altro che potrebbe essere detto di politica familiare. In questione sono sempre il diritto di primogenitura e l'eredità, il favore divino e il favore del patriarca, le forme locali e immediate del potere. Nel prosieguo, come risultato dello stato d'oppressione in Egitto, viene a trovarsi al centro la storia di un popolo. I suoi capi – Mosè, Aronne, Giosuè e i giudici che li seguono – non mancano senz'altro di famiglie, ma di queste ben poco viene detto. Come possibili eredi i figli di Mosè non sono mai presi in considerazione; il sacerdozio di Aronne passa a Eleazaro e Fineas senza avvincenti intrighi familiari (l'uccisione di Nadab e Abihu di *Levitico* 10 esula dalla famiglia). I figli di Giosuè non vengono mai menzionati; nessuno dei giudici fa un qualsiasi tentativo di trasmettere il proprio potere. Debora ha figli o figlie? Si conosce soltanto il nome del marito. Ora la lotta politica si svolge tra capi rivali e aspiranti capi come Mosè e Core, che hanno rapporti tra loro solo in quanto israeliti, e tra le recalcitranti tribù, i cui membri sono uniti dal patto e solo lontanamente dal sangue. Un popolo per lo più indifferenziato ma potentemente presente mormora contro i suoi capi e si volge di continuo all'adorazione degli idoli, riaffermando la propria fede in occasioni solenni.

In un momento successivo l'attenzione si sposta di nuovo, e al centro torna la storia familiare. Questa volta le famiglie sono dinastie o aspiranti dinastie, ma i conflitti sono gli stessi di un tempo: rivalità tra fratelli, intrighi di mogli e concubine, lotte per l'eredità che ora è anche lotta per la successione al trono. La monarchia è la ricapitolazione del principio patriarcale (ad eccezione dell'usurpatrice Atalia [2 *Re* 11], Israele non ebbe regine).[1] Il popolo sfuma in lontananza; corteggiato talvolta da principi ambiziosi (come Assalonne), compare perlopiù ad acclamare il vincitore

---

1 D.R. Hillers, in *Covenant. The History of a Biblical Idea*, Baltimore 1969, specialmente il cap. 5, fa osservare l'affinità di patriarchi e re, i cui patti con Dio erano di natura familiare – a differenza dal patto del Sinai tra Dio e il popolo d'Israele.

dopo che la successione è stata decisa. Il re è accompagnato da capi militari e consiglieri politici, che nella sua vicenda sono sempre figure significative ma secondarie; sono a un dipresso l'equivalente dei servitori e degli addetti ai servizi nella famiglia del patriarca. In entrambi i casi al centro dell'attenzione viene a trovarsi la comunità domestica.

Questa prospettiva contribuisce al realismo di una mentalità pragmatica e risoluta. Gedeone, Sansone e Debora sono eroi leggendari. David, invece, che uccide il gigante Golia e diventa il più grande dei re d'Israele, è al tempo stesso un personaggio storico letterario pienamente realizzato, umano, troppo umano. Lo vediamo punito dalla moglie Mical, seduttore o sedotto da Betsabea, connivente alla morte di Uria, incapace di reagire alla violenza fatta alla figlia Tamar, desolato alla morte di Assalonne. Nella storia di David, com'è raccontata nel secondo libro di Samuele, non v'è traccia dell'esaltazione convenzionale della monarchia: non segreti di stato, non ascendenza divina, non fascino regale, non il tocco risanatore. La sua infelice famiglia è simile a migliaia di altre, tranne che per la sua infelicità messa in scena pubblicamente – senza un copione ma su una scena, con uno storico in piedi tra le quinte a prender nota dell'azione. L'azione ha effetti di ampia portata, ma il suo centro è sempre familiare. Nelle famiglie reali come in quelle patriarcali in gioco sono sempre la primogenitura e la successione. Gedeone, Sansone e Debora non hanno eredi. Tutta l'ambizione di David, com'era stata quella di Saul, è instaurare un trono su cui possa sedere suo figlio. Le famiglie aspirano alla continuità; i genitori si affaticano per i figli (anche se certi figli, come Assalonne, aspettano con impazienza la fine di queste fatiche). Anche sotto questo aspetto David è abbastanza comune, mentre Mosè e Giosuè che si affaticano per la nazione sono decisamente fuori del comune. Perché *questa* famiglia dovrebbe governare Israele?

Il passaggio dai giudici ai re, da individualità carismatiche a padri di famiglie reali è storicamente contestato. Le origini della contestazione, o degli argomenti che vi vengono usati, risalgono a tempi molto addietro, fino all'inizio vero e proprio, all'epoca della servitù in Egitto: non era infatti il faraone un re e la fuga dall'Egitto una liberazione dalla servitù a un re? Gli argomenti hanno però anche un'origine più immediata nei secoli tra l'esodo, meglio la conquista del paese, e l'instaurazione della monarchia, quando «non c'era re in Israele [e] ognuno faceva quel che era giusto ai propri occhi» (*Giudici* 21,25). Questi israeliti, liberi di decidere ciò che era giusto, che non avevano mai servito Mosè o Giosuè o qualcuno dei giudici, perché avrebbero dovuto farsi sudditi e servi della casa di Saul o di David?

L'Israele di prima dei re è spesso descritto come confederazione di tribù sul modello di un'anfizionia greca. Nello stile tipico di molti studiosi della Bibbia, Martin Noth scrive che «indubbiamente vi fu una costituzione stabile» e ribadisce che «la confederazione delle dodici tribù... svolse i suoi compiti secondo riti regolari e in ottemperanza a forme di comportamento stabilite».[1] Forse le cose andarono in questo modo, ma dai racconti del libro dei Giudici è noto quanto di rado le diverse tribù riconobbero il loro legame e combatterono insieme contro un nemico comune; l'ultima guerra di cui si racconta nel libro, la più sanguinosa, è una guerra civile. Le testimonianze di riti regolari o di forme stabilite sono tristemente scarse. Di certo nell'idea di una «costituzione» della confederazione c'è soltanto che essa è dubbia.

Israele è anche una comunità fondata su un patto o, stando al libro di Giosuè, un'associazione di capifamiglia legati da una sorta di trattato con Dio e fra di loro. «Decidete oggi [a quali dèi] servirete» – dice Giosuè agli anziani, ai comandanti, ai giudici e ai funzionari radunati a Sichem, «ma per quanto riguarda me e la mia casa serviremo il Signore» (*Giosuè* 24,15). Le altre case si impegnano immediatamente allo stesso servizio e questo patto sembra costituire il fondamento dell'unità – ora infranta, ora rinnovata – della confederazione. Il governo politico è radicalmente decentrato e intermittente anche nelle sue manifestazioni locali. Il solo centro è Dio. Quando in Israele non c'erano re, Dio era re.

Questo periodo della storia d'Israele – quando nessuna famiglia era stata scelta, eletta da Dio o dagli uomini perché avesse potere su tutte le altre – è ricordato nella Bibbia come epoca di eroi, ma anche come tempo irto di pericoli, persino caotico. I capi/giudici/guide che vennero dopo non pare abbiano rivestito nulla che possa definirsi una carica istituzionale; i titoli cambiano, gli individui vanno e vengono; non vi sono successioni autorizzate; anche il sacerdozio, in teoria ereditario, è soggetto al decreto divino, come mostra l'esempio di Eli e dei suoi figli. «All'epoca dell'antica lega» – scrive Weber – «c'era soltanto il potere intermittente, di portata variabile, degli eroi guerrieri carismatici» – ognuno «suscitato», come racconta la Bibbia, da Dio.[2] Che la confederazione delle tribù e il patto dei capifamiglia siano sopravvissuti per duecento anni con una leadership di questo genere è una testimonianza del favore divino o di una rara fortuna. Di fatto la monarchia di Dio su Israele coincise con l'eclisse dell'impero in Egitto e in Assiria. Secondo i racconti biblici un Israele politicamente decentrato affrontò soltanto nemici locali. Ma uno di questi, i filistei, riuscì infine a dominare la maggior parte della regione collinare del paese che gli israeliti avevano conquistato o in cui si erano infiltrati due secoli prima. La vittoria dei filistei e la disunione delle tribù d'Israele produssero la crisi dalla quale emerse la monarchia.

1 M. Noth, *The Laws in the Pentateuch and Other Studies*, London 1984, 28-29.
2 M. Weber, *Ancient Judaism*, Glencoe 1952, 90 (tr. it. 912).

La vicenda è raccontata nel primo libro di Samuele, capitolo 8, ed è celebre – l'inizio, si potrebbe dire, dell'annoso dibattito riguardo ai pregi del governo regio. Non esistono testimonianze scritte di un dibattito simile in Egitto o in Mesopotamia, né nelle città dei cananei o dei filistei. Anche le discussioni dei greci su quale sia il regime migliore sono riservate a un futuro lontano. In tutti i paesi del Vicino Oriente antico la monarchia è considerata la forma di governo naturale e divina; il re è un dio o un sostituto o servitore degli dei che mette in contatto la politica con la natura, lo stato col cosmo, garantendo la fertilità dei campi e la riproduzione dell'umanità. Ora, a un certo momento intorno al 1000 a.C., gli anziani di Israele si presentarono a Samuele, il giudice e veggente riconosciuto, pregandolo di «dar loro un re che li giudicasse come in tutte le nazioni» (8,5) e che conducesse Israele in battaglia. Ma la richiesta è impossibile in questo senso importante: che il popolo pensi a un re creato su sua richiesta comporta che questo re non potrà essere come quelli di tutte le altre nazioni. Samuele fa poi capire quanto diversa sia la creazione di questo re, mettendo in discussione la richiesta.

Sia la richiesta sia la discussione hanno un precedente. In *Giudici* 8,22-23 «gli uomini d'Israele» si presentano a Gedeone, che esce allora da una guerra fortunata in cui li ha guidati contro i madianiti, e gli dicono: «Governa su di noi, tu e tuo figlio e anche i tuoi figli». Qui la monarchia non viene menzionata, ma l'accento messo sulla successione significa che di questo si tratta. Nella concezione d'Israele la monarchia è il governo successivo di padri e figli; il regime opposto è il governo privo di continuità di capi senza relazioni di sangue, che rappresentano un Dio eterno. La risposta di Gedeone ribadisce il contrasto: «Non governerò su di voi né su di voi governeranno i miei figli: su di voi governerà il Signore». Le sue parole ricordano agli «uomini d'Israele» l'impegno che fa di loro degli israeliti; Gedeone si rivolge a loro in quanto uomini del patto.

Nello stesso modo avrebbe potuto rispondere Samuele se gli fosse stato chiesto di diventare re. Messo di fronte alla richiesta più impersonale di un nuovo regime politico, egli tenta di dare una risposta che forse è più politica ma certo è più pragmatica e secolare. Si rivolge agli anziani nella loro veste di padri di famiglia e illustra loro le conseguenze di una sottomissione al padre di una famiglia in particolare. Questi prenderà al suo servizio i vostri figli e figlie, dice Samuele, «e li destinerà... a essere suoi cavalieri... [a] correre davanti ai suoi cocchi... a mietere il suo raccolto... a fargli strumenti di guerra... a essere suoi cuochi e... fornai». Vi tasserà a suo vantaggio, prendendosi «i vostri campi, le vostre vigne, i vostri oliveti, anche i migliori». «E voi sarete suoi servi» – come foste i servi del faraone, prima di diventare servitori di Dio, liberi tra gli uomini vostri simili (8,10-18). Ma gli anziani non sono convinti, la libertà è troppo pericolosa; vogliono qualcuno simile a loro che li governi, sono disposti a pagarne il prezzo e a consentire che una casa, all'inizio uguale a tutte le altre, diventi la corte di un re.

Non è che ingenuamente pensino che il re non si comporterà come dice Samuele. In fin dei conti Saul e David sono uomini come loro, e il racconto straordinariamente realistico delle successive corti dei re, fu scritto probabilmente pensando agli anziani d'Israele. In un certo senso i rabbi avevano ragione quando secoli dopo dichiararono (in nome di un Samuele posteriore, uno dei capi degli ebrei babilonesi): «Tutto ciò che è detto nel capitolo di un re, gli è consentito farlo» (*bSanhedrin* 20b). Il popolo è stato avvertito, ed esso stesso o i suoi rappresentanti hanno acconsentito; perciò il comportamento preannunciato da Samuele è ammissibile, anche se né Samuele né Dio, col quale egli parla, lo credono necessario. «Quegli che solo è santo disse a Israele: Figli miei, ho cercato che foste liberi dalla monarchia».[1] Gli anziani avevano però un piano diverso, ma questo non significa che intendessero farsi schiavi dei re al cui servizio entravano volontariamente. Non accettarono gli argomenti di Samuele, ma nei confronti delle loro famiglie avevano quell'atteggiamento protettivo che Samuele pensava. Quando Salomone arruolò come coscritti un numero troppo alto di loro figli, trasformando la corvée al servizio del re in un reclutamento di massa, mise a rischio la sua successione. A questo punto i rappresentanti delle tribù del nord trattarono col suo erede, Roboamo, chiedendogli di promettere «che avrebbe reso più leggero il servizio terribile chiesto da suo padre e il pesante giogo che aveva imposto su di noi». Quando poi Roboamo rifiutò, la maggior parte delle case d'Israele abbandonò la casa del re, al grido di battaglia di cui ci si era già serviti in una rivolta precedente: «Che cosa abbiamo a spartire con David? Non abbiamo nulla in comune col figlio di Iesse. Alle tue tende, Israele! E tu, David, ora pensa alla tua casa!» (*1 Re* 12,16). Le tribù del nord si rivolsero a Geroboamo, che era stato uno dei funzionari di Salomone, «e lo chiamarono nell'assemblea e lo fecero re su tutto Israele». *Lo fecero re*, come dire che lo avrebbero servito solo e finché li avesse serviti.

Si può considerare la legge deuteronomica dei re (che, come talvolta si pensa, proviene dal regno del nord) una sorta di ricaduta del dibattito iniziato da Samuele e della rivolta che ne fu l'espressione pratica. Il testo (*Deuteronomio* 17,14-20) non è in alcun senso un'affermazione teorica, ma è nondimeno una riflessione sul monito di Samuele e sulla politica oppressiva di Salomone. Ripete le richieste iniziali degli anziani, consente (prescrive, si sente anche dire) l'instaurazione di un regime monarchico e

1 *Midrash rabbah*, *Deuteronomio*, *Shof^etim* 5,8, in M. Walzer, M. Lorberbaum, N.J. Zohar, Y. Lorberbaum (edd.), *The Jewish Political Tradition*, 1. *Authority*, New Haven 2000, 148. Si veda anche il commento di A. Silver a *1 Samuele* 8, pp. 122-126.

fissa una serie di limiti al governo regio, destinati forse a eliminare il «servizio terribile» e il «pesante giogo» – benché non accenni esplicitamente alle corvées. «Non deve avere per sé un gran numero di cavalli... né un gran numero di mogli per sé... né grande quantità di argento e oro per sé... Che il suo cuore non s'innalzi sopra i suoi fratelli». In altre parole, il re non dovrà ingrandire la sua casa o accrescere il suo potere o la sua ricchezza al di là di quel che è assolutamente necessario per l'adempimento dei suoi doveri – così intendono i rabbi del periodo talmudico.[1]

L'espressione «per sé» ripetuta induce a pensare che qui sia in questione l'accrescimento personale e dinastico. Gli autori del Deuteronomio vogliono un re che quando sia necessario guidi Israele in battaglia, *ma che non faccia niente di più*. Forse intendono esprimere così il loro rifiuto della guerra di tipo imperialista (qui «cavalli» sta per cocchi), anche se, considerando il testo del Deuteronomio nel suo insieme, la cosa non è affatto certa. È più probabile che intendano rifiutare al re qualcosa di simile a un corpo di pretoriani. Questi autori non sono tanto diversi dagli anziani che si presentarono a Samuele, ma scrivono avendo fatto l'esperienza effettiva dei re e dei loro mercenari. Il commentatore medievale Nahmanide forse ha colto ciò che intendono dire: «Voi volete mettere su di voi un re come tutte le nazioni che vi stanno intorno – soltanto, non dovrebbe essere come i loro re... perché il principale desiderio dei re è accrescere per sé cavalli e cavalieri.[2]

I capitoli 17 e 18 del Deuteronomio hanno un po' l'aria di un testo costituzionale, ed è interessante che vi si tratti la funzione giudiziaria come qualcosa di separato dalla monarchia.[3] Gli anziani avevano chiesto un re affinché «ci giudichi», come pure perché «combatta le nostre battaglie» (*1 Samuele* 8,20), ma nel Deuteronomio non si dice nulla del re che siede in giudizio (come notoriamente fece Salomone, ad esempio) o che nomina i giudici. L'attività giudiziaria è accentrata a Gerusalemme. Quando gli anziani «che siedono alle porte» non sono in grado di risolvere un caso perché la «questione [è] troppo difficile», dovranno salire

al luogo che il Signore tuo Dio sceglierà; e presentati davanti ai sacerdoti leviti e al giudice che vi sarà in quei giorni e consultalo; ed essi ti faranno conoscere la sentenza del giudizio (17,8-9).

Del re qui non si parla, né c'è qualcun altro cui sia assegnato il compito di scegliere il «giudice che vi sarà in quei giorni». Si tratta quindi di una costituzione incompleta e rimane oscuro quali limiti precisi siano posti al re.

1 *mSanhedrin* 2, in Walzer, e al., *Jewish Political Tradition* I, 136-137, col mio commento, pp. 139-141.

2 Ramban (Nahmanide), *Commentary on the Torah. Deuteronomy*, New York 1976, 210.

3 B.M. Levinson, *Deuteronomy and the Hermeneutics of Legal Innovation*, New York 1997. Il cap. 4 fornisce una trattazione esaustiva delle procedure giudiziarie del Deuteronomio.

Neppure è evidente che come già si è accennato gli storici deuteronomici considerino *Deuteronomio* 17-18 un testo costituzionale. L'unico rinvio nella Bibbia a questo testo si trova nel racconto del regno di Salomone (ma il richiamo potrebbe riferirsi ad altro), che tratta esplicitamente, ma non sempre in toni critici, di cavalli, mogli, argento e oro. Benché «avesse quarantamila poste per i cavalli dei suoi cocchi e ventimila cavalieri» (*1 Re* 5,6), Salomone viene di fatto lodato per le prodezze militari, dal momento che ha favorito la pace: «E Giuda e Israele dimorarono sicuri, ogni uomo sotto la sua vigna e sotto il suo fico... tutti i giorni di Salomone» (5,5). Salomone acquisì anche molte ricchezze, ma non solo «per se stesso»: «In Gerusalemme il re fece l'argento comune come le pietre» (10, 27). Questi due passi non hanno chiaramente nulla di critico. Salomone viene invece condannato perché «amò molte donne forestiere [straniere]» e prese molte mogli che «sviarono il [suo] cuore dietro ad altri dei» (11, 1-4). Egli viene anche criticato, benché soltanto dopo morto, per il «grave giogo» che aveva imposto al popolo (12,4) – che potrebbe intendersi come violazione del comando con cui si conclude il Deuteronomio, che il re non innalzi il suo cuore sopra i suoi fratelli (NJPS: «non agisca con arroganza verso i suoi simili»).

In tutte le altre storie del Deuteronomio, che coprono circa trecento anni di governo regio, i re sono invece criticati solo per le loro mancanze religiose – mai per aver creato eserciti troppo grandi (per essersi procurati troppi cavalli e cocchi), o ammassato troppe ricchezze, o innalzato il loro cuore (o agito con arroganza). Forse il testo del Deuteronomio voleva essere un testo autorevole, ma di fatto, anche nella pratica del giudizio storico, pare non abbia esercitato alcuna autorità. Gli autori dei libri storici sono monarchici, non in qualche ovvia forma, bensì monarchici costituzionali. Ciò nondimeno i passi del primo libro di Samuele e del Deuteronomio forniscono una concezione particolare della monarchia – e anche insolita nel corso della lunga storia del governo monarchico.

La famiglia del re è innalzata al di sopra delle altre, ma non il suo cuore. Come persona il re non è diverso da tutti gli altri israeliti, il suo innalzamento, così com'è di fatto, è puramente pratico e strumentale. «Il rapporto tra il monarca ebreo e il suo popolo», scrive Henri Frankfort, «era quanto più secolare possibile in una società nella quale la religione è una forza viva».[1] E l'argomentazione che qui illustro è affatto secolare, ma è offuscata da due argomenti religiosi, uno che rifiuta, l'altro che esalta il governo monarchico. Per il momento ho messo da parte questi due ultimi argomenti nell'intento di mettere in evidenza l'aspetto più interessante – peraltro negativo – della monarchia israelita: l'assenza di significato co-

---

[1] H. Frankfort, *Kingship and the Gods. A Study of Near Eastern Religion as the Integration of Society and Nature*, Chicago 1948, 341-342.

smologico. Il re è un prodotto umano, è creato dal popolo ai suoi propri fini: per questo nel primo libro di Samuele non s'incontra né timore reveren-
ziale né venerazione. «Gli ebrei sapevano di aver introdotto la monarchia
di propria iniziativa... e sotto la pressione dell'emergenza» – come soluzione politica a problemi politici [1] (vi si tornerà sotto). Nonostante il desiderio di somiglianza, questo regime è diverso da quello dei vicini d'Israele.

A iniziare da Samuele stesso, molti israeliti aspiravano a un regime ancor
più radicalmente diverso da quello di «tutte le altre nazioni». La resistenza alla monarchia non proveniva soltanto da persone come i rappresentanti delle tribù del nord, preoccupati per figli e figlie, né era dettato da motivi esclusivamente secolari. La resistenza più radicale venne da israeliti
che pensavano che Dio solo doveva governare in Israele. La loro istanza
fondamentale è enunciata da Dio stesso: «Non hanno rifiutato te», dice
Dio a Samuele, «ma hanno respinto me, affinché non regni su di loro» (*1
Samuele* 8,7). Di fatto i due rifiuti sono simultanei e identici; il governo di
Dio può essere deposto solo deponendo i rappresentanti che egli ha desi-
gnato, e ogni volta che sono deposti i suoi rappresentati anche Dio viene
deposto. Israele era stato e, secondo Samuele, sarebbe dovuto restare un
regno di Dio, governato da uomini e donne che fossero servitori di Dio e
nient'altro, figure solitarie senza importanti legami familiari, «innalzati»
soltanto per un certo tempo. Fra i contemporanei di Samuele e per i successivi quattro o cinque secoli questa pare essere una posizione minorita-
ria; non riprenderà vigore che quando verrà elaborata una concezione interamente nuova del servizio divino, prima fra i sacerdoti postesilici, poi
fra i sapienti posteriori alla distruzione del tempio. In età monarchica soltanto occasionalmente s'incontra la concezione teocratica espressa direttamente da questo o quel profeta. «Loro hanno insediato re», dice Osea parlando in nome di Dio, «non io» (8,4).
  Cogliere il significato della monarchia di Dio non è facile. Si ha a che fare con un regime privo di archivi; si dispone di storie, come le storie di Sansone, che suonano molto simili a racconti popolari, ma non si hanno testimonianze ufficiali, cronache di corte. Di fatto il governo di Dio favoriva il governo decentrato, secondo i re e i loro scribi favoriva l'anarchia:
«ognuno faceva quel ch'era giusto ai suoi propri occhi». Sopra si è citato
questo versetto a illustrazione del regime premonarchico; indubbiamente
aveva il senso di un'accusa. Eppure l'immagine del libro dei Giudici non
è, quantomeno non del tutto, affatto priva di attrattiva. [2] Una comunità di
uomini uniti da un patto, di capi di famiglie, di uguali, responsabili della
propria condotta, che nei momenti critici sottostanno all'intervento divi-

---

1 H. Frankfort, *Kingship and the Gods*, 339.
2 Cf. M. Buber, *Kingship of God*, Atlantic Highlands, N.J. 1990.

no, altrimenti lasciati ai loro soli mezzi – potrebbe essere altrettanto facilmente un'utopia positiva che negativa. Ma le storie raccolte nel libro sono troppo violente, alla fine la guerra civile troppo sanguinosa per servire a scopi di idealizzazione. Quando i profeti vogliono contrapporre il loro proprio periodo (monarchico) a un'età precedente, scelgono il governo di Dio mediante Mosè, il periodo del deserto anziché quello dei giudici. Anche allora «non c'era re in Israele» (nel Deuteronomio Mosè è chiamato profeta), ma il governo divino era più saldo, l'intervento divino meno sporadico, e anche se spesso ci si opponeva a Mosè, l'anarchia non costituiva il suo problema né quello d'Israele.

Ciò nondimeno la transizione dai giudici ai re viene ricordata come rifiuto di Dio. Malgrado l'opera degli scribi regi, nei testi biblici sopravvive il racconto non solo della richiesta di un re da parte degli anziani, ma anche della condanna della richiesta da parte di Samuele – e anche della successiva ammissione degli anziani di avere aggiunto a tutti i loro precedenti peccati anche «questo di chiedere per noi un re» (1 *Samuele* 12,19). L'idea che il governo di Dio è migliore di quello dei re sopravvive all'esperienza altamente problematica del governo divino e ricompare di continuo nella storia d'Israele. Questa sopravvivenza spiega probabilmente perché la monarchia non sia riuscita a ottenere una dignità cosmologica. I re possono servire fini umani – forse anche a necessità umane – ma sono solo dubbi servitori di Dio. Questa, almeno, è una delle tradizioni politiche d'Israele. C'è come si sa un'altra tradizione, coltivata assiduamente dai re stessi, immensamente popolare, che ebbe lunga vita dopo la monarchia, secondo la quale i re sono in realtà servitori di Dio e anche qualcosa di più.

La teoria alta della monarchia è probabilmente opera di scribi/sacerdoti/ profeti (di cui non conosciamo né il nome né la funzione sociale) legati a Salomone o a qualche corte regia posteriore. La teoria viene ambientata nel passato, al tempo di David, ma gli storici biblici fanno capire che, quali che fossero le idee personali di David, il suo modo di presentarsi come re era prudente e, quanto ai suoi figli, privo di pretese. Benché indicato da Dio e unto da Samuele, egli venne anche confermato e unto dagli anziani: «Perciò tutti gli anziani d'Israele vennero di nuovo a... Hebron, e a Hebron il re David [era già re di Giuda, la sua tribù] fece un patto con loro davanti al Signore, ed essi unsero David re su Israele» (2 *Samuele* 5,3). Stretto un patto con gli anziani, egli fu legato dalle loro tradizioni – donde probabilmente l'impossibilità per lui di costruire un tempio a Gerusalemme, la sua nuova capitale. Il Dio dell'antico patto non aveva mai avuto dimora in una «casa» – così dice a David il profeta Natan – né mai aveva chiesto ai giudici d'Israele di costruirgliene una; era sempre «andato peregrinando in una tenda e in un tabernacolo» (2 *Samuele* 7,5-7). L'arca tra-

sportabile che conteneva la torà era il simbolo religioso più importante della monarchia decentrata di Dio, ed è difficile non credere, come ha scritto
Frank Cross, che «il risalto dato a questo antico simbolismo... fosse rivolto contro l'ideologia cananea della monarchia... che si sviluppò immediatamente... con l'edificazione del tempio».[1]

La contrapposizione non è soltanto simbolica. Il tabernacolo del deserto era stato costruito con i doni del popolo – «di chiunque fosse ben disposto di cuore» (*Esodo* 35,5). Quelli ben disposti furono tanti che Mosè
dovette invitare a metter fine all'offerta di doni: «il popolo porta molto
più di quanto è necessario per compiere l'opera» (36,5). La doppia ripetizione del racconto della costruzione del tabernacolo ne sottolinea la natura popolare. Benché per compiere l'opera Dio abbia «scelto» Besalel,
con lui lavorarono «tutti quelli che eccellevano in abilità» (36,2). Al contrario, quando si trattò di edificare il tempio, «Salomone indì una leva da
tutto Israele» (NJPS: «impose il lavoro coatto a tutto Israele», *1 Re* 5,27).
Questa è la corvée dalla quale Samuele mise in guardia il popolo e che condusse infine alla secessione del nord. Qui si vede in modo molto concreto
che cosa significasse avere un re come tutti gli altri re. Questo tipo di monarchia potrebbe giustificarsi in termini pratici, ma serviva una giustificazione maggiormente ideologica, e l'ideologia necessaria fu presa, come
pensa Cross, dai vicini cananei d'Israele.

L'ideologia cananea dovette tuttavia passare per la mediazione di una
nuova versione dell'ideologia israelita; la teoria alta della monarchia richiese d'essere naturalizzata nella tradizione del patto, operazione che mise limiti al pieno sviluppo in Israele di una concezione cananea della monarchia. L'idea mediatrice decisiva fu il patto stesso, che da patto condi-
zionato fra Dio e il popolo d'Israele si trasformò in patto incondizionato
fra Dio e la casa di David. Poiché questa trasformazione è oggetto di vivo
dibattito, mi limiterò a fornirne un resoconto semplificato, più discutibi-
le di quanto possa riconoscere a mano a mano che procederò.[2] La controversia si basa su discusse letture di passi oscuri di un testo che ha avuto
molte redazioni; non c'è una conclusione prevedibile. Qui si seguiranno
gli studiosi che sostengono che l'idea iniziale è quella della natura condizionale del patto. Il patto del Sinai ha la forma di una reciprocità del tipo
se... allora: se rispetti i miei comandamenti, Dio dice a Israele, vivrai in
pace e prosperità nel paese nel quale ti condurrò; se no, no. Questa natura condizionale viene poi messa in atto: il popolo viene meno all'osservanza dei comandamenti e Dio lo punisce, talvolta direttamente con fuoco e
pestilenze, più spesso indirettamente con la sconfitta militare. Ma Dio non
abbandona il popolo; dopo ogni episodio di trasgressione e di punizione,

[1] F.M. Cross, *Canaanite Myth and Hebrew Epic. Essays in the History of the Religion of Israel*,
Cambridge 1973, 243.   [2] La mia esposizione si attiene a Hillers, *Covenant*, capp. 4 e 5.

l'antico rapporto si ripristina. Così, almeno, vanno le cose nel racconto dei libri storici (Giudici, Samuele, Re), facendo pensare che ben presto nella tradizione del patto dev'essere comparsa l'idea di un legame permanente, di un amore eterno di Dio per Israele. Ma in primo piano (com'è chiaro nel Deuteronomio, ad esempio con le sue benedizioni e maledizioni) stava la natura condizionale del rapporto.

I servitori di Salomone, o di qualche re venuto dopo, scoprono o inventano una tradizione alternativa. Fanno opportunamente risalire questa tradizione ad Abramo anziché a Mosè, perché intendono presentare un patto nel quale il popolo o la nazione hanno un ruolo soltanto secondario, mentre il primo posto è assegnato a patriarchi e re. Di quel che ora Dio promette importano meno la pace e la prosperità per Israele che non invece una successione senza fine, di erede in erede, per Abramo e David. Resta ancora un'ombra della vecchia natura condizionale, ma il punto fondamentale è cambiato. Lo si vede nella promessa fatta a David, formulata in uno dei salmi regi, il *Salmo* 89, scritto probabilmente per essere cantato o recitato nel tempio di Salomone o di qualche re successivo:

Porrò la sua mano anche sopra il mare
    e la sua destra sui fiumi...
Farò di lui il mio primogenito,
    sarà più in alto dei re della terra.
Per sempre serberò per lui la mia misericordia
    e sarà salda con lui la mia alleanza.
Farò durare in eterno il suo seme
    e quanto i giorni del cielo il suo trono.
Se i suoi figli abbandonano la mia legge
    e non camminano nei miei giudizi,
se infrangono i miei precetti
    e non osservano i miei comandamenti,
punirò col bastone le loro trasgressioni
    e con verghe la loro iniquità.
Ma a lui non sottrarrò del tutto la mia benevolenza
    e non lascerò che venga meno la mia fedeltà.
Non romperò il mio patto,
    né muterò il detto uscito dalle mie labbra...
In eterno durerà il suo seme
    e il suo trono davanti a me quanto il sole.
Sarà stabile per sempre come la luna
    e come testimone fedele nei cieli.[1]

---

1 Nella Bibbia di re Giacomo questo salmo non ha forma poetica, contrariamente a quella in cui qui viene riportato, perché in realtà di composizione poetica si tratta. Si veda la lettura di Hillers in Idem, *Covenant*, 113-118; per una lettura molto differente, cristologica, cf. A.R. Johnson, *Sacral Kingship in Ancient Israel*, Cardiff 1967, 25-28. 110-113; per una trattazione generale sulla salmodia regia cf. J.H. Eaton, *Kingship and the Psalms*, Sheffield ²1986.

In realtà si tratta di un'affermazione molto forte, ulteriormente rafforzata dalla testimonianza di sole e luna, divinità per i vicini d'Israele, anche se il salmista sta attento a evitare qualsiasi implicazione divina. Simile è il suo modo di trattare altri temi cananei, che solo con grande cautela sconfina in terreno estraneo e proibito. «Porrò la sua mano anche sopra il mare | e la sua destra sui fiumi» fa capire, senza dirlo apertamente, che gli dei del mare e dei fiumi sono stati sconfitti dall'unto del Signore. «Farò di lui il mio primogenito» chiama David e quindi Salomone figli divini – ma solo per adozione. Più esplicito è un altro salmo:

> Il Signore mi ha detto: Mio figlio sei tu, oggi ti ho generato (*Salmi* 2,7).

Anche questo versetto afferma unicamente una generazione *post hoc*, una figliolanza divina in assenza di derivazione divina diretta, ma il senso è sufficientemente chiaro: tutti gli altri uomini d'Israele sono semplicemente padri dei loro figli, il re è il figlio di un padre celeste. Queste affermazioni abbelliscono il rapporto del patto senza sostituirlo completamente. Così abbellito, tuttavia, il patto e la monarchia che esso istituisce assumono un carattere radicalmente nuovo.

La famiglia del re continua ad essere un elemento essenziale (anche se Salomone riesce a evitare o a soffocare ogni realistica storia familiare: nonostante le molte mogli, per la sua casa non si ha notizia di intrighi domestici). Ma la famiglia del re non è più una famiglia tra tante; ora essa le sostituisce almeno in questo senso: la storia d'Israele passa per questa sola famiglia. Nella misura in cui vige la teoria alta della monarchia, il re fa le veci del popolo, che soffre per i suoi peccati e, più raramente, viene ricompensato per la sua giustizia. Quando i profeti criticano severamente il popolo nel suo insieme, si allontanano dalla teoria alta; quando invece l'autore o il redattore finale dei libri dei Re concentra la sua attenzione sui peccati di Manasse, iscrive la teoria elevata nel suo racconto storico. Scrive però con la certezza che anche un pessimo re, se è erede di David, avrà eredi propri, con i quali Dio manterrà i suoi impegni.

È possibile cogliere nel modo migliore tutto il significato della nuova dottrina quando si prenda in considerazione ancora una volta la legge deuteronomica sui re. È presumibile che il Deuteronomio sia più recente dei salmi citati, ma esso probabilmente rappresenta, come si è detto, il modo di vedere di quegli anziani israeliti che per primi chiesero un re, e di quegli altri anziani che deposero Roboamo e insediarono Geroboamo sul trono di Salomone (ribadendo che David era solo il «figlio di Iesse»). L'esposizione della legge termina con un'affermazione sui suoi intenti: «Perché non si allontani dai suoi comandamenti né a destra né a sinistra, allo scopo di prolungare i giorni nel suo regno, lui e i suoi figli, in mezzo a Israele» (*Deuteronomio* 17,20). Non è una promessa di lunga vita ma soltanto una speranza e un programma. Rashi, il commentatore medievale, certo ha ragione quando vede qui il vecchio argomento del se... allora: «Dall'affermazione positiva – egli scrive – si può far discendere quella negativa, ed è ciò che si trova nel caso di Saul». In questa prospettiva non può esserci successione garantita, perché ogni re sarà giudicato in base alle sue azioni. Pure la teoria alta della monarchia dice che gli eredi di David saranno giudicati – e anche puniti con epidemie e guerre. Il *Salmo* 89, citato sopra, termina infatti con la supplica di un re «respinto e ripudiato» che Dio ricordi la «tua antica benevolenza che giurasti a David nella tua verità»; ma della successione si dice ancora che sarà eterna. Ogni singolo re partecipa del mistero della perduranza, del favore divino, della figliolanza adottiva, del trionfo mitico.

Che cosa accade quando la successione viene meno? La cattura ad opera dei babilonesi del re Ioakin nel 597 e la deposizione, accecamento ed esilio di Sedecia da quelli insediato in luogo di Ioakin pone fine alla dinastia davidica. In seguito l'amore tenace di Dio per la casa di David non è più visibile da nessuna parte. È possibile che Zorobabele abbia nutrito speranze di restaurazione dopo il ritorno da Babilonia; se lo fece, sperò invano; pare abbia avuto qualche parte alla riedificazione del tempio, ma poi scompare bruscamente e senza spiegazione dal racconto storico. I successivi re d'Israele vennero da un'altra famiglia e governarono senza il sostegno di un'alleanza divina. Furono re di stile ellenistico più che cananeo, ma non osarono tentare di abbellirsi miticamente alla maniera ellenistica.

La discendenza di David sopravvisse tuttavia nell'immaginazione di Israele e la teoria alta della monarchia trovò infine espressione in una delle versioni del messianismo profetico. Non posso tentare qui di spiegare come ciò avvenne. Basti dire che il messianismo è l'erede della monarchia mitica, così come lo stesso messia sarà l'erede della casa di David, il figlio adottato (o, per i cristiani, il vero figlio) di Dio. Per molti secoli le speranze politiche d'Israele si fondarono su questa figura che sarebbe venuta nel tempo di Dio, al compiersi della sua promessa. Vi furono occasionali tentativi di forzare la fine, d'imporre un regime messianico (forse un tentativo fallito spiega la scomparsa di Zorobabele). Ma nella maggioranza dei casi il messianismo – come ha sostenuto Gershom Scholem – è una politica della passività e del rinvio, una politica apolitica (v. sotto, cap. 10). Con l'avvento della monarchia la casa reale sostituì il popolo nella funzione di vettore della storia d'Israele; nella sopravvivenza della monarchia il popolo attende il miracoloso ritorno dell'erede della casa di David.

D'altro canto tutta la storia della monarchia israelita non si riduce alla sua conclusione apolitica, perché si può anche dire che il momento decisivo in cui gli anziani vengono da Samuele a chiedergli un re segna in Israele l'alba della politica o della capacità di pensare politicamente. La dottrina del regno terreno di Dio, al pari del successivo messianismo, è una dottrina apolitica: nega autonomia ai soggetti politici. Se si pensa la politica come una delle maniere in cui l'umanità affronta i problemi della coesistenza degli individui e dei gruppi, la politica d'Israele era stata, per così dire, vanificata da Dio stesso, che aveva fornito i giudici al popolo e combattuto direttamente al suo fianco. Se «il Signore è un guerriero» (*Esodo* 15, 3), che bisogno c'è di altri comuni uomini d'arme? La riduzione dell'esercito di Gedeone a una piccola schiera intende ribadire proprio questo – «Perché Israele non si vanti dinanzi a me dicendo: la mia mano mi ha salvato» (*Giudici* 7,2).

Essere salvati dalla mano di Dio è indubbiamente un segno di favore ma rappresenta anche la perdita del potere politico. E come può Israele dipendere dall'aiuto divino quando si trova tanto spesso nella posizione di chi viola le legge divina? In ogni caso gli interventi di Dio sono intermittenti e si fanno attendere a lungo; Dio attende fino all'ultimo istante possibile. Quel che gli anziani chiedono a Samuele è un diverso tipo di governo, incarnato visibilmente in un re, istituzionalizzato in una corte regia e in un esercito, reso stabile mediante la successione ereditaria. Investire di autorità una sola famiglia è al tempo stesso una presa collettiva del potere – da parte di Dio stesso! – e la sostituzione del carisma con la politica; oppure, dal momento che ritualmente i re vengono unti, la routinizzazione politica del governo carismatico. Il risultato è un tipo speciale di normalità, costruita dall'uomo anziché naturale o divina, sottoposta perciò a continua critica, ma nondimeno normalità: i re d'Israele affrontano le stesse realtà degli altri re e, a differenza di Dio, devono cercare adattamenti ragionevoli.

D'ora in avanti gli interessi di Dio sono rappresentati dai suoi profeti, mentre la serie completa e spesso contraddittoria degli interessi umani – personali, dinastici e nazionali – è rappresentata dal re. Insieme con la monarchia è nata la profezia, per evitare che la legge divina sia priva di una voce nel mondo. Questa duplice nascita istituisce il conflitto centrale del nuovo regime, rappresentato di solito, sulla scorta degli argomenti degli storici deuteronomici, come un conflitto tra l'immoralità regia e l'ammonizione profetica. Il conflitto assume esattamente questa forma nel celebre caso di David e Uria e di Ahab e Nabot. Il profeta che affronta dall'alto il re, il re ovviamente in torto, penitente (come David) o irrevocabilmente condannato (come Ahab): questo è ciò che abbiamo imparato ad aspettarci da profeti e re. La profezia è in guerra con le malefatte personali e in seguito lo sarà con quelle sociali. Ma è in guerra anche con la politica stessa – non soltanto quando la politica è una forma di vanagloria ma anche quando è un modo con cui acquistare fiducia in se stessi e tutelarsi.

Gli esempi più evidenti di quest'ultima contrapposizione vengono dall'esperienza della guerra. Gli anziani desideravano un re che «esca davanti a noi e combatta le nostre battaglie» (*1 Samuele* 8,20). Ma è anche compito dei re evitare battaglie quando ciò sia possibile e fare la pace quando le battaglie siano terminate. Il più antico conflitto tra re e profeta è provocato dal rifiuto di Saul di uccidere il re degli amaleciti Agag dopo averlo vinto in guerra (*1 Samuele* 15,8-30). Nel ruolo di profeta qui Samuele difende le leggi della guerra santa – che esigendo lo sterminio del nemico a molti di noi non paiono l'argomento adatto all'accusa di un profeta. Saul si oppone alla guerra santa per ragioni che restano oscure, fino a quando l'opposizione viene ripetuta da Ahab in una guerra contro i siriani (Aram). La posizione di Ahab è chiara: egli risparmia il re siriano e il suo popolo per amore della pace. Chiama «fratello» il re Ben-hadad, e non appena la battaglia è terminata i due re iniziano le trattative:

E Ben-hadad gli disse: Restituirò le città che mio padre prese a tuo padre, e tu farai per te strade [mercati] a Damasco, come mio padre fece in Samaria. Allora disse Ahab: Ti lascerò andare con questo patto. Così fece un patto con lui e lo lasciò partire (*1 Re* 20,34).

Un profeta di cui non è detto il nome condanna questa condotta ragionevole, sostenendo che Dio ha «votato» i siriani «allo sterminio» (20,42). Ahab ha un'idea migliore. Ben sapendo che il padre di Ben-hadad aveva risparmiato Israele, vuole sul figlio una vittoria soltanto limitata. È la politica dell'accomodamento e rappresenta la vittoria degli anziani che si erano presentati a Samuele, perché Israele è una nazione «come le altre nazioni» se e quando i suoi re chiamano «fratello» gli altri re.[1]

La monarchia è quindi una forma della politica corrente, mentre il profeta difende una politica anomala, talvolta ammirevole, talaltra no. La contrapposizione si ripresenta di continuo. Quando Salomone sposa «donne straniere» – ossia le figlie di principi stranieri – costruisce per loro templi e santuari e consente loro di «bruciare incenso e sacrificare ai loro dei» (*1 Re* 11,8), non difende la tolleranza religiosa né sostiene l'adorazione degli idoli. Non è animato da alcun intento ideologico, semplicemente pratica quella che anche in quella occasione dev'essere parsa una politica sensata e che certo era una politica estera convenzionale, che mirava alla pace con i vicini. Ma come si è visto i profeti lo condannano, e così pure gli storici deuteronomici. E allo stesso modo, quando cercano di allearsi con l'Egitto o l'Assiria gli ultimi re d'Israele, banda eterogenea di usurpa-

---

[1] Per una diversa lettura di questo passo cf. J.P.M. Walsh, *The Mighty from Their Thrones. Power in the Biblical Tradition*, Philadelphia 1987, 104-105. Walsh sostiene che Ahab cercava di fare d'Israele uno stato nazione espansionista e imperialistico, incorrendo così nel giudizio di Jahvé. È una lettura ispirata all'ideologia della liberazione, che preferisce il genocidio al commercio internazionale, e che spero non sia quella usuale.

tori e assassini, agiscono come deve agire il debole quando ha a che fare con chi è potente. È vero che ogni alleanza concreta comportava rischi, ma non era una pazzia pensare che fosse un rischio ancor più grande contare sull'intervento divino, come molti profeti chiedevano (v. sotto, cap. 6) – e non solo per la statura morale di quei particolari re. Alla necessità si deve servire, e i re si fanno appunto perché rendano questo servizio.

Che i re difendano la politica contro la legge divina sembrerà forse una idea machiavellica, il frutto di scetticismo religioso (e forse anche morale). Di fatto è un'idea biblica, e se viene riportata in termini negativi, mettendosi dalla parte della legge e non da quella del re che viola la legge, c'è tuttavia un certo riconoscimento, sia pure riluttante, del suo realismo. Questa è senz'altro la conclusione del discorso del libro di Samuele qual è giunto fino a noi: i re hanno una loro funzione e un loro valore, anche se c'è la probabilità che si comportino male. Gli autori e i redattori biblici, naturalmente, sperano al tempo stesso in un re perfetto (malgrado le sue imperfezioni, David resta il modello), che non si opponga alla legge ma la metta in pratica. In *Deuteronomio* 17 al re viene ordinato di scrivere per sé una copia della legge e «di leggere in essa tutti i giorni della sua vita». Il patto fra il re e Dio ha lo scopo di fornire un sostegno per questo impegno: il re promette di osservare i precetti divini e di *metterli in pratica*; ma in almeno una delle concezioni israelite della monarchia il re ha tuttavia anche un patto col popolo e la legge implicita di questo patto è *salus populi suprema lex*.

A mia conoscenza quest'ultima formula non ha nessun equivalente biblico, benché negli autori e redattori biblici vi sia una certa consapevolezza di possibili conflitti tra il benessere del popolo e il comando divino. Nella tradizione giudaica una discussione esplicita in questa direzione s'incontra soltanto molto tardi, nei rabbi e commentatori medievali. Tra questi uno dei più sagaci e politicamente sottili è Nissim Gerondi, che visse e scrisse nella Spagna del XIV secolo. Desidero prendere brevemente in considerazione la sua spiegazione della monarchia biblica, in cui si rispecchia un'esperienza politica affatto diversa, che non mi pare tuttavia del tutto anacronistica. A giudizio di Gerondi le leggi di Dio consegnate a Mosè sul Sinai costituiscono un sistema giuridico «perfetto» e rendono possibile la «giustizia assoluta». Ma questo tipo di perfezione è spesso in contrasto con le esigenze della vita umana ordinaria, cioè con l'«ordine sociale e politico». A giudici come Samuele si richiede spesso di agire come esige la legge, di promuovere, per così dire, la causa di Dio, «si realizzi o meno… l'ordine nella società». Stranamente (ma forse non tanto) le leggi dei gentili si dimostrano talvolta «più pertinenti» all'ordine sociale «di certe leggi che si trovano nella torà». La monarchia fu istituita, da Dio come dagli anziani, per porre rimedio a questa deficienza. A dire di Gerondi il peccato degli anziani fu di volere che Israele fosse come le altre nazioni *sotto tutti gli aspetti*, anziché soltanto in misura minima, relativamente al solo ordine sociale. Ma gli anziani avevano validissimi motivi per cercare un antidoto politico alla perfezione divina.[1]

Il re ha la responsabilità della politica ed è perciò affrancato dalla legge: «non è soggetto alle leggi della torà, come lo sono invece i giudici». Il solo esempio fornito da Gerondi proviene dal diritto penale. Al re è consentito punire i sudditi con la morte «conformemente alle necessità del momento, piuttosto che con la giustizia assoluta». Può ignorare il requisito biblico dei due testimoni e le molte aggiunte che vi apportarono i saggi talmudici (destinate, così sembra, ad abolire del tutto la pena capitale). Gerondi non ha nulla da dire riguardo ai racconti biblici relativi al comportamento dei re, e qui non s'intende presentarlo come qualcuno che giustifichi ciò che in essi è condannato – i matrimoni di Salomone, ad esempio, o la noncuranza di Ahab per la guerra santa. Ma se questi re dovessero parlare in propria difesa, quale miglior giustificazione potrebbero offrire di questa: che erano tenuti a far fronte alle esigenze della legge e dell'ordine all'interno e della pace tra le nazioni – ed erano perciò esenti dai comandi di Dio?

Gerondi riconosce i pericoli di questa posizione e ribadisce quindi il precetto deuteronomico che i re copino e studino la legge. I re devono essere istruiti e pii, così che le loro violazioni della legge siano limitate. Questi requisiti nascondono nondimeno una concezione radicalmente secolare della monarchia. Sotto certi aspetti Israele è perfettamente uguale alle altre nazioni: la monarchia è stata istituita proprio in vista di questa uguaglianza e delle esigenze politiche di cui essa è l'espressione. Gerondi ha semplicemente formulato nello stile dei rabbi quel che gli anziani (ma non Samuele) avevano già capito. Il re che egli difende, al pari del re che quelli accettavano, probabilmente imporrà coscrizioni e tasserà (e ucciderà) i suoi sudditi a vantaggio proprio e dei suoi. La pietà personale non è una barriera sufficiente agli eccessi regi, né sono barriere efficaci le varie proibizioni di cui parla il Deuteronomio, perché il re avrà necessariamente bisogno di cavalli e cocchi, d'oro e d'argento per raggiungere i suoi scopi secolari. La Bibbia non fornisce qualche freno costituzionale o politico efficace al potere dei re, né Gerondi è in grado di immaginarlo. Sarà comunque più facile trovare un limite costituzionale una volta che si comprenda chiaramente che il re non è adottato da Dio ma piuttosto l'oggetto di una decisione del popolo, non al servizio della legge divina ma dell'ordine sociale. La società potrà sempre trovarsi altri che la servano.

---

[1] Il testo di Gerondi citato qui e più sotto è riedito in Walzer e al., *Jewish Political Tradition* I, 156-161; si veda anche il commento di M. Lorberbaum, 161-165.

La monarchia sorge quindi in Israele come risposta del tutto pratica ai pericoli del governo teocratico (carismatico). La teoria alta della monarchia, con i suoi miti della figliolanza divina e del patto incondizionato, viene in seguito. Rappresenta un tentativo regio di sfuggire alle realtà concrete, e l'espediente riesce a tal segno che la casa di David sopravviverà alla morte del suo ultimo figlio e continuerà a vivere nell'immaginazione messianica, irrealistica e impolitica. La monarchia che gli anziani chiesero a Samuele si regge precariamente fra teocrazia e messianismo. Il giudice carismatico viene all'ultimo momento; il messia alla fine dei tempi. Il re e i suoi figli, invece, si succedono senza interruzione, anno dopo anno. Esistono in quello che si potrebbe chiamare lo spazio del tempo secolare, che è lo spazio della politica usuale. Nella misura in cui nel pensiero biblico c'è qualche riconoscimento di un ambito politico autonomo, un simile riconoscimento ha qui il suo inizio e forse la sua unica collocazione.

Capitolo 5

I profeti e il loro pubblico

I profeti vengono letti più di frequente come maestri di morale, e letti in questo modo i loro libri (o qualche loro parte) sono i testi biblici più accessibili agli uomini e alle donne del nostro tempo. Per noi i profeti sono poeti della giustizia sociale, visionari utopisti. Qui non s'intende contestare questa lettura ma soltanto renderla più complessa. Nell'Israele antico la profezia svolse una funzione politica (o antipolitica), e l'importanza dei profeti ha molto a che vedere tanto col modo in cui essi svolsero la loro parte quanto con le direttive che impartirono, per quanto sorprendenti fossero. Intendo prendere in considerazione ciò che gli autori biblici dicono dell'uditorio dei profeti e degli spazi pubblici in cui parlarono, e chiedermi che cosa potesse significare, per quegli autori e per noi, che essi parlassero in pubblico, a un uditorio.

In un libro sulla moralità politica il filosofo Stuart Hampshire sostiene che un certo tipo di discorso pubblico è una caratteristica universale delle società umane: «Le società umane di ogni epoca e di ogni regione, siano esse primitive o tecnologicamente avanzate, discuteranno sempre la linea politica da seguire all'interno di assemblee di persone selezionate... La pratica di esporre e analizzare le opinioni contrapposte sulla politica da seguire è, di necessità, tipica della specie umana».[1] Quella di cui qui Hampshire parla è la deliberazione, il ragionamento pratico, che secondo i greci è l'essenza della politica – come pure per i teorici contemporanei del discorso ideale e della democrazia deliberante.

C'è nella Bibbia alcunché di simile al processo deliberativo? Certamente i re d'Israele e di Giuda avevano consiglieri, ma ben poco vien detto di ciò che questi consiglieri dicevano o di come e dove parlassero. Per lo più il tentativo di conoscere la volontà di Dio sostituisce il discorso della politica umana; l'oracolo sostituisce la discussione. Anche i greci consultavano gli oracoli, ma questa pratica era secondaria rispetto al fenomeno pubblico del dibattito e della decisione. Suppongo che anche nell'Israele antico vi fossero dibattito e decisione – «necessariamente», come dice Hampshire –, ma questa prassi nei testi biblici appare soltanto di sfuggita. L'autore del postbiblico primo libro dei Maccabei esprime ammirazione per la re-

[1] S. Hampshire, *Innocence and Experience*, Cambridge 1989, 51-52 (tr. it. *Innocenza ed esperienza*, Milano 1995, 59).

pubblica romana, dove «ogni giorno trecentoventi senatori si consultano di continuo riguardo al popolo» (8,15),[1] sperando forse di vedere in funzione a Gerusalemme un regime simile. Ma in tutti i mille anni precedenti non si parla di nulla che assomigli a un deliberare «in permanenza».

Samuele discute con gli anziani dei vantaggi e svantaggi della monarchia; Assalonne si consulta con i suoi consiglieri sulle strategie di rivolta; Roboamo ascolta i pareri contrastanti dei vecchi e dei giovani; alla corte di Ioaqim in un gruppo di funzionari si discute del rotolo di Baruc prima di portarlo al re; non restano molti altri esempi. Nel migliore dei casi, cose come queste sono date per scontate dagli autori biblici, sono uno sfondo politico che non attira il loro interesse. Quel che sta in primo piano è assai diverso.

Nella Bibbia non si legge quasi nulla che riguardi assemblee o consessi, anche se probabilmente esistettero le une e gli altri, come dovettero esservi regole sulle forme in cui parlare in quelle sedi. Curiosamente talvolta si dice che Dio presiede un consesso o un'assemblea o una schiera di esseri celesti (i riferimenti chiave si trovano nei Salmi: cf. 89,6 e 8), mentre il profeta Michea, che incontreremo ancora, riferisce una discussione tra Dio e «tutta la schiera celeste» su come comportarsi con un re di Israele (*1 Re* 22,19).[2] Gli autori biblici non sembrano interessati a riferire di discussioni terrene di questo genere, né fanno mai pensare all'esistenza di un consesso o di un'assemblea che si riuniscano regolarmente per dibattiti politici. Al loro posto s'incontra il tipico discorso unilaterale che ha origine non nella deliberazione divina ma nella rivelazione divina: Dio che parla sul Sinai, i discorsi di Mosè nel Deuteronomio, la proclamazione profetica. Abramo e Mosè replicano a Dio, mettendo in discussione la sua furia distruttiva, Abramo in difesa della popolazione di Sodoma, Mosè in difesa di Israele stesso. Riferendo di una visione, Amos afferma di avere rivestito per breve tempo la parte di Mosè (7,1-6) e Geremia chiede a Dio di «ricordare che mi sono presentato davanti a te per parlare in loro favore e allontanare da loro la tua ira» (18,20). Ma il più delle volte, quando i profeti perorano la causa di Israele non lo fanno in un dialogo con Dio né parlano indipendentemente dalla sua sollecitazione. La loro pretesa di essere ascoltati deriva dalla loro precedente affermazione di enunciare «la parola di Dio».

Ciononostante le storie dei profeti forniscono alcuni dei più interessanti dialoghi della Bibbia: Samuele e Saul, Natan e David, Elia e Ahab, Amos

---

[1] Seguo la traduzione del 1611 (rivista nel 1894 e nel 1957) in *The Apocrypha* (Revised Standard Version), ed. B.M. Metzger, New York 1965, 240.

[2] Questi testi sono studiati in J.Y. Jindo, *Biblical Metaphor Reconsidered. A Cognitive Approach to Poetic Prophecy in Jeremiah 1-24* (Harvard Semitic Monographs 64), Winona Lake, Ind. 2010, 75-82.

e Amasia, Geremia e Anania, Geremia e Sedecia, Aggeo e i sacerdoti. Molto di quel che i profeti dicono, anche se non è di natura deliberativa, ha certamente il carattere dell'argomentazione; è facile immaginare quel che il testo raramente fornisce: le posizioni contrarie, la parola che non è quella del Signore. Nel caso di Mosè, definito il primo dei profeti, le posizioni contrarie (quelli che nel popolo «mormorano», la sfida di Core) vengono di fatto riportate nel testo; ciò che per lo più manca sono gli argomenti di Mosè; dal momento che può chiedere miracoli o terribili punizioni, egli non ha bisogno di discutere. In seguito i profeti non avranno più un rapporto così intimo con Dio e quindi non hanno nulla di simile all'autorità di Mosè. Di solito vengono avversati, contestati, il loro titolo viene negato, e il titolo del profeta può essere provato solo dalle sue parole. Benché, come si vedrà, vengano proposte altre prove, la vera prova è solo questa: lo riconoscerete dalle sue parole – dalla sua retorica, eloquenza, capacità poetica, abilità argomentativa.[1] Nell'Israele antico le forme più importanti di discorso pubblico si incontrano nei libri profetici. Ma questo discorso pubblico è anche discorso politico?

Se si esclude Mosè, la cui posizione nella storia biblica è unica, in veste di figura politica il profeta compare per la prima volta insieme al re. Come si è detto nell'ultimo capitolo, si possono pensare queste due figure come coppia sostitutiva dei giudici carismatici. I re assumono le funzioni militari e giudiziarie dei giudici, sia pure in forma meno personale e più istituzionalizzata. Arruolano mercenari e creano eserciti permanenti, e nonostante non siedano spesso in giudizio probabilmente incaricano o confermano coloro che lo fanno, verisimilmente sempre più professionisti. I profeti assumono (in gran parte) il carisma dei giudici e il loro rapporto immediato con Dio. Sono «suscitati» da Dio, mentre i re, dopo David, sono destinati per nascita al loro compito e vengono educati a corte (nel regno del nord le regole dinastiche non furono mai definite in modo certo, i nuovi re venivano unti dai profeti, oppure erano usurpatori privi di legittimità). Le investiture di David a re e di Amos a profeta sono sorprendentemente simili:

Ti presi dagli ovili, dove seguivi le greggi,
a governare sul mio popolo (2 *Samuele* 7,8).
E il Signore mi prese mentre seguivo il bestiame e... mi disse:
Va', profetizza al mio popolo (*Amos* 7,15).

David è l'ultimo re «preso» in questo modo, mentre Amos è solo il primo di una serie di profeti che hanno lasciato la testimonianza scritta del momento in cui furono chiamati da Dio.

1 «Il profeta biblico è il poeta per eccellenza; il suo uso creativo della metafora è il contrassegno della sua vocazione profetica». J.Y. Jindo, *Biblical Metaphor Reconsidered*, 266.

Nonostante l'esistenza di profeti di corte e al tempio, la profezia non fu un ufficio ma una vocazione. Ogni profeta era chiamato individualmente; non vi fu un patto con i profeti simile al patto sacerdotale con Aronne o a quello regio con David. Di conseguenza non esistono genealogie di profeti (solo Sofonia è fatto discendere da un possibile avo regio, ma nel suo passato non ci sono profeti). Perlopiù viene fornito il nome del padre, talvolta soltanto quello di una località: «Amos, che era uno dei pastori di Teqoa» oppure «Michea di Moreset». Elia è il solo profeta a designare un successore. Tra i profeti letterari non vi sono casi di successione autorizzata. Se ci furono scuole o cerchie profetiche, se i profeti ebbero seguaci, non ebbero però eredi – quantomeno non eredi di cui si conosca il nome. Dopo Eliseo nessun profeta fu il figlio o il discepolo di un altro profeta. Re e sacerdoti erano normalmente membri di una classe dominante o superiore (i nuovi re del regno del nord non furono presi dai pascoli delle greggi, erano funzionari regi o comandanti militari). I profeti, al contrario, provenivano da tutti gli strati sociali; il rango sociale della profezia era determinato dal carattere radicalmente inclusivo del patto nazionale. La chiamata divina poteva rivolgersi a chiunque – anche a donne, che nella Bibbia ebbero raramente ruoli pubblici. Non esistettero né sacerdotesse né regine, tranne l'usurpatrice Atalia; sia pure raramente, le donne furono chiamate a essere giudice e profeta. Questo significa che chiunque poteva pretendere di essere stato chiamato, ma significava anche che ogni chiamata poteva essere contestata.

Che cosa era in gioco in questi scontri? I profeti d'Israele non avanzarono nessuna pretesa di governare né organizzarono mai qualcosa che somigliasse nemmeno da lontano a un partito, a un movimento politico o anche a una setta. Quando in gioco c'è il potere, si elaborano di norma rigidi criteri di legalità: monarchia e sacerdozio sottostavano, almeno in linea di principio, alla prova genealogica. I criteri erano meno rigidi per i profeti, indubbiamente perché la posta in gioco era minore. I profeti chiedevano solo di essere ascoltati, e un buon numero di loro fu indubbiamente ascoltato e anche ubbidito nei secoli che separano i tempi di Samuele da quelli di Malachia. I re scelsero i loro profeti favoriti, proprio come oggi i presidenti e i primi ministri si scelgono i loro consiglieri politici. Al pari dei loro omologhi odierni, anche i re desideravano previsioni favorevoli, e questo era ciò che i profeti avevano da offrire. La risorsa decisiva di cui disponevano in virtù della loro chiamata era la capacità di leggere nel futuro. Se non potevano fare politica, erano gli indispensabili consiglieri di coloro che facevano la politica. Ma anche i loro consigli vennero sempre contestati.

Deuteronomio 18,22 fornisce il criterio ufficiale – e ovvio – con cui andavano risolte queste discussioni sulla chiamata e le predizioni:

Quando un profeta parla in nome del Signore e la cosa non segue e non accade, quella è una cosa che il Signore non ha detto, ma il profeta l'ha detta presuntuosamente.

La regola deuteronomica non è di grande aiuto al momento della profezia, ma è da immaginare che in tempi di guerre frequenti i profeti di guerra potessero farsi una reputazione per le loro predizioni azzeccate (o per la loro inesattezza e «presunzione»). Ma con questi criteri non possono essere messe alla prova le profezie di lungo termine riguardo al futuro della dinastia o del regno. C'è però modo che le profezie di catastrofi si adempiano, se soltanto si attende il tempo sufficiente, ed è anche possibile che a causa di simili compimenti ci si ricordasse di profeti come Amos e che le loro parole venissero conservate e infine canonizzate. Ho tuttavia il sospetto che la regola deuteronomica funzionasse soltanto sul breve periodo e che anche in questo caso abbastanza spesso venisse messa da parte dalla preferenza del re per oracoli favorevoli.

Ci furono profeti che senz'altro si mostrarono disposti a fornire ciò che il re preferiva. Si veda in *1 Re* 22 la storia di Ahab e dei suoi quattrocento profeti, che all'unisono proclamavano qualsiasi cosa il re desiderasse sentirsi dire. Il re di Giuda, Giosafat, alleato di Ahab in una guerra contro i siriani, evidentemente scettico a proposito di quelle dichiarazioni, richiese ancora un altro profeta, una seconda opinione. «C'è ancora un uomo», rispose Ahab, «Michea, figlio di Imla, attraverso il quale potremmo consultare il Signore, ma io lo detesto, perché non mi profetizza mai cose buone, ma solo il male». Viene fatto venire Michea, che profetizza la sconfitta per mano dei siriani; il re attaccò ugualmente battaglia e fu realmente sconfitto. Da questo caso i rabbi trassero un altro criterio per l'affidabilità dei profeti: il vero profeta parla in nome proprio e in modi tutti suoi.[1] In guardia quindi da una moltitudine di profeti che dicono tutti la stessa cosa: il conformismo è il contrassegno dell'inautenticità.

Questo criterio vale soprattutto per i profeti che parlano per molto tempo e in pubblico. Lo stesso Michea, al pari di altri profeti in tema di guerra, ha ben poco da dire e assolutamente nulla che abbia un più ampio significato politico. Quel che rende veramente significativa la profezia non è l'oracolo, la profezia sulla guerra, ma l'esortazione morale. I due aspetti sono collegati, perché i moniti possono essere visti come oracoli condizionati: tu (re) perderai la guerra o la tua dinastia cadrà o il tuo regno sarà distrutto – così parla il profeta nel nome di Dio – se non ti pentirai delle tue azioni peccaminose e se d'ora in poi non rimani ancorato alla legge del patto. Il profeta ora è più un censore che un pronosticatore. Dovrà di-

---

1 «Non ci sono due profeti che comunichino i loro annunci allo stesso modo» (*bSanhedrin* 89a), in M. Walzer, M. Lorberbaum, N.J. Zohar, Y. Lorberbaum (edd.), *The Jewish Political Tradition*, 1. *Authority*, New Haven 2000, 224. Cf. il commento di S. Last Stone, 231-235.

re ciò che pensa, perché il ruolo di censore richiede coraggio, quello che la maggior parte dei profeti suoi colleghi, come i quattrocento di Ahab, non hanno. Poiché poi quelli che egli censura non hanno voglia di ascoltare, dovrà ribadire con forza la sua chiamata e trovare il modo di provarla. Come può dimostrare che le sue parole sono divine? Solo dicendole in maniera divina: il profeta dipende dalla sua eloquenza.

Si può vedere questa dipendenza anche nel caso della profezia di corte, che può essere drammatica e potente anche quando è breve e non elaborata, come nella parabola che Natan usa per condannare David dopo che ha sedotto Betsabea e fatto uccidere Uria, culminante nelle parole (che decodificano la parabola) «Tu sei quell'uomo!» (2 *Samuele* 12,7); o come nello scontro tra Elia e Ahab dopo l'assassinio di Nabot: «Hai ucciso, e ora usurpi il possesso?» (1 *Re* 21,19). Ma l'eloquenza è all'altezza delle occasioni, e le situazioni decisive sono quelle in cui il profeta lascia l'ambiente in qualche misura privato della corte per parlare pubblicamente al popolo. La grande poesia dei libri profetici è tutta pronunciata in pubblico. I libri stessi vennero ad aggiungersi e furono rivisti nel corso della trasmissione orale o scritta (e certe predizioni particolari possono essere state corrette così che si accordassero con i testi del Deuteronomio). Anche oggi, che molti riferimenti ci sono sconosciuti e molti versetti oscuri, i testi profetici andrebbero letti ad alta voce.

Al tempo in cui quei testi erano recitati furono anche contestati apertamente, in pubblico, da altri profeti, da funzionari regi o anche da semplici israeliti. Alcune di queste contestazioni ci sono riportate o illustrate nei libri profetici; solo occasionalmente sentiamo due o più voci, il sacerdote Amasia insieme con Amos (7,10-17), i nemici di Geremia insieme con lo stesso profeta (26,7-19). Più spesso si hanno soltanto le denunce unilaterali di altri profeti: conformisti, adulatori, opportunisti, quelli che dicono le «parole piacevoli» che il popolo desidera sentire, dice Isaia (30,10). Poiché talvolta anche le «parole piacevoli» risultano vere – come nel caso delle vittorie di Geroboamo II predette da Giona figlio di Amitai, contemporaneo di Amos e forse suo avversario –, quelli che le dicevano come profeti non erano privi di credibilità. Malgrado questo, la cacofonia delle tante voci profetiche deve aver suscitato grande diffidenza, tanto che i *nostri* profeti, gli autori dei libri biblici, talvolta si dissociano da tutta la categoria. «Non ero profeta né figlio di profeta [membro di una scuola profetica]», dice Amos, «ero un pastore e raccoglitore del frutto del sicomoro» (7,14).

Queste parole del primo dei profeti letterari trovano eco proprio in uno degli ultimissimi, il Secondo Zaccaria, che pare mettere in guardia i suoi ascoltatori dalla strategia di Amos che vorrebbe dissociarsi: «In quel giorno avverrà che i profeti si vergogneranno tutti della loro visione... ma ognuno dirà: Non sono profeta ma agricoltore, perché dalla mia giovinezza mi è stato insegnato ad allevare bestiame» (13,4-5). Che cosa esattamente ispirasse queste parole lo si può soltanto immaginare; esse venivano al termine di una lunga storia di astiosi dibattiti, spesso *ad hominem*, tra «veri» e «falsi» profeti. Nel caso dei profeti, diversamente da quanto accade per gli anonimi legislatori d'Israele, un piccolo numero di discussioni che ci sono riportate facilitano la strada alla nostra immaginazione. Quello che questi testi suggeriscono è qualcosa di piuttosto diverso dall'esame delle scelte politiche di cui parla Hampshire. Anche se in questione era la politica – soprattutto quella estera: se intraprendere una guerra o fare un'alleanza militare o trattare una resa –, il problema immediato erano le credenziali del profeta, la sua autorizzazione divina. Se realmente il profeta parlava nel nome di Dio non aveva alcun senso sollecitare altre opinioni. Ma era possibile che qualcuno che profetizzava la catastrofe al popolo di Dio parlasse in nome di Dio. È questa la forma che prese comunemente la discussione, che fu certamente un discorso pubblico, ma anche un tipo molto indiretto di processo deliberativo. Gli autori dei libri profetici furono totalmente presi da questi dibattiti e non ci sono testimonianze (se non la conservazione dei loro libri anziché di quelli dei loro avversari) che la strategia di dissociazione di Amos abbia funzionato. È indubbio che furono profeti, un esiguo gruppo tra le centinaia di altri; forse parlarono in maniera più veridica o più eloquente, ma furono dello stesso genere. Insieme con i loro avversari, dei santuari del nord e delle strade e cortili di Gerusalemme fecero luoghi vivi, anche se non autenticamente politici.

Non si sa con precisione quando i profeti lasciarono la corte del re e si trasferirono negli spazi pubblici delle città grandi e piccole d'Israele. Elia ed Eliseo viaggiano per il paese, ma sono più simili a operatori di miracoli – eroi leggendari, successori disarmati dei guerrieri-giudici – che a pubblici oratori. Amos è il primo profeta di cui si può affermare con certezza che al santuario di Betel proclamò le sue profezie a un nutrito uditorio. Egli si richiama a personaggi precedenti, senza nome, che cercarono di fare quel che egli faceva e furono costretti al silenzio: «Ma voi... avete ordinato ai profeti, dicendo loro: Non profetizzate» (2,12). I suoi contemporanei, Giona figlio di Amittai nel nord e un precedente Zaccaria al sud, erano ancora uomini di corte che (per quanto se ne sa) parlavano soltanto ai re. Profeti più tardi ebbero ancora legami con la corte: Isaia consigliò il re Ezechia; Geremia, che aveva amici tra i funzionari regi, proprio alla fine fu consultato da Sedecia. Ma questi due, e ora tutti gli altri, avevano un altro luogo dove parlare:

Affrettatevi avanti e indietro per le vie di Gerusalemme (*Geremia* 5,1).

State nella porta della casa del Signore e proclamate la sua parola (7,2).

Santuario e città, strade, porte, anche il cortile del tempio: non è più possibile esagerare l'importanza di questi luoghi. Quando il profeta parlava soltanto al re, presumibilmente agiva presupponendo che le decisioni del re fossero le sole che contassero. I libri storici sembrano rispecchiare ancora questo modo di vedere: la sorte d'Israele nel suo insieme è inscindibilmente legata agli errori dei suoi re. Quando però il profeta parla in pubblico, l'ipotesi di lavoro cambia. Importante sembra ora essere che gli uomini e le donne pensino in questo o quel modo, vivano in accordo o disaccordo con la legge. Se non hanno alcuna funzione da svolgere, se non hanno nessuna responsabilità per la vita morale del regno, perché al profeta viene ordinato di parlare loro? Da Amos in poi i profeti hanno sempre meno cose da dire sui peccati del re; si rivolgono all'intera società, anche se ne riconoscono sempre la natura gerarchica. Nel popolo alcuni sono più responsabili di altri.

Amos denuncia i ricchi con le loro case per l'estate e per l'inverno, i giacigli d'avorio, i vini e i profumi: percepiscono interessi prestando ai fratelli, alterano pesi e misure, corrompono i giudici e vendono il povero ridotto alla schiavitù per debiti. Isaia e Geremia si riferiscono più esplicitamente, ma anche in termini più oscuri, alla struttura del potere politico. Si può pensare a un quadro come quello di cui parla Amos. Si tratta della borghesia locale. Ma quando Isaia dice «su questo il Signore chiama a giudizio gli antichi del suo popolo e con i principi: avete divorato la vigna» (3,13-14), ci si viene a trovare su un terreno meno familiare. Antichi (anziani) e principi sono uomini dello stato, non del mercato, e come funzionasse lo stato, come venissero selezionati i funzionari e quali fossero esattamente le loro mansioni è qualcosa che conosciamo soltanto approssimativamente. Al riguardo i testi biblici forniscono pochi particolari, rappresentazioni molto meno ricche, come se gli autori non fossero interessati alla struttura della vita politica o presupponessero la conoscenza fin troppo approfondita che ne aveva il loro uditorio. In ogni caso il punto decisivo è che tutti questi ricchi e potenti vengono denunciati tendendo l'orecchio agli altri, ai poveri, ai deboli e ai bisognosi.

Non che questi altri siano assolti. Quando Geremia predice la distruzione di Gerusalemme, dal vertice alla base della gerarchia politica non viene escluso nessuno:

A causa di tutto il male... che hanno commesso per provocare la mia ira, loro, i loro re, i loro principi (o funzionari), i loro sacerdoti, e i loro profeti e gli uomini di Giuda; e gli abitanti di Gerusalemme (32,32).

Nel tipico tropo profetico dell'azione legale intentata da Dio, tutto Israele siede sul banco degli imputati, accusato di violare la legge del patto:

Perché il Signore è in lite col suo popolo e intenta causa a Israele (*Michea* 6,2).
Ma i profeti non invitano mai i comuni israeliti ad agire politicamente, ad assumersi la responsabilità della politica comune. Come scrive Max Weber, «nessun profeta era portatore di un ideale 'democratico'». Si preoccupavano del benessere del popolo, specialmente dei più poveri tra i poveri, ma le opinioni del popolo non li interessavano. Non credevano in «un diritto di rivolta o di autodifesa delle masse vessate dai grandi».[1] Tutto quel che esigono le loro denunce è una riforma morale: la fine dell'idolatria, una condotta corretta sul mercato, l'osservanza del sabato, la compassione per il povero. Le richieste rivolte ai potenti lasciavano questi al loro posto e col loro potere: ai funzionari regi è richiesta l'applicazione onesta della legge, ai giudici la giustizia, ai sacerdoti la pia istruzione, ai profeti la verità. Di sovversivo nei libri profetici non sono di primo acchito i contenuti bensì chi li proclama – e la persona del messaggero, il sedicente profeta chiamato da Dio, l'incarnazione del carisma senza potere, che è sempre una minaccia per il potere senza carisma.

Ma la minaccia era diretta nei due sensi, e pare probabile che i (veri) profeti fossero altrettanto minacciati di quanto minacciavano. Ci si può fare qualche idea della loro influenza politica, o della loro mancanza d'influenza, considerando dappresso due scontri che ci vengono riferiti, fuori della corte del re, tra profezia e autorità. Il primo, presso il santuario di Betel, mette Amos di fronte al sacerdote Amasia. Senza essere invitato, Amos prende l'iniziativa e profetizza la distruzione del regno del nord; il sacerdote risponde in un modo a noi fin troppo familiare:

Allora Amasia, il sacerdote di Betel, mandò a dire a Geroboamo re d'Israele: Amos ha congiurato contro di te in mezzo alla casa d'Israele: il paese non può sopportare tutte le sue parole. Perché questo dice Amos, che Geroboamo morirà di spada e Israele sarà senz'altro condotto prigioniero fuori della sua terra. Amasia disse allora ad Amos: Tu, veggente, vattene nel paese di Giuda, là mangia il tuo pane e profetizza. Ma non profetizzare più a Betel, perché è il santuario del re e la corte del re (7,10-13).

Amos risponde ad Amasia con i versetti che si sono visti, dicendo di non essere un profeta (non è così che si guadagna il pane). Poi, sfidando il divieto, profetizza ancora una volta a Betel, predicendo l'annientamento del sacerdote e di tutta la sua famiglia, e lascia il santuario o ne viene allontanato a forza – di lui non si dice più nulla.

L'accusa di cospirazione rivolta da Amasia era quasi certamente falsa; nulla, nel libro di Amos o in qualche altro libro profetico, fa pensare a passi che si spingano politicamente tanto avanti. Come che sia, Amos agisce in pubblico, non segretamente, «in mezzo alla casa d'Israele». Ciò che pre-

[1] M. Weber, *Ancient Judaism*, Glencoe 1952, 275 (tr. it. 1129).

sumibilmente preoccupava il sacerdote erano i possibili effetti degli ora-coli e dei moniti di Amos rivolti al popolo che l'ascoltava. Questa preoc-cupazione, tuttavia, può anche essere stata fuori posto, dato che abbastan-za frequentemente il paese sembra abbia dovuto sopportare parole profe-tiche. Non vien detto come reagissero alle parole di Amos i devoti presenti a Betel; in ogni caso non corsero in sua difesa né protestarono contro il suo esilio. Né lo stesso Amos, rispondendo ad Amasia, si appella in qual-che modo al popolo. Amos non è un tribuno popolare, anche se più di ogni altro profeta esprime profonda simpatia per gli oppressi. È il rappresen-tante di nessun altro all'infuori di Dio e se Dio l'avesse rimandato a Betel sarebbe tornato e avrebbe accettato qualsiasi punizione il re avesse ordi-nato. Ma «cospirare» non era affar suo.

Vi furono profeti che di fatto cospirarono contro i re. Ahia ebbe qual-che parte nella ribellione del primo Geroboamo contro il figlio di Salo-mone, ed Eliseo inviò uno dei suoi seguaci, un profeta di cui non è detto il nome, a ungere Iehu e forse anche a organizzare il suo colpo di stato (1 *Re* 11,29-39; 2 *Re* 9,1-10). Ma questi non erano profeti che parlavano; nessuno dei due aveva avvertito il re contro il quale tramava e sembrano del tutto disinteressati dei peccati degli anziani, dei funzionari, dei sacer-doti o del popolo. Nel caso di Amos, invece, data la sua descrizione della condizione di Israele, difficilmente avrebbe collaborato all'unzione di un nuovo re. Quel che occorreva era una riforma morale e – anche se egli non lo dice mai – una trasformazione sociale, ma per realizzare un cambiamen-to di queste dimensioni Amos non aveva collaboratori o quantomeno non aveva nuovi collaboratori. Faceva affidamento su quello stesso popolo che condannava.

Il secondo scontro tra profezia e autorità viene talvolta visto nel proces-so di Geremia, anche se il racconto (cap. 26) ha più l'andamento di una di-sputa religiosa o politica che di un procedimento giudiziario. Parlando nel cortile del tempio il profeta ha pronunciato una profezia di sventura per il santuario e per la città – tenendo tuttavia aperta la possibilità che Dio si «penta» nel caso il popolo «presti ascolto e ogni uomo abbandoni la sua condotta malvagia». Non appena ha terminato, «i sacerdoti e i profeti e tutto il popolo lo arrestarono dicendo: Tu devi certamente morire». Il de-litto di Geremia, credevano (o speravano), era di falsa profezia. I capi o i funzionari di Giuda, udendo l'accaduto, vennero dal palazzo al tempio «e sedettero [in giudizio?] all'ingresso della nuova porta». Sacerdoti e profeti ripetono la loro accusa, e questa volta il popolo è messo tra colo-ro che ascoltano: «Quest'uomo merita di morire; ha infatti profetizzato contro la città». Geremia a sua volta ripete la sua profezia (condizionata), rivolgendosi sia ai capi sia al popolo: «Quanto a me, ecco, io sono nelle vo-stre mani: fate di me come a voi... sembra bene», anche se – dice – uccideranno un innocente, «poiché veramente il Signore mi ha mandato». Ora i funzionari e il popolo appoggiano Geremia contro sacerdoti e profeti, e un ulteriore sostegno viene da «certi anziani del paese», i quali ricordano all'assemblea come il profeta Michea avesse profetizzato sventura a Gerusalemme e non fosse stato messo a morte dal re Ezechia (questo di Michea è il solo caso di esplicita citazione interprofetica nella Bibbia). Viene poi menzionato un altro caso, quello del profeta Uria, che profetizzò «secondo tutte le parole di Geremia» e che fu «fatto venire... dall'Egitto» dove era fuggito, e che fu ucciso dal re Ioaqim. A questo punto il racconto si interrompe bruscamente con una breve notizia, che non è propriamente il resoconto di una sentenza: «Tuttavia la mano di Ahiqam figlio di Safan fu con Geremia, perché non lo consegnassero nelle mani del popolo per metterlo a morte».

La vicenda è straordinaria; che cosa sia realmente accaduto, chi stesse da una parte e chi dall'altra e che cosa tutto ciò significasse è stato oggetto di molte dotte discussioni.[1] Desidero far notare solo un punto: benché il discorso del profeta sia preso molto sul serio da tutte le parti che intervengono nella discussione, del suo invito ad «abbandonare» il male non si parla mai. Il problema che interessa è se quest'uomo, Geremia, parla in nome di Dio. La classica domanda politica – che fare? – non viene posta. Che di fatto la domanda sia stata posta si può supporlo sulla base dell'intervento di Ahiqam, che fu uno dei funzionari riformatori del tempo di Giosia e che deve aver avuto vivo interesse per i problemi politici. Ma anche per l'epoca di Giosia, tutto quello che ci viene detto di Ahiqam è che, insieme con altri funzionari, portò alla profetessa Hulda il «libro della legge» da poco scoperto perché l'autenticasse. Ciò che importava era quindi se il libro fosse un libro di Dio, non se politicamente o moralmente la sua legge avesse senso. Ahiqam, nondimeno, era probabilmente impegnato a trovare una risposta anche a quest'ultima domanda, e dev'essere stato un promotore della riforma, in contrasto forse con i sacerdoti e i profeti del tempio.

Quale condotta malvagia Israele doveva «abbandonare» per sfuggire allo sdegno di Dio? I profeti forniscono tutto un catalogo di possibilità, così che si possono leggere i loro elenchi come programmi e quindi come argomentazioni politiche elementari. Essi non indicano priorità, né stabiliscono obiettivi strategici, né fanno alcuna delle cose cui è tenuto chi opera in politica. Ciò che infine decidono i funzionari regi quando ormai è troppo tardi e l'esercito babilonese si sta avvicinando a Gerusalemme, è di far cessare la situazione di oppressione: il rilascio degli schiavi per debiti. È interessante che questo rilascio avvenga mediante un patto anziché per

1 R.P. Carroll, in *From Chaos to Covenant. Prophecy in the Book of Jeremiah*, New York 1991, 91-95, dà un'immagine del «processo» e tenta di spiegare le difficoltà del testo.

decreto: «il re Sedecia fece un patto con tutto il popolo... per proclamare la libertà» (*Geremia* 34,8). Israele così «si volse» o fece ritorno ai codici dell'Esodo e del Deuteronomio, evidentemente da tempo ignorati. Quando l'esercito babilonese fu dirottato da un attacco egiziano, il patto fu infranto e gli ex schiavi furono costretti di nuovo alla schiavitù. Immediatamente Geremia protestò e le sue parole fanno pensare che egli fosse stato uno dei sostenitori del rilascio (34,13-18). Come si venne alla decisione, chi vi si oppose (a parte chi deteneva gli schiavi) e chi l'appoggiò, che cosa si disse nelle assemblee che si resero necessarie – tutto questo è sottratto alla nostra vista. Si parla del giudizio, non delle discussioni.

I profeti furono i critici della società, forse i primi nella storia dell'Occidente a noi nota. A rendere possibile la critica è la loro coscienza di una chiamata divina. Così Geremia riferisce la parola di Dio come «gli fu rivolta»:

Ecco, oggi ho fatto di te una città fortificata e una colonna di ferro e muri di bronzo contro tutto il paese, contro i re di Giuda, contro i principi, contro i sacerdoti e contro il popolo del paese. E ti muoveranno guerra, ma su te non prevarranno; perché io sono con te – dice il Signore – per salvarti (1,18-19).

Benché sulla base dell'autorità dei profeti o della loro mancanza di autorità gli autori biblici mettano senza esitazione al centro affermazioni come questa, il testo fornisce anche e con dovizia di particolari i loro argomenti critici: appelli alla storia d'Israele, richiami ai codici di legge, descrizioni e denunce di pratiche correnti, incluse le pratiche rituali (il campo dei sacerdoti) e quelle giuridiche (il campo dei funzionari regi), duri attacchi alla politica estera dei sovrani dei regni sia del nord sia del sud. Rimandando al capitolo seguente il contenuto di questi argomenti, qui s'intende ribadire soltanto che anche i contemporanei dei profeti devono aver dedicato la loro attenzione al problema di fondo oltre che nelle vie della città e nei cortili del tempio, anche in un qualche ambito istituzionale, dato che il problema dell'autorità – questo profeta ha detto parole del Signore? – non fu mai risolto e di fatto non poteva essere risolto. È vero che il carisma religioso manda in pezzi qualsiasi struttura d'autorità e mette in questione tutti i processi di autorizzazione, ma altrettanto importante è che la critica sociale non può mai essere rivestita di autorità. Una volta che il profeta sia in strada, tutto ciò che si può fare è ascoltare qualsiasi cosa abbia da dire e giudicare del valore che ha per noi quanto egli dice.

I profeti di corte e del tempio parlano con l'autorità della corte e del tempio, che rafforza e – siamo propensi a pensare – vincola la loro vocazione divina. Ma le strade non aggiungono autorità: ora il profeta deve cavarsela da sé. Deve convincerci che le sue parole sono parole di Dio, che le sue denunce sono vere e che le sue riforme funzioneranno. Già si è detto come il profeta sia noto per la sua eloquenza. Con eloquenza non s'intende qui soltanto la scelta delle parole o il ritmo delle frasi. Il profeta deve usare le parole in un modo che coinvolga gli animi e tocchi i cuori degli ascoltatori; deve ricordare loro quello che sanno, richiamare i loro ricordi di eventi storici, giocare sulla tensione del loro impegno, della loro colpa e delle loro speranze nel futuro. L'eloquenza non è qualcosa di primariamente linguistico, bensì culturale.

La cultura cui i profeti attinsero, di cui usarono le risorse, fu una cultura religiosa (e giuridica) più che politica. Quando re e profeti suddivisero tra loro le funzioni dei giudici carismatici, i re si addossarono il lavoro politico, che ben poco in quella cultura poteva sostenere o rafforzare (anche David e Salomone sono celebrati più per avere scritto salmi, coltivato la sapienza e costruito il tempio, che per avere organizzato, ampliato e fatto funzionare lo stato). I profeti divennero i rappresentanti di Dio nel mondo, privi di funzioni pratiche al di fuori della critica. Parlarono in favore della tradizione, della sua storia di interventi miracolosi e di una legge sancita da un patto e rivelata da Dio. Più sottolineavano l'importanza dei miracoli e delle rivelazioni, meno valore parve avere l'azione dei re. Un re riformatore sarebbe stato ben accolto dai profeti (anche se Geremia non sembra essersi impegnato a fondo per la riforma di Giosia), ma una seria alleanza era improbabile; una volta che la profezia lasciò la corte per le strade, nessun profeta mostrò qualche interesse per un'effettiva politica di riforma o qualche disponibilità ai compromessi che questa avrebbe potuto richiedere.[1] Fu infatti l'indisponibilità dei profeti che li rese tanto radicali. Il loro fu un radicalismo violentemente antipolitico – in modi che si faranno più chiari quando si esaminerà il contenuto di alcuni loro argomenti. La profezia fu una sorta di discorso pubblico che militò contro la pratica della deliberazione. Il messaggio di Dio ebbe il sopravvento sulla sapienza degli uomini.

Pensando ai governanti d'Israele e ai loro consiglieri di corte, Osea dichiara con sdegno: «giurarono il falso quando fecero il patto: il giudizio cresce come cicuta nei solchi del campo» (10,4). I giudizi dei profeti, quantomeno dei «veri» profeti, erano tutt'altra cosa. Ma se da quei giudizi deve nascere qualcosa è necessario che qualcuno, i profeti stessi o gli uomini e le donne che li ascoltano, «dicano parole», discutano di quel che si deve fare, ascoltino gli argomenti contrari e agiscano in vista di «patti» o accordi, anche se questi richiedono compromessi e accomodamenti. La politica sta al di là della profezia, ma fin là, a giudicare dai loro testi, i profeti biblici non arrivarono.

[1] Su Geremia e la riforma giosiana cf. J. Blenkinsopp, *A History of Prophecy in Israel*, London 1984, 161-162 (tr. it. *Storia della profezia in Israele*, Brescia 1997, 197-198).

Capitolo 6
Profezia
e politica internazionale

In Israele la profezia nasce con la monarchia ma ha il suo pieno sviluppo
soltanto con l'impero. Come scrive Weber, i più grandi profeti furono «demagoghi e libellisti politici», e ciò significa che furono costantemente presi dalla politica imperialista e di guerra.[1] Lo erano altrettanto gli israeliti
loro connazionali, e non solo né soprattutto perché gli uomini e le donne
comuni ricordavano ancora l'impero di David. Nel x secolo a.C. un Israele unificato era stato la più forte potenza tra la Mesopotamia e il Nilo –
così almeno raccontano gli storici della Bibbia. Da allora i due regni israeliti e i loro vicini avevano combattuto e negoziato trattative fra loro, sempre all'ombra dei maggiori e più ambiziosi stati a est e a sud-ovest. Nel-
l'viii secolo, al tempo dell'attività dei primi profeti letterari, l'Assiria e
l'Egitto erano diventati gli effettivi contendenti nella lotta per il potere e
la spoliazione in tutti i paesi della Siria-Palestina. A stati come Israele e
Giuda non restava che una politica di alleanze – con gli stati vicini contro
uno degli imperi o con uno degli imperi contro i vicini. In una politica del
genere i rischi erano elevati, molto aggravati dalla crudeltà degli assiri:
«Le iscrizioni cuneiformi grondano sangue», dice Weber.[2] Ben poco si sa
di come questi rischi fossero sentiti e affrontati a Moab, ad Aram o dalle
città filistee. Per contro è pervenuto il racconto storico di come si comportarono i re con i loro vicini e con le più lontane e minacciose potenze im-
periali. E resta un racconto parallelo ancor più interessante – le dichiarazioni dei profeti sulla «politica mondiale».

I profeti furono immersi in questioni di politica internazionale e talvolta danno l'impressione d'essere poco più che ideologi di parte. «Che i profeti lo volessero o meno» – afferma Weber – «di fatto operavano sempre
nel senso dell'una o dell'altra delle consorterie politiche interne che si com-
battevano violentemente e che erano nello stesso tempo esponenti di una
determinata politica estera».[3] Il re era al centro di queste lotte, spinto da
una parte e dall'altra dai consiglieri di corte e da «sapienti», ma talvolta
anche da demagoghi di strada. Fazioni rivali appoggiavano questa o quella potenza imperiale, premevano per l'alleanza, la pacificazione, la rivolta

---

1 M. Weber, *Ancient Judaism*, Glencoe 1952, 275 (tr. it. 1122).
2 *Op. cit.*, 267 (tr. it. 1117).   3 *Op. cit.*, 274 (tr. it. 1124).

o la guerra. Era ambizione delle fazioni non soltanto di ottenere ascolto dal re, potere a corte, dignità e ricchezza nel paese in generale; era in gioco anche la politica estera della nazione e tutti erano interessati a mantenere la massima indipendenza compatibile con la salvezza e la sicurezza – di qui la politica dell'VIII e VII secolo: inviare e ricevere ambasciatori, tener conto dell'equilibrio tra le potenze, fortificare le città e preparare eserciti, pagare il tributo o rifiutare di pagarlo. I profeti si trovarono coinvolti in tutto ciò, quantunque intento primario dei più importanti fra loro fosse di negarne l'importanza. Contrariamente a quanto scrive Weber, avrebbero detto di parteggiare unicamente per Dio.

Lo stesso avrebbero potuto dire i re d'Israele – o forse più probabilmente avrebbero sostenuto che Dio parteggiava *per loro*, che era il principale consigliere, animatore e sostenitore del partito del re. Questo è quanto affermano i salmi regi, nei quali paiono sopravvivere fantasie dell'impero di David: «ha addestrato la mia mano alla battaglia... un arco d'acciaio si spezza tra le mie braccia» (18,35). Per effetto di questa istruzione divina il re trionfa sui nemici, gli stranieri gli si sottomettono, egli diventa «capo delle nazioni» (*roš gojim*, 18,43). Vi è qui un ulteriore esempio della teoria alta della monarchia così come si mostra nel canto del tempio. Il re è l'unto di Dio, suo figlio adottivo, e ogni volta che i governanti delle nazioni si consigliano tra loro e tramano guerra contro di lui, egli ne frantuma la forza con «verga di ferro» e li fa a pezzi «come vaso d'argilla» (2,9). Queste immagini sono anche dei profeti, ma la verga di ferro (nelle mani di Dio, non del re) è l'Assiria (*Isaia* 10,5) e il vaso d'argilla è Israele stesso (*Isaia* 30,14). I profeti non accettarono la teoria alta.

Ma essi erano in guerra anche contro quella che si potrebbe chiamare la teoria bassa della monarchia, la sua formulazione più secolare, per la quale il popolo d'Israele aveva insediato un re «che esca davanti a noi e combatta le nostre battaglie» (1 *Samuele* 8,20). Il re deve sperare nel sostegno divino ma al tempo stesso cerca il consiglio dei saggi che conoscono le cose dello stato, esercita e organizza un esercito o trova generali come Abner e Ioab che istruiscano le sue braccia (per lo più mercenarie) a combattere.

Come si è osservato, la monarchia fu una forma di fiducia in se stessi. Fece dello stato il responsabile del proprio destino o, per essere più precisi, mise lo stato nelle mani dei suoi stessi rappresentanti – re, consiglieri, ambasciatori, soldati. Tutto dipendeva dalla loro intelligenza e abilità – o *quasi* tutto, perché, prima che Israele muovesse guerra, si consultavano ancora i profeti per sapere se Dio guardava con favore il piano di battaglia. Non penso che Gerhard von Rad sia nel giusto quando sostiene che sotto la monarchia Israele aveva «cancellato» Dio come forza determinante del suo presente e del suo futuro – benché questo sia il pensiero di Dio quando dice a Samuele: «mi hanno respinto così che non regni su di loro» (*1 Samuele* 8,7).[1] Nonostante questo rifiuto i re d'Israele si considerarono alleati di Dio. Al tempo stesso, tuttavia, fecero spazio alle loro proprie alleanze e alle loro decisioni politiche, e finché i regni israeliti furono circondati da regni grossomodo dello stesso genere, con popolazioni e risorse simili alle loro, la politica che faceva affidamento sulle loro proprie forze funzionò abbastanza bene. Come in ogni monarchia vi furono re forti e re deboli, vittorie militari e sconfitte militari, buoni trattati e cattivi trattati. Gli storici deuteronomici vedono nelle vicende politiche l'effetto del premio e della punizione divina, ma i re e i loro consiglieri potrebbero aver avuto un altro modo di vedere, non privo di plausibilità: quei risultati erano opera loro. Benché nei libri biblici quest'ultimo modo di vedere non sia mai espresso chiaramente del tutto (e certo non s'incontra mai una celebrazione dell'intelligenza strategica o del coraggio in battaglia di un qualche re d'Israele), se si vuole capire la concezione contraria dei profeti letterari se ne deve supporre l'esistenza

La comparsa in Mesopotamia dei re guerrieri probabilmente rese obsoleta la monarchia israelita, anche se, com'è comprensibile, i re tardarono a rendersene conto. Fare affidamento su se stessi divenne un'impresa sempre più pericolosa. Di decisioni si dovette continuare a prenderne: cercare l'alleanza di questa o quella potenza imperiale, chiedere aiuto all'Egitto, contrastare l'avanzata di un esercito o arrendersi, accettare di pagare tributo o rifiutarsi; ma ora tempi e spazi di manovra non si decidevano più in Samaria o a Gerusalemme bensì nelle lontane capitali orientali. Le probabilità che qualche decisione presa in loco avesse successo non erano molte. Il destino d'Israele non era più nelle sue mani.

Che ne è del Dio che un tempo addestrava quelle mani alla guerra? La novità sorprendente dei profeti fu di pretendere che ora Dio istruiva gli eserciti stranieri. Era ancora il Dio della guerra; talvolta interveniva ancora direttamente e miracolosamente nel corso della guerra, come aveva fatto ai tempi dell'esodo, quando aveva annegato l'esercito egiziano, o all'epoca della conquista, quando aveva fermato il sole. Ora però la sua attività non si limitava più a Israele; ora era un combattente universale che sovrintendeva a tutto il corso della politica internazionale. Nel libro dei Giudici la potenza di Dio si dispiega in un ambito più limitato; il suo impegno è strettamente imperniato su Israele, anche quando si serve delle altre nazioni per punire i peccati d'Israele:

E i figli d'Israele fecero ciò che è male agli occhi del Signore, e il Signore li mise per sette anni nelle mani di Madian. E la mano di Madian gravò su Israele (6,1-2).

Nei libri profetici, al contrario, Dio s'interessa attivamente alle nazioni diverse da Israele – di fatto, a tutte le nazioni del mondo – non solo punen-

[1] G. von Rad, *The Message of the Prophets*, New York s.d., 150-151.

dole per il male che commettono ma anche mostrando loro compassione e riconducendole al loro retaggio e alla loro terra (v. ad es. *Geremia* 12,14-15, a proposito dei vicini d'Israele). Egli continua perlopiù a usare le altre nazioni allo stesso modo in cui si era servito dei madianiti come strumenti con cui punire Israele (e più tardi per il suo ripristino), ma ora instaura con loro un rapporto diverso, sempre più stretto. Il re dell'Assiria è il «bastone» dell'ira di Dio (*Isaia* 10,5); il re di Babilonia è il «servitore» di Dio (*Geremia* 27,6-7); il re dei persiani è il suo «pastore» e persino il suo «unto» (*Isaia* 44,28 e 45,1 – per il resto questi epiteti vengono usati soltanto per i re d'Israele).

La sovranità di Dio è ora estesa a tutto il mondo della storia, ma non è del tutto chiaro quali siano la natura e lo scopo di questo ampliamento. Che fa questo Dio sovrano e perché lo fa? «Inconsueto è il suo lavoro», dice Isaia (28,21, NJPS), e certo i racconti biblici di questo operato sono spesso oscuri ed enigmatici. Per Israele Dio è un legislatore, ma nessun profeta lo presenta nel ruolo di legislatore nei confronti di ogni nazione. E il salmista nega espressamente che Dio sia un legislatore universale:

Annuncia a Giacobbe la sua parola, i suoi statuti e i suoi decreti a Israele. Così non ha agito con nessuna [altra] nazione; e i suoi decreti non li hanno conosciuti (*Salmo* 147,19-20).

Nelle altre nazioni la sovranità di Dio abbraccia soltanto due dei rami del governo a noi noti: anzitutto egli è giudice delle nazioni (anche se queste non lo sanno) e inoltre ha il potere esecutivo di mettere in atto le proprie decisioni.

Perché il Signore ha una contesa con le nazioni, chiamerà in giudizio ogni vivente (*Geremia* 25,31).

La parola ebraica qui resa con «contesa» (*rib*) comporta di solito una lite, e questa avviene sulla base di una legge. La legge d'Israele è data e legittimata dal patto del Sinai, ed è questa la ragione per cui le «contese» di Dio con Israele (cf. ad es. *Michea* 6,1-5) sono anche chiamate oggi «procedimenti pattizi». C'è un patto con le nazioni? c'è forse una legge universale alla base dei giudizi di Dio sulla loro condotta? Il patto con Israele sembra essere unico. Ma il giudizio originario di Dio sulle nazioni, manifestatosi nel diluvio, induce a pensare che esista in realtà una legge universale, anche se non viene mai detto quando fu rivelata e come si possa conoscerla (per trattare di questi problemi i rabbi inventarono in seguito il codice noachico). Come che sia, le nazioni vengono giudicate con durezza, e non solo per i loro misfatti contro Israele. Amos, il primo dei profeti letterari, che difficilmente può aver avuto più che un vago presentimento di un impero universale, è già chiaro su questo: Dio punisce le nazioni per i crimini commessi dall'una contro l'altra:

Per tre prevaricazioni di Moab e per quattro non revocherò la mia punizione; perché ha bruciato e ridotto a calce le ossa del re di Edom (2,1).

Il profeta Naum, che scrive un secolo dopo, rappresenta il mondo intero che celebra la distruzione degli assiri ad opera di Dio – «perché su chi non si è riversata di continuo la [loro] crudeltà?» (3,19).

Dio è giudice universale. Giudica le nazioni senza che ne siano a conoscenza o vi consentano, ma Isaia immagina un'età futura nella quale esse verranno spontaneamente a ricevere i suoi giudizi. La visione di *Isaia* 2 («forgeranno le loro spade in vomeri») è probabilmente il testo profetico più conosciuto e, come si dirà nel cap. 10, viene letto soprattutto come espressione della speranza messianica. È però anche una prima formulazione, non del tutto fantasiosa, di una politica internazionale postimperialista. Il profeta sembra pensare a una federazione di popoli, ciascuno indipendente da tutti gli altri, uniti unicamente dal comune riconoscimento della sovranità divina. Benché la legge venga da Sion non c'è qui accenno a un trionfo politico d'Israele; non c'è alcun nuovo impero all'infuori dell'impero di Dio «che sarà giudice tra le nazioni» (2,4). Norman Gottwald ha sostenuto che in sostanza ciò può soltanto significare che i profeti di Dio comunicheranno i suoi giudizi, che le nazioni accettano spontaneamente.[1]

È appunto questa la funzione che Geremia rivendica a sé; egli è «profeta tra le nazioni» al quale Dio dice: «Ecco, oggi ti ho costituito sopra le nazioni e sopra i regni, per sradicare e abbattere, per distruggere e... per edificare e piantare» (1,10). Tutto ciò è opera della sola parola profetica. I profeti non rivendicano alcun potere politico – non in Israele né nel mondo in generale, e quando rappresentano un governante ideale, un re davidico, lo fanno re soltanto su Israele; le altre nazioni hanno già i loro re.

L'idea di un Dio che ha totalmente nelle sue mani la storia e la politica del mondo intero apre la via a visioni universaliste di questo genere. Non tronca il legame tra Dio e Israele, ma induce i profeti a immaginare ulteriori legami. L'esempio più sorprendente è forse un oracolo isolato in *Isaia* 19, di provenienza assai discussa, che sembra indicare un'alleanza tra Israele, l'Assiria e l'Egitto, uniti insieme al servizio di Dio:

In quel giorno Israele sarà il terzo con l'Egitto e l'Assiria, una benedizione in mezzo alla terra; li benedirà il Signore degli eserciti, dicendo: Benedetto sia l'Egitto mio popolo, e l'Assiria opera delle mie mani, e Israele mia eredità (19,24-25).

La visione più celebre di Isaia è quella di un'unione vasta e libera di tutte le nazioni grandi e piccole che hanno appreso le verità del monoteismo e si riuniscono in Gerusalemme per l'adorazione e il giudizio.

I profeti vedono in questo straordinario atto di riunione l'esito finale di quella che può essere definita soltanto un'intenzione divina. Non è il pro-

---

[1] N. Gottwald, *All the Kingdoms of the Earth. Israelite Prophecy and International Relations in the Ancient Near East*, Minneapolis 1964, 199 ss.

dotto di un programma politico che Israele o qualcun altro avrebbe adottato. Dio ha tutto nelle sue mani, anche prima che la sua sovranità sia riconosciuta universalmente. Qual è il suo preciso intento? S'incontrano qui le stesse difficoltà di quando ci si è interrogati sulla natura della sua «opera». Pare che egli voglia ciò che ha voluto fin da quando in Egitto ha affrontato il faraone: che il mondo intero veda il dispiegamento della sua potenza, comprenda la sua maestà e accetti la sua sovranità. Il Dio della Bibbia è onnipotente, ma al tempo stesso è risentito e deluso. Avendo creato uomini e donne d'intelligenza finita e di libera volontà, soffre per la loro ignoranza e la loro malvagità. Ciononostante i profeti credono che alla fine Dio otterrà ciò che vuole, pervenendo, per così dire, a realizzare se stesso nella storia universale. Otterrà il riconoscimento e l'obbedienza universali, assoggettando a sé tutti gli altri governanti – essendo solo a governare. Un Dio sovrano «riduce al nulla i principi» (*Isaia* 40,23), così che alla fine tutti lo accettano come loro unico giudice.

Il passo su Dio che «riduce al nulla i principi» proviene dal Secondo Isaia, il quale scrive in tempi in cui i capi d'Israele erano già stati ridotti a niente. Forse era più facile riconoscere la sovranità di Dio sulla storia universale in un momento in cui Israele non aveva più un proprio sovrano. È tuttavia probabile che molti dei più importanti passi profetici che trattano delle «nazioni» anticipino a una data anteriore questo momento. Di fatto la visione profetica della politica divina non prese il posto di qualche precedente visione della politica monarchica. La prima visione coesistette con la seconda – e la contestò. La contestazione assume due forme molto diverse. Già si è detto di come molti profeti preletterari riprendessero i re israeliti per la loro incapacità (o rifiuto) di mettere in pratica i dettami della dottrina della guerra santa. Vi furono re che si attennero a politiche ragionevolmente secolari, conducendo guerre limitate e firmando trattati di pace, quando invece avrebbero dovuto votare a Dio i loro nemici e massacrarli tutti. Dio aveva fatto di questi re i suoi rappresentanti, ma costoro avevano agito seguendo le loro idee, nell'interesse proprio o del loro paese.

La contestazione dei profeti letterari è molto diversa. Paiono aver abbandonato l'idea che Israele sia in tutti i sensi un soggetto politico che agisce tra le nazioni agli ordini di Dio. S'incontrano nei loro scritti i primi indizi di una concezione differente: Israele è una nazione vittima che subisce sempre gli effetti negativi dell'azione di qualcun altro. Non si prenderà qui in considerazione come si potesse pensare che questa vittimizzazione servisse ai fini di Dio. Un servo sofferente (cf. *Isaia* 53) è pur sempre un servo, ma il suo servizio non è politico. Né è verisimile che il suo servizio sia volontario; ci si attenderebbe che un servo sofferente cammini trascinando i piedi. Ma da sottolineare è che le sofferenze d'Israele sono manovrate politicamente da Dio stesso, e questo rende difficile immaginare una risposta politica autonoma. Dio «è la mano tesa su tutte le nazioni» (*Isaia* 14,26) – e soprattutto su Israele. Anche se non è tesa direttamente, ma soltanto per mezzo della mediazione delle armate assire o babilonesi, la resistenza d'Israele pare moralmente e militarmente assurda. Questi eserciti giungono su sollecitazione di Dio, anche quando attaccano Gerusalemme, dov'è la sua dimora e dove regna il suo unto.

La questione è difficile: gli assiri e i babilonesi sono infatti inviati da Dio; la loro funzione nella storia universale è meramente strumentale. E tuttavia essi possiedono al tempo stesso una loro volontà, muovono liberamente contro Israele. Isaia può dire così dell'Assiria che è il «bastone» dell'ira di Dio (10,5):

> Lo invierò contro una nazione ipocrita (10,6).

Ma aggiunge subito che questo «invio» non consiste in comando e obbedienza. Il re dell'Assiria non sa d'essere stato inviato:

Essa però non pensa così, né così medita il suo cuore; ma nel suo cuore vuole distruggere e annientare non poche nazioni (10,7).

E una volta che siano serviti ai fini di Dio punendo Israele, gli assiri saranno quindi a loro volta puniti da un altro «bastone». Anch'essi soffriranno, anche se non saranno mai servi sofferenti; servono Dio soltanto nei loro trionfi.

Perché saranno puniti? che c'è di sbagliato nell'annientare nazioni che Dio vuole vedere annientate? Già si è ricordato come gli assiri non avessero mai fatto un patto con Dio, e d'altro canto non vi sono testimonianze che avessero ricevuto la legge divina. Se la situazione è questa, come gli assiri avrebbero dovuto sapere che le loro guerre e conquiste erano sbagliate? Come direbbero i rabbi: quando furono avvertiti? I profeti non si pongono espressamente domande del genere; forse pensano a una qualche versione di una legge naturale che potrebbe fornire la risposta. I testi non fanno pensare che a rendere malvagi gli assiri sia la loro crudeltà. La crudeltà è un requisito delle punizioni di Dio; nei racconti dei profeti della giustizia di Dio o, come più spesso sembra, della vendetta di Dio, compare ogni sorta di orrori. E qui in Isaia Dio non solo manda gli assiri contro Israele, ma anche ne autorizza espressamente la prevedibile condotta:

Lo invierò contro una nazione ipocrita e contro il popolo del mio sdegno gli darò un incarico, che lo saccheggi e lo depredi e lo calpesti come il fango delle strade (10,6).

A detta d'Isaia la sola colpa degli assiri è di fare tutto ciò come fosse idea loro, «frutto del [suo] cuore orgoglioso» (10,12):

> Perché ha detto:
> Con la forza della mia mano l'ho fatto, e con la mia sapienza (10,13).

Il re pretende d'essere un soggetto attivo, e in un certo senso lo è, perché ha voluto le sue conquiste, ma ora proprio questa sua rivendicazione ne manifesta la malvagità – e l'ignoranza: è come una scure che con la mano che la muove si vanta di muoversi da sé (10,15).

Si potrebbe considerare questo passo d'Isaia la sorgente o il primo esempio di quella che G.W.F. Hegel chiamerà «astuzia della ragione». Qui è astuzia di Dio servirsi degli assiri per fini che essi non possono immaginare e ancor meno fare propri. Servono una causa che ignorano. Ma particolarmente caratteristico dell'argomentazione profetica, un aspetto che Hegel non riprese (e che la sostituzione di Dio con la ragione non poté che rendere impensabile), è che gli assiri siano puniti per il servizio che rendono. Sono puniti non per quello che fanno ma per l'arroganza degli intenti con cui lo fanno – benché sia difficile capire quale altra intenzione avrebbe potuto portarli a compiere ciò che Dio esige da loro. Non possono obbedire a ordini che non hanno ricevuto, donde la conclusione che il profeta sembra suggerire: sono puniti per aver agito intenzionalmente, secondo la loro volontà e le loro ragioni.

Anche se Dio ha creato soggetti che agiscono, l'attività è peccato. Ma ciò non è vero, dal momento che i profeti esigono costantemente l'azione morale – la riforma della società israelita, ad esempio. Esortano infatti re, giudici, sacerdoti e anziani ad agire in conformità al patto. La singolare dottrina che l'azione stessa è peccato resta vera solo nella comunità internazionale e solo in un'epoca di imperi. Forse che i profeti pensavano, anche se non lo dissero mai esplicitamente, che la politica e la guerra imperialiste erano intrinsecamente orribili? Certo le loro visioni del futuro sono visioni di pace, anche se di una pace ottenuta con la guerra: la sconfitta successiva, uno dopo l'altro, di questi tracotanti imperatori, fino a quando non venga infine riconosciuta dietro quelle terribili distruzioni la mano di Dio e, come scrive Oliver O'Donovan, «da sotto le rovine degli imperi [non spunti] una famiglia di umili nazioni».[1] Alla fine, come pensa il profeta, il naufragio sarà opera di Dio; non ci sarà nessun altro responsabile. Dio può essere evidentemente terribile in modi di cui gli uomini non sarebbero mai capaci. Nella politica internazionale l'*imitatio dei* non è una virtù. Un'azione di queste dimensioni, di quest'imponenza, è per i re e gli imperatori la tentazione di mettersi al posto di Dio, di rivendicare un potere pari al suo – che è il lato sbagliato dell'imitazione. Ci si trova qui in un ambito d'azione in cui è meglio che gli esseri umani non facciano ciò che fa Dio, di fatto che non *facciano* nulla.

I profeti rammentano di continuo come Dio abbia distrutto completamente Sodoma e Gomorra (la protesta di Abramo non viene ricordata) e

---

1 O. O'Donovan, *The Desire of the Nations. Rediscovering the Roots of Political Theology*, Cambridge 1996, 71.

come al Mar Rosso egli abbia annientato l'esercito egiziano. In quei casi non vi fu né bastone né scure umana tra la sua mano e gli effetti distruttivi, nessun agente umano che potesse vantarsi della propria crudeltà. Forse è questo ciò che i profeti credono degli ultimi tempi: se solo Dio è crudele, alla crudeltà è possibile porre fine; né gli assiri né i babilonesi dovranno a loro volta essere puniti. Ove siano all'opera agenti umani, questi d'altro canto sono di necessità sgradevoli – tracotanti, sanguinari, criminali. Il lavoro che fanno, anche se fa parte del grande disegno di Dio, non è un buon lavoro per mano di uomini, non è da celebrare.

Questa visione cupa della politica internazionale può spiegare perché i profeti non assegnino mai a Israele la funzione di strumento nel disegno storico universale di Dio. Per quanto ne so, di Israele non si dice mai che è un bastone o una scure (nel *Salmo* 2 il re ha in mano un bastone, non è egli stesso il bastone di Dio). Né Israele viene mai inviato a porre in atto i giudizi di Dio sulle nazioni. Di fatto non c'è profeta che rappresenti Israele come nazione in armi e che esprima ammirazione per re che siano guerrieri o buoni diplomatici. Siamo di fronte alla politica internazionale vista nella prospettiva delle nazioni più deboli. Talvolta i profeti sperano in un grande capovolgimento delle sorti, e nella loro visione del futuro non manca affatto il risentimento del debole. Ma i trionfi che essi preconizzano sono i trionfi di Dio; le imprese militari o politiche dei re d'Israele sembrano del tutto irrilevanti. Dio non ha bisogno della loro opera e, per essere almeno al sicuro dal suo giusto sdegno, è sufficiente che non facciano nulla.

Non fare nulla, questa è l'idea che hanno i profeti di una politica estera che abbia sanzione religiosa, idea che rappresenta la sfida profetica ai re di Israele e di Giuda che, come i re assiri, tendevano a far affidamento sulla forza delle loro mani e la saggezza dei loro consiglieri. Tienti fuori dalla politica internazionale, che appartiene a Dio solo e ai suoi strumenti – che sono misteriosamente suoi nemici. Lui solo, al momento giusto, può opporsi loro e sopraffarli:

> Cadrà l'assiro di spada, non di un uomo potente [*lo'-iš*] (*Isaia* 31,8).

I profeti possono aver fatto di necessità virtù – la spada d'Israele non sconfiggerà mai gli assiri –, ma per la loro nuova dottrina ciò non è tutto. L'argomento forte contro questa dottrina sarebbe che in un'epoca di imperi la diplomazia, le alleanze e anche la stessa guerra sono strumenti necessari di autodifesa. Perché non fare di questi mezzi virtù? Ma dietro gli imperi i profeti vedono la mano di Dio e negano quindi il valore dell'autodifesa, che di fatto è la sola possibilità. Assiri e babilonesi non comprendono la loro azione; Israele non deve nemmeno cercare d'essere attivo. Questo non è solo un argomento contro l'improbabile imitazione di Assurbanipal o di Nabucodonosor da parte di qualche re israelita. È un argomento contro la politica effettiva di Ahaz, Ezechia, Manasse, Giosia e dei loro successori negli ultimi giorni della monarchia a Sud. L'argomento merita ora di essere esaminato più in particolare. Come dovrebbe agire o non agire Israele in un'età di imperi?

Nel 735, soltanto tredici anni prima della distruzione di Samaria per mano degli assiri e dell'esilio delle tribù del nord, Israele e la Siria coalizzate «marciarono verso Gerusalemme per muoverle guerra» (*Isaia* 7,1). Ahaz, re di Giuda, mobilitò le sue forze per difendersi dall'attacco e inviò ambasciatori all'Assiria chiedendo aiuto – richiesta pericolosa ma per nulla irrazionale. È questo il momento scelto da Isaia per il suo primo intervento politico, o meglio antipolitico. Va a cercare il re e lo scongiura, in nome di Dio, di rinunciare alla mobilitazione e all'ambasceria:

Fa' attenzione e sta' tranquillo [*hašqeṭ*]; non temere e non perderti d'animo (7,4).

Finché il re confiderà nell'aiuto di Dio e non cercherà nessun altro aiuto, il piano dei nemici di Ahaz «non reggerà e non si realizzerà» (7,7). Le parole del profeta intendono probabilmente ricordare il momento in cui al Mar Rosso l'esercito del faraone si avvicinava e il popolo spaventato si stringeva intorno a Mosè:

E Mosè disse al popolo: Non temete, state tranquilli e vedete la salvezza del Signore (*Esodo* 14,13).

«State tranquilli», «non temete» – il messaggio è lo stesso e nei due casi rappresenta la negazione radicale della dottrina dell'iniziativa individuale.

Nella Bibbia ebraica quello dell'inutilità dell'iniziativa individuale è un motivo ricorrente. Nel deserto gli israeliti non hanno bisogno di procurarsi il cibo: Dio fornisce loro la manna. Non occorre che Mosè cerchi il modo di far valere la propria autorità sul popolo recalcitrante: Dio punisce ogni volta i ribelli. Giosuè non deve predisporre l'assedio di Gerico: le sue mura crollano rovinosamente. Isaia non fa che ripetere la lezione contenuta in questi racconti.

I commentatori di Isaia elogiano spesso l'accortezza del profeta, quasi le sue parole siano dettate da circostanze politiche. Gli argomenti dei profeti sarebbero guidati non soltanto dalla fede ma anche dalla prudenza e dal calcolo. «L'interesse principale di Isaia», scrive Joseph Blenkinsopp a proposito della reazione del profeta a una successiva e più spaventosa minaccia militare, «era dissuadere il giovane re [Ezechia] dal farsi attirare in un'alleanza antiassira, che prevedibilmente avrebbe condotto al disastro». Un po' più cauto è Norman Gottwald: il consiglio di Isaia al re, egli sostiene, non è «un giudizio strettamente religioso». Piuttosto, egli «credeva che quella che era un'esigenza religiosa fosse anche utile politicamente». Il profeta fu per il re un consigliere o un saggio in più, più saggio degli altri.[1] Non se ne sa abbastanza per formulare giudizi del genere. Non si è in grado di dire che cosa avesse in mente Ahaz quando rifiutò di «stare tranquillo» o, più tardi, Ezechia quando si unì all'alleanza contro l'Assiria. Non c'è dubbio che fecero i loro calcoli. Perché si dovrebbe pensare che Isaia fosse politicamente più accorto? Sembra più probabile, come afferma Weber, che la sua «posizione politica fosse puramente religiosa, motivata dal rapporto di Jahvé con Israele», e ciò rendeva irrilevanti la prudenza e il calcolo.[2] Per questo ai re che si succedono Isaia dà sempre lo stesso consiglio, ripetendo le sue idee in circostanze diverse, senza prendere atto delle differenze.

Il momento più drammatico è quando nel 701 l'esercito assiro è in marcia, distrugge le città della Giudea e si avvicina a Gerusalemme. Questa volta il re – Ezechia, uno dei migliori re d'Israele a detta dei Deuteronomisti – prende in considerazione un'alleanza con l'Egitto progettando, come dice Isaia,

di rafforzare [se stesso] con la forza del faraone e di confidare nell'ombra dell'Egitto (30,2).

Il profeta vuole dissuadere dall'alleanza, negando che l'Egitto abbia il potere di salvare. Ma la sua opposizione non si basa su qualche analisi militare o politica delle forze egiziane rispetto a quelle assire. Se infatti si contassero cavalli e cocchi si potrebbe propendere per gli egiziani, ma sarebbe un errore:

Guai a quanti scendono in Egitto in cerca d'aiuto, e sperano nei cavalli e confidano nei cocchi perché sono tanti; e nei cavalieri perché sono molto potenti; ma non guardano il solo santo d'Israele né cercano il Signore (31,1).

Gli egiziani sono uomini, non Dio; i loro cavalli carne, non spirito (31,3), e per questa ragione l'alleanza con loro va respinta. Ascoltare questa ragione significherebbe però respingere ogni possibile alleanza, perché fatti di carne sono non soltanto i cavalli degli egiziani. Che cosa allora dovrebbe fare Ezechia?

Nel 701 la tesi di Isaia è la stessa del 735, espressa con le stesse parole:

Nel ritorno e nella calma sarete salvi; nella quiete [$b^e ha\check{s}qe\underline{t}$] e nella fiducia sarà la vostra forza (30,15).[3]

Ancora una volta *non fare nulla*: ma che cosa significa? A dire di Martin Buber ciò per cui il profeta fa pressione sul re è «una politica di tipo par-

---

1 J. Blenkinsopp, *A History of Prophecy in Israel*, London 1984, 114 (tr. it. 136); N. Gottwald, *The Hebrew Bible. A Socio-Literary Introduction*, Philadelphia 1985, 379.

2 M. Weber, *Ancient Judaism*, 319 (tr. it. 1174).

3 Qui «ritorno» significa pentimento; il termine ebraico può anche essere tradotto con «tranquillità», come in NJPS.

ticolare, una teopolitica». È una politica più facile da spiegare in negativo
che in positivo: esige che si respinga ogni alleanza che «coinvolga il popolo [d'Israele] nelle guerre di conquista di altre nazioni».[1] Che queste guerre siano volute da Dio non importa; non è giusto che gli uomini le pro-
gettino ed è perciò sbagliato che Israele vi si associ in un qualsiasi piano
imperialista. Isaia non lo dice mai, ma questa non è una spiegazione della
sua tesi che manchi di plausibilità. *Non fare nulla* significa quantomeno
questo: non partecipare a politiche o a guerre imperialiste.

Qual è la conseguenza di questo rifiuto? Ecco come Buber spiega in positivo la «teopolitica» di Isaia:

> Chi si compromette con le potenze, si stacca dalla potenza delle potenze... e perde
> il suo aiuto; chi, fiducioso, sta calmo ottiene proprio con questo atteggiamento il
> discernimento e la forza politica per tener testa al pericolo.[2]

Manca il parallelismo che ci aspettiamo nella seconda frase, che cioè chi
confida e resta calmo riceve l'aiuto della «potenza delle potenze» – l'aiuto di Dio. Non è questo ciò che Buber vuol dire, mentre questo è certamente ciò che intende Isaia. Isaia non raccomanda una nuova «concezione politica» ma il radicale ritiro dalla politica:

> Perché alla voce del Signore sarà abbattuto l'assiro (30,31).

L'argomentazione di Buber è affine a quella degli odierni pacifisti, che rivendicano l'esistenza di una politica fuori dagli schemi, non imperialista,
non violenta, con cui poter difendere la nostra posizione. Secondo questo
modo di vedere il profeta non intenderebbe criticare l'azione di chi conta
su di sé, ma offrirebbe piuttosto una spiegazione diversa di quel che essa
significa – meglio ancora, una spiegazione diversa del «sé» sul quale pos-
siamo ragionevolmente contare. L'israelita devoto è una persona interior-
mente forte, che non ama combattere, ma non necessariamente contraria
all'azione politica – in una sorta di equivalente antico dell'odierna disobbedienza civile. È forse questo ciò cui pensa anche Norman Gottwald,
quando dice che lo «state calmi» di Isaia non significa «intrecciate le braccia e aspettate».[3]

Per quanto riguarda la politica internazionale, d'altro canto, «intrecciate le braccia e aspettate» è esattamente ciò che intende Isaia, e la narrazione degli eventi del 701 è costruita accuratamente in modo da adattarsi e
giustificare questa raccomandazione. Ezechia non se ne stette calmo, ma
attivamente preparò Gerusalemme all'assedio degli assiri. È di quest'epoca la galleria di Siloe, che portava acqua entro le mura della città; vi ac-
cenna anche Isaia, che racconta anche come per rafforzare le mura il re
facesse abbattere le case (22,9-11). Stando al racconto del secondo libro

---

1 M. Buber, *The Prophetic Faith*, New York 1949, 135 (tr. it. *La fede dei profeti*, Genova 1985,
135).   2 *Prophetic Faith*, 137 (tr. it. 137).   3 N. Gottwald, *All the Kingdoms*, 137.

dei Re, Ezechia trattò con gli assiri e pagò un forte tributo, arrivando a togliere l'oro dalle porte e dalle colonne del tempio (18,14-16). Queste trattative vengono però omesse nel racconto di Isaia, che per il resto segue da vicino il secondo libro dei Re. Nel libro del profeta, Ezechia prega Dio senza fare nient'altro, e Dio manda una pestilenza che distrugge l'esercito assiro (37,36).

Una diversa versione degli stessi eventi è invece quella delle cronache assire, dove si registrano soltanto vittorie e saccheggi e la «riduzione» del regno di Giuda – e ciò significa che l'esercito assiro si ritirò in buon ordine. Evidentemente Ezechia rimase tributario, avendo probabilmente negoziato all'ultimo momento la resa, come fa capire il secondo libro dei Re, salvando così la capitale e il regno. Forse la robustezza delle mura di Gerusalemme e il rifornimento dell'acqua assicurato da poco resero possibili le trattative. Ma nessun profeta avrebbe mai pensato che fosse giusto andar orgogliosi della preveggenza di aver fatto preparativi per un assedio o dell'abilità in trattative diplomatiche. L'unico vero segno di essere un buon re era la benevolenza divina.

Che cosa accade quando non ci sono un buon re né speranze di aiuto divino? Un secolo dopo la ritirata degli assiri, ormai negli ultimi giorni del regno del sud, il profeta Geremia dà un consiglio piuttosto diverso da quello di Isaia. Anch'egli è contrario all'alleanza con gli egiziani e alla rivolta contro la potenza imperiale orientale, che ora è Babilonia. La sua visione della politica delle alleanze in genere la conosciamo bene: cercare aiuto in una potenza terrena significa abbandonare Dio (2,17-18).[1] Ma alla fine, quando l'esercito babilonese ha cinto d'assedio Gerusalemme e nella città il cibo scarseggia, Geremia non dice al re di «stare calmo» e non fare niente, ma preme per una politica prudente e intelligente, anche se di un genere estremamente passivo:

Allora Geremia disse a Sedecia: Così dice il Signore, Dio degli eserciti... Se andrai incontro al re dei principi di Babilonia, vivrai, e questa città non sarà data alle fiamme (38,17).

«Va'» e arrenditi: ecco il consiglio politico che vuole salvare il salvabile. Geremia è l'architetto della politica della sconfitta e dell'esilio, una politica di adattamento alle potenze esistenti. Le differenze con Isaia sono importanti, ma questo non è il luogo per insistervi, perché anche la resa è un modo di sottrarsi ai principi dello stato e alla responsabilità politica. Mettendo Israele nelle mani di Babilonia Geremia credeva di metterlo nelle mani di Dio. Al tempo stesso prometteva una redenzione futura per la

1 Si veda anche la generale condanna della politica di alleanza di Ezechiele: «Hai fornicato con gli egiziani... hai puttaneggiato anche con gli assiri... Hai ancora moltiplicato le tue fornicazioni... in Caldea» (16,26-29). Si esaminano le idee di Ezechiele in politica estera in A. Mein, *Ezekiel and the Ethics of Exile*, Oxford 2001, 84-94.

quale il popolo non aveva nulla da fare se non attendere. Dio punirà i babilonesi come ha punito gli assiri (50,18) – ma non per mano d'Israele.

Queste tesi di Isaia e Geremia, merita ripeterlo, valgono soltanto per la politica internazionale. Solo in rapporto ad altre nazioni i re d'Israele sono giudicati per quel che non fanno, per il loro rifiuto di usare ogni potere di cui dispongano. Per contro, i libri di questi due profeti sono fitti di raccomandazioni di riforme da fare all'interno, ma ciò, come si è detto, non assume mai le dimensioni di un programma politico né è ciò che ci si attenderebbe dal discorso profetico. È abbastanza evidente che i giudizi dei profeti su Israele, a differenza dei loro giudizi a proposito delle altre nazioni, sono anche inviti all'azione. Stare calmi, restare fermi, arrendersi alle potenze locali esistenti – non sono queste le risposte che ci si deve aspettare né le risposte giuste. «La giustizia dovete cercare, la giustizia», dice l'autore del Deuteronomio (16,20, NJPS), e i profeti sanno bene che «cercare» è un verbo attivo. Anche se non richiede necessariamente l'azione politica, richiede che si agisca nel mondo.

La ricerca della giustizia è il tipo di azione che più facilmente associamo ai profeti ebrei. È importante osservare che questa ricerca non comporta nessuna delle tipiche maniere di «cercare il Signore» né alcuna delle espressioni rituali di fede in Dio. La ricerca della giustizia è l'esatto opposto dei digiuni e dei sacrifici. Così si esprime Isaia:

Non è questo il digiuno che ho preferito? sciogliere le catene di iniquità, togliere i pesanti gravami e lasciare libero l'oppresso e spezzare ogni giogo? Non sta nel dividere il tuo pane con l'affamato, portare nella tua casa i poveri che sono senza tetto? (58,6-7).

Anni prima, Amos aveva parlato in modo ancor più esplicito:

Detesto, ho in odio le vostre feste, e non gradisco le vostre riunioni solenni. Anche se mi offrite olocausti e i vostri doni di carni, non li accetterò; non guarderò le offerte di pace dei vostri grassi animali... Ma il giudizio scorra come acqua e come fiume potente la giustizia (5,21-24).

All'interno i profeti richiedono attenzione per gli oppressi, gli affamati e i senza tetto; giudizi e giustizia. Se il popolo di Israele ottempererà a queste richieste, nella comunità internazionale sarà al sicuro – anche in un'epoca di imperi. La classica dichiarazione che promette sicurezza proviene da Geremia, che parla, penso, prima dell'attacco babilonese:

Così dice il Signore degli eserciti, il Dio d'Israele: Correggete le vostre vie e le vostre azioni e vi farò dimorare in questo luogo. Non confidate in parole menzognere, dicendo: Il tempio del Signore, il tempio del Signore, il tempio del Signore... Perché se correggerete veramente le vostre vie e le vostre azioni, se darete esecuzione seriamente al giudizio tra un uomo e il suo vicino, se non opprimete il forestiero, l'orfano e la vedova e non versate sangue innocente... [e] non seguirete per vostra disgrazia altri dei, allora vi farò dimorare in questo luogo, nel paese che ho dato ai vostri padri, per sempre (7,3-7).

Questo è quanto predicano i profeti riguardo al mondo delle nazioni: la sola buona politica estera è una buona politica interna. Opera con giustizia all'interno e la tua casa sarà sicura. Questa posizione è immediatamente riconoscibile; è infatti quella che in epoca moderna è stata spesso adottata in politica dalla sinistra, il partito della riforma interna. Ma la versione moderna della predicazione profetica non è ispirata soltanto dall'ideologia di sinistra, bensì anche dalla prudenza e dal calcolo, in quanto una società retta da principi di giustizia e solidarietà sarà anche una società forte, i cui cittadini saranno disposti a rischiare la vita per difenderla. I profeti non pensano evidentemente a un argomento del genere. Per loro la giustizia sociale all'interno garantisce la protezione divina all'esterno; non vi è alcuna necessità di cittadini soldati. Questa posizione è tuttavia profondamente insoddisfacente, perché nega ciò che a lungo non è possibile negare, vale a dire l'autonomia della politica internazionale e i pericoli che essa presenta. Si può certo chiedere a Geremia perché condanni gli israeliti che dicono: «il tempio del Signore, il tempio del Signore», volendo con ciò dire che finché si osservano i riti del culto la riforma non è necessaria, quando tutto quello che egli stesso e altri profeti come lui sanno dire nella pubblica arena è soltanto: «il Dio d'Israele, il Dio d'Israele», intendendo con ciò che finché resta salda la fede non sono necessarie diplomazia e difesa. Nel loro libro sull'idolatria Moshe Halbertal e Avishai Margalit scrivono che «il fallimento della politica dei profeti è insito nel loro requisito intransigente dell'esclusività di Dio nell'ambito della politica». I profeti vorrebbero impedire ai governanti d'Israele di «giocare la partita della politica terrena».[1] Ma anche la partita della politica celeste ha le sue difficoltà. L'affermazione di Giobbe che i giusti soffrono quanto i malvagi è vera sia per la politica internazionale sia per quella interna.

Come che sia, la posizione profetica riguardo alla riforma interna non viene mantenuta con coerenza. A un certo momento in età preesilica – quando di preciso è controverso – i profeti iniziano a parlare di uno straordinario intervento divino negli affari interni d'Israele. Lo strumento locale di Dio, per così dire, non sarà un «bastone» ma un ramo del ceppo di Iesse; questo re messianico compirà quel che i comuni re non sono riusciti a fare. Una volta che si prenda a pensare in questa direzione, è possibile dire a tutto Israele ciò che Isaia aveva detto ad Ahaz e a Ezechia: «Fa' attenzione e sta' calmo; non temere». Nel capitolo 10 si cercherà di mostrare come questa predicazione profetica, in un primo tempo impartita nel contesto della politica internazionale, risultò infine convincente.

---

1 M. Halbertal - A. Margalit, *Idolatry*, tr. N. Goldblum, Cambridge 1992, 234-235.

Capitolo 7

L'esilio

Non mi accingo a raccontare storie tristi sulla caduta della casa di David e sugli anni dell'esilio di Babilonia; intendo invece iniziare la mia esposizione della politica esilica prendendo atto delle dimensioni della catastrofe che colpì la popolazione del regno del sud nel 587. Quel disastro fu l'adempimento delle maledizioni del Deuteronomio – e insieme della promessa di Dio che quello che era accaduto ai cananei sarebbe accaduto anche agli israeliti se avessero commesso «abominazioni» di tipo analogo. D'altro canto la sorte delle due nazioni non fu in realtà la stessa. Se si accetta la versione della conquista presentata dal libro di Giosuè, Israele se la cavò meglio di Canaan, perché il suo popolo non fu sterminato, ma soltanto deportato. Se si condivide la versione dei Giudici, a Israele le cose andarono peggio, perché la sua disfatta non fu graduale e parziale, ma improvvisa e completa. La sua capitale venne distrutta, il suo tempio dato alle fiamme, molti dei suoi capi furono uccisi e una parte cospicua della nazione – l'intera élite politica e gli artigiani esperti delle città e dei villaggi – furono deportati a Babilonia. Furono lasciati solo i contadini, gli abitanti più poveri della città e insieme a loro l'ignoto poeta – che talvolta, anche se pare improbabile, si dice sia Geremia – che compose il grande lamento su Gerusalemme:

> Come sta solitaria la città, un tempo piena di popolo! (*Lamentazioni* 1,1).

La disfatta e l'esilio sono tragedie umane, ma in tal caso furono anche eventi di una storia politica alla quale in qualche modo essi non riuscirono a por fine. Dopo la caduta di Samaria di fronte agli assiri nel 721, le dieci tribù del nord furono deportate, alla lettera, nell'oblio; nelle narrazioni storiche scompaiono. Le tribù meridionali, al contrario, seppero costruire in esilio una vita in comune – forse a causa dell'opera precedente dei re davidici, oppure dei riformatori deuteronomici, dei tardi profeti o dei sacerdoti del tempio – o forse perché i babilonesi offrirono loro condizioni migliori di quanto non avessero fatto gli assiri. Quando sedevano e piangevano in riva ai fiumi di Babilonia gli esuli conservavano anche una qualche forma di organizzazione comune e col tempo prosperarono economicamente. Inventarono nuovi modi di praticare il culto di Dio, resistettero alle religioni locali, discussero di politica e teologia, produssero versioni nuove di vecchi libri, ascoltarono e conservarono l'opera di due dei maggiori profeti, Ezechiele e il Secondo Isaia. Non si può assolutamente dire se in un paese straniero tutto ciò avrebbe reso possibile la loro fedeltà e la loro sopravvivenza, se non ci fossero stati il ritorno a Gerusalemme e la ricostruzione del tempio. Di fatto l'esilio durò soltanto mezzo secolo. Ma l'editto di Ciro che autorizzava il ritorno non ripristinò né la monarchia né l'indipendenza politica; tranne che per l'intermezzo asmoneo, Israele da allora fu un popolo vassallo e la Giudea una provincia dell'impero. L'esilio fu quindi una perdita permanente e gli anni di Babilonia l'inizio di adattamenti di lunga durata.

La perdita politica immediata è ben illustrata dal profeta Ezechiele nell'introduzione a una delle sue straordinarie visioni: «E avvenne, il sesto anno [dell'esilio] ... mentre ero seduto nella mia casa e gli anziani di Giuda erano seduti davanti a me...» (8,1). Per profetare Amos si era recato al santuario di Betel; Isaia, al palazzo del re o alle porte della città; Geremia aveva parlato nel cortile del tempio. A Babilonia, invece, gli anziani vengono alla casa di Ezechiele; la profezia si è ritirata in salotto. Non ci sono più spazi pubblici, come può permetterseli uno stato indipendente, nei quali il popolo si riunisca liberamente per fini politici, sociali o religiosi, per ascoltare o non ascoltare il profeta itinerante. La casa di Ezechiele, tanto lontana dalla casa di Dio e da quella del re, funge da simbolo dell'assenza dello stato. È comprensibile che in un simile ambiente la profezia dovesse prendere forme più mistiche, anche più personali – benché tanto Ezechiele quanto il Secondo Isaia continuino a essere interessati alla politica internazionale, dal momento che l'assenza dello stato è una condizione recente e, come sperano, temporanea. Le riunioni nella casa di Ezechiele, e presumibilmente in molti luoghi simili, segnarono l'inizio di una profonda trasformazione della vita comune d'Israele – di quel processo mediante il quale gli israeliti furono trasformati, o si trasformarono, in giudei.

La domanda inevitabile tra gli esuli fu quella della responsabilità. Com'era accaduto il disastro? che cosa aveva indotto Dio ad abbandonare il suo popolo, a consentire che il tempio fosse distrutto? chi si doveva rimproverare? Alcuni israeliti devono aver concluso che Dio li aveva traditi o abbandonati definitivamente e che ora la linea più accorta fosse un cambio di alleanza religiosa. C'è un esiguo numero di passi scritti dai profeti dell'esilio che sembrano corrispondere a questo modo di vedere. La maggior parte degli esuli, invece, cercava risposte entro i parametri della fede nel patto. Un'eco della prima risposta si trova nella stesura e redazione finali del libro dei Re. Dal punto di vista dell'ideologia davidica, ossia della dottrina del patto regio, nessuno poteva essere ritenuto responsabile tranne gli stessi re. Stava qui l'intima debolezza della teoria alta della monarchia: non consentiva nessuna ripartizione della condanna. L'attenzione degli storici andava tutta a Manasse, che aveva regnato circa quarant'anni prima dell'esilio:

e Manasse sedusse [il popolo d'Israele] a compiere misfatti maggiori delle nazioni che Dio aveva sterminato prima [di loro]. E il Signore parlò per mezzo del suo... profeta, dicendo: «Poiché Manasse... ha commesso queste abominazioni... asciugherò Gerusalemme come si asciuga un piatto, strofinandolo e rovesciandolo di sopra e di sotto. E respingerò il resto della mia eredità» (2 *Re* 21,14-18).

Perché soltanto Manasse? Pochi re della casa di David potevano dirsi senza colpa, e pare che nel periodo immediatamente successivo al trionfo di Babilonia l'idea stessa di monarchia ebbe a patire una parziale eclisse. A giudicare dagli ultimi capitoli di Ezechiele e dagli scritti postesilici, né gli esuli né i primi che fecero ritorno provarono grande entusiasmo per una totale restaurazione politica. Aggeo e Zaccaria riposero le loro speranze in Zorobabele, nipote dell'ultimo re di Giuda, ma fin dove si spingessero le ambizioni di questo e quanto consenso egli fosse in grado di raccogliere attorno a sé, non è chiaro. In seguito, benché a quanto pare si sapesse che in Giudea vivevano discendenti di David, non si ha notizia di un loro seguito politico. Forse la designazione, da parte del Secondo Isaia, di Ciro come unto del Signore (45,1) è un segnale di quel che stava per accadere: il destino del paese non sarebbe stato messo di nuovo nelle mani incerte di re davidici.

La seconda risposta alla questione della responsabilità si può trovare già nei profeti preesilici. Partendo dalla loro visione del patto del Sinai, per la quale l'intero popolo aveva giurato obbedienza alla legge di Dio, i profeti fanno responsabile il popolo stesso del disastro che sta per abbattersi su di lui. I profeti sostengono la dottrina della responsabilità collettiva. Questa dottrina viene formulata in due modi molto diversi. Talvolta i profeti fanno capire che la colpa è profondamente diffusa in tutta la comunità: ognuno e tutti gli israeliti hanno peccato contro Dio. Questo è il sottinteso di *Geremia* 5,1, passo che mi pare richiamarsi alla disputa di Abramo con Dio a proposito di Sodoma e Gomorra:

Andate avanti e indietro per le vie di Gerusalemme... e cercate nelle sue grandi piazze se potete trovarvi un uomo, se possa esserne uno che metta in pratica il giudizio, che cerchi la verità, e vi perdonerò.

Per dieci giusti Dio avrebbe perdonato Sodoma, e Gerusalemme per uno solo, ma il profeta non ne trova nemmeno uno. D'altra parte la critica specificamente sociale dei profeti comporta un secondo sottinteso, molto diverso. Quando per esempio Amos critica il ricco perché opprime il povero, sembra pensare che i poveri siano innocenti. Certo, a questi non si può far colpa della loro oppressione; o ancora, quando l'autore delle Lamentazioni, nei giorni immediatamente dopo l'esilio, dice che «Giuda è entrato in cattività a causa dell'afflizione e a causa della grande servitù» (1,3), probabilmente si riferisce alle permanenti violazioni della legge che esigeva il rilascio degli schiavi (si veda la storia in *Geremia* 34). Chiunque fosse da accusare per questo, certo non erano da accusare gli schiavi. Ciò nondimeno i poveri e gli schiavi, insieme a tutti gli altri israeliti, subirono le conseguenze dell'ira divina.

La più antica dottrina biblica della responsabilità fa ereditaria la colpa: Dio «[fa ricadere] l'iniquità dei padri sui figli e sui figli dei figli, fino alla terza e alla quarta generazione» (*Esodo* 34,7). Geremia respinge questa concezione, ma solo per la futura età della redenzione d'Israele:

In quei giorni non diranno più: I padri hanno mangiato uva acerba e i denti dei figli stridono. Ma ognuno morirà della propria iniquità (31,29-30).

In «questi» giorni, al contrario, Dio «ricompensa l'iniquità dei padri nel petto dei loro figli dopo di loro» (32,18). Qual è la differenza tra questi giorni, quelli del presente di Geremia, e quei giorni, quelli della futura redenzione? Penso sia la politica a fare la differenza. Ora si deve insegnare e mettere in atto la legge del patto, e questo richiede re, sacerdoti, giudici, strutture e decisioni comuni aventi autorità. Lo stato e tutti i suoi membri o tengono fede al patto o vengono meno a questa fede, ma il venir meno porta alla punizione collettiva, che il profeta esprime nel convenzionale linguaggio dell'eredità. In ogni caso è più plausibile dire delle comunità che non degli individui che le generazioni future soffriranno per i peccati del presente. Ma nel futuro Dio tratterà direttamente con gli individui; la mediazione dell'apparato di un governo politico, della monarchia e del sacerdozio non sarà più necessaria:

E tra loro non più nessuno insegnerà al suo vicino e nessuno al suo fratello, dicendo: Conosci il Signore; perché tutti loro mi conosceranno (31,34).

Si confronti questo passo con *Esodo* 32,27, quando Mosè scende dalla montagna, trova il popolo che adora il vitello d'oro e ordina che i leviti passino e ripassino per l'accampamento, e «ognuno uccida il fratello, ognuno il compagno e ognuno il vicino». Se il popolo «conosce il Signore», non sarà più necessario uccidere né sarà più necessario insegnare: la responsabilità collettiva scomparirà insieme con la stessa autorità politica.

Per come però andarono le cose, l'esilio, non la redenzione portò con sé la fine della politica o quantomeno la fine della sovranità nazionale e di un'autorità che insegnasse e giudicasse. Non a Gerusalemme né a casa sua né nel cortile del tempio Ezechiele predica la severa dottrina della responsabilità personale, ma «presso il fiume Kebar», in Babilonia. Egli ripete il verso di Geremia sull'uva per poi negarlo per il presente, per il qui e ora biblico: «Non avrete più occasione di usare questo proverbio in Israele» (18,3). Non c'è anima, dice il profeta, che non sia di Dio – quella dei figli come quella dei padri – e solo l'«anima che ha peccato morirà».

L'argomentazione che segue è di un tipo molto raro negli scritti profetici, in primo luogo per essere esplicita e specifica, in secondo luogo per il risalto fondamentale delle azioni buone e cattive personali anziché nazionali. Il profeta parla in prosa, evita le metafore (tranne quella dell'uva) e non racconta di visioni. Parla soltanto dell'israelita in quanto individuo, «ciascuno secondo la propria condotta» (*Ezechiele* 18,30), senza mai accennare a intermediari politici: re, funzionari, sacerdoti o profeti. I peccati di cui gli individui sono ritenuti responsabili sono i peccati di ciascuno e la ricompensa per averli evitati è di natura distributiva, non collettiva: la felicità personale, non il successo o il trionfo della nazione:

Se uno è giusto e compie ciò che è conforme alla legge e alla giustizia, e se non ha mangiato sulle alture, né ha alzato gli occhi agli idoli della casa di Israele, né ha disonorato la moglie del suo prossimo, né si è accostato a una donna mestruata, e se non ha oppresso nessuno ma ha restituito il suo pegno al debitore, non ha spogliato nessuno con la forza, ha dato il pane all'affamato e coperto con una veste chi era nudo; chi non ha prestato con usura e non ha preso l'interesse, ha allontanato la sua mano dall'iniquità, ha messo in atto giudizi veri, ha camminato nei miei statuti e osservato le mie leggi agendo con fedeltà, questi è giusto e certamente vivrà (18,5-10).

L'elenco dei peccati non è nuovo (né lo è la mistione di richiami alla legge di purità e a quella di giustizia), e nel suo commento Moshe Greenberg ha sostenuto che in Ezechiele la parziale ripetizione nel cap. 22 è la riprova che il libro non era «fatto su misura per l'individuo o per l'esule» e non fa pensare a uno «spostamento del centro d'interesse dalla comunità nazionale all'anima individuale».[1] Anziché le somiglianze vorrei invece sottolineare le differenze tra il cap. 18 e il cap. 22. Quest'ultimo capitolo ripete gli argomenti dei profeti preesilici, benché ora lo faccia al passato, quasi a spiegare la catastrofe recente: «Ho remunerato la loro condotta sulle loro teste, dice il Signore». Ricompensa qui non significa, come nel cap. 18, «a ciascuno secondo la sua condotta». Nel cap. 22 l'uso del pronome al plurale è politicamente significativo; i peccati della città sono attribuiti gerarchicamente a sacerdoti, funzionari, profeti e al misterioso «popolo della terra», e la punizione è collettiva: «la casa d'Israele è diventata per me un fastidio» (22,18). L'*intera* casa è condannata, perché i suoi peccatori rappresentano tutto Israele, non le «anime» o le «persone» individualizzate del cap. 18.

Nel cap. 18 Ezechiele non fornisce una terza risposta alla questione della responsabilità politica – quando sostiene che non erano stati i re d'Israele i responsabili della distruzione, né lo era stato Israele come collettività;

1 *Ezekiel 1-20* (Anchor Bible), Garden City, N.Y. 1983, 343. 341. Si veda anche l'interessante disamina ambivalente di questo testo in A. Mein, *Ezekiel and the Ethics of Exile*, Oxford 2001, spec. 187-188.

sarebbero stati i singoli israeliti. Ezechiele solleva invece un'altra questione. Sostituisce la domanda: «Perché la città fu distrutta?» con: «Come si deve vivere?». La domanda certo non è nuova: si possono leggere i celebri versi di Michea che iniziano con «egli ti ha insegnato, o uomo, che cosa è bene» (6,8) come una prima risposta. La risposta di Ezechiele non è diversa, soltanto è più elaborata e particolareggiata, basandosi sui codici di legge in un modo che, come osserva Greenberg, si adatta alla natura profetica sacerdotale dell'opera di Ezechiele nel suo insieme.[1] Profezie come quella di Michea mancano tuttavia dell'individualizzazione esplicita propria di *Ezechiele* 18. Le parole rassicuranti e consolanti dei profeti precedenti sono normalmente rivolte a Israele nel suo complesso, mentre Ezechiele rassicura gli individui: se si è giusti si verrà ricompensati. Per quest'affermazione il parallelo più ovvio non si trova negli altri profeti né negli scritti storici ma nella letteratura sapienziale – la tesi di Ezechiele è simile a quella degli amici di Giobbe. Lo stesso Giobbe dà la risposta ovvia e al pari dei suoi amici è tutto assorbito dal suo caso personale, non si vede come membro di una comunità morale e nazionale.

Nell'esilio Israele era ancora una comunità ma non era più padrone del suo destino; soltanto singoli israeliti potevano avere una simile padronanza e, a meno di godere del favore di qualche gentile, poterono essere padroni unicamente dei loro singolari destini. La politica che deriva da questa perdita collettiva di potere si rivela nel modo più evidente nel libro di Ester. Il libro, come dice Robert Alter, è «una sorta di fiaba», e si continua a discutere se alla base del racconto vi sia qualche nucleo storico, ma per i nostri fini la questione non ha importanza.[2] L'autore aveva una visione della politica esilica che era ovviamente in sintonia con quella dei suoi primi lettori, ed è questa appunto che qui si cercherà di spiegare. Proprio all'inizio il libro contiene un secondo simbolo della condizione di Israele privo di stato: racconta che nell'harem del re Ester non rivela «la sua famiglia e il suo popolo» (2,20). Ezechiele che profetizza nella sua casa, Ester che tace nel palazzo: insieme i due fanno capire come ci si dev'essere sentiti in esilio. Non che di necessità lascino capire tutta la realtà, dal momento che nel palazzo del re Neemia rivela la propria identità nazionale. Ester e Neemia hanno però un'altra cosa in comune: non sono i rappresentanti scelti del loro popolo. In momenti decisivi entrambi parlano nell'interesse del popolo, ma erano stati scelti da un re straniero, servivano il re e dipendevano totalmente dal suo favore. Non erano gli eredi di

---

[1] M. Greenberg, in *Ezekiel 1-20*, 342.

[2] R. Alter, *The Art of Biblical Narrative*, New York 1981, 34 (tr. it. *L'arte della narrativa biblica*, Brescia 1990, 49). Per le argomentazioni v. *Esther* (Anchor Bible), Garden City, N.Y. 1971, XXXIV–XLVI.

patti regi o sacerdotali, non erano stati chiamati da Dio, non chiesero il consiglio di un'assemblea di anziani. Li si può pensare come i primi giudei che vivono a corte (anche se Giuseppe ne è un modello lontano).

Fondamentale da un punto di vita politico nel libro di Ester, e sua novità sostanziale, è l'assenza di qualsiasi attribuzione di responsabilità agli esuli israeliti (sempre definiti giudaiti o, forse, giudei). Questi israeliti non sono esuli della prima generazione; l'autore non li presenta come nazione colpevole che ha meritato la cacciata dal paese d'Israele e il destino che Aman progetta per loro; Aman non è un esecutore della punizione divina. Né d'altro canto gli israeliti sono presentati come membri di una nazione che ha fiducia nelle proprie forze, capaci di difendersi. Non sono responsabili di quanto sta per accadere loro, né spetta loro impedirlo. Fino a quando Ester non ha ottenuto dal re un decreto che consenta al popolo di difendersi, questo è impotente e senza speranza: «grande cordoglio c'era fra i giudei, e digiuno e pianto e lutto» (4,3). Tutto ciò era senza dubbio un modo d'invocare Dio, anche se nel racconto Dio non viene mai menzionato né viene in aiuto del popolo. Si fa pianto e lutto, anticipando l'afflizione che verrà; non v'è nulla che si possa fare. Il racconto dei giudei che in seguito si difendono si svolge allo stesso modo, ma con sentimenti opposti: è una fantasia di vendetta più che il racconto realistico di un'azione politica (e militare).[1] Il popolo non si salva da sé ma viene salvato dalla bellezza e dal coraggio di Ester. Sfuggire alla sventura è un colpo di fortuna che non si ripeterà facilmente.

È da osservare il contrasto con la storia di Giuseppe. Questi racconta ai fratelli che fu Dio a fare di lui il primo ministro del faraone – e per una sola ragione: affinché potesse salvare la famiglia. «E Dio mi ha inviato davanti a voi per conservarvi una posterità sulla terra e salvare le vostre vite con una grande liberazione» (*Genesi* 45,7). La vicenda di Giuseppe è voluta dalla provvidenza, non quella di Ester, che pure salva l'intera nazione. La sua è una storia terrena. Mordecai, non Dio, la mette nel palazzo del re e, con lo stupore di qualche commentatore rabbinico medievale, nel letto del re.[2] In questo racconto esilico Dio è più distante. Mordecai dice a Ester che se non parlerà al re, l'aiuto ai giudei verrà da «un'altra parte» (4,14) – presumibilmente dal cielo, ma l'accenno è particolarmente sobrio.

Aman è il primo antisemita, e benché sia detto discendente dagli amaleciti è diverso da tutti i precedenti nemici di Israele – dagli egiziani, che temevano il numero crescente dei discendenti di Giacobbe; dalle tribù e

---

1 A. LaCocque, in *The Feminine Unconventional. Four Subversive Figures in Israel's Tradition*, Minneapolis 1990, 77, definisce il massacro alla fine del libro di Ester come «pio desiderio nutrito da eterne vittime»; ma il pio desiderio non resta senza conseguenze, cf. E. Horowitz, *Reckless Rites. Purim and the Legacy of Jewish Violence*, Princeton 2006.

2 Si veda B.D. Walfish, *Esther in Medieval Garb. Jewish Interpretation of the Book of Esther in the Middle Ages*, Albany 1993, 122-123.

dai popoli vicini che combatterono con gli israeliti per la terra e le ricchezze; dai re rivali che rivaleggiarono per l'impero; dai sacerdoti e profeti che servivano altri dei. L'ostilità di Aman è provocata dalla vulnerabilità dei giudei, stranieri in terra straniera, aggrappati alle loro forme di vita. Il modo in cui li accusa parlandone al re sorprende per lungimiranza. L'autore di questa favola, se di favola si tratta, ha colto il senso più profondo dell'esilio dei giudei. «C'è un popolo sparso ovunque e disseminato fra... tutte le province del tuo regno; le loro leggi sono diverse da quelle di tutti gli altri e non osservano le leggi del re» (3,8). Si notino i due elementi dell'accusa. Il popolo «è sparso ovunque», mentre la maggior parte delle altre nazioni vinte vivono raggruppate in un territorio circoscritto, dove sono a casa loro, stabili, soggette alle normali forme di controllo sociale. C'è un che di subdolo, di pericoloso nella stessa dispersione dei giudei. Per di più osservano le loro leggi, distinguendosi da tutti gli altri sudditi del re. Nella loro differenza c'è qualcosa di perverso.

Buona parte della politica giudaica dell'esilio aveva per obiettivo, non soltanto in funzione difensiva, questa seconda accusa (per la prima non c'era risposta). Come sarebbe sopravvissuta la nazione, sparsa ovunque e profondamente diversa dalle nazioni tra le quali era disseminata? come poteva conservare la propria identità sotto un governo straniero, senza un re, funzionari e sacerdoti propri? come doveva considerare le leggi dei re stranieri? La prima risposta a queste domande, e in un certo senso una risposta definitiva, fu data dal profeta Geremia, in una lettera inviata da Gerusalemme agli esuli in Babilonia:

Così dice il Signore degli eserciti, il Dio d'Israele, a tutti coloro che sono stati deportati prigionieri... Costruite case e abitatele; e piantate orti e mangiatene i frutti; prendete moglie e generate figli e figlie; e prendete mogli per i vostri figli e date marito alle vostre figlie, che possano generare figli e figlie; che lì possiate crescere e non diminuire. E cercate la pace della città nella quale vi ho fatto deportare prigionieri e pregate per essa il Signore: perché nella sua pace avrete anche voi pace (29,4-7).

Probabilmente Geremia non intendeva che le figlie d'Israele si dovessero «dare», come Ester, all'harem del re straniero, anche quando qualcosa del genere potesse contribuire alla pace della città o alla sicurezza della comunità esilica, come intendeva suggerire l'autore del libro di Ester. Il profeta raccomanda un adattamento politico e insieme materiale alla condizione di cattività – opponendosi a profeti rivali come Anania e Semaia e anche a molti funzionari regi, favorevoli alla cospirazione e alla rivolta, che premevano sugli esuli di Babilonia per una ferma ostilità alla pace della città. In patria gli argomenti di Geremia rimasero inascoltati, ma a Babilonia sembra avessero fatto presa sugli animi. Ancor oggi ci sono commentatori ebrei del libro di Ester che citano la lettera di Geremia come prova che le accuse di Aman contro i discendenti degli esuli erano false. La loro differenza non costituiva un pericolo.[1]

Che cosa esattamente conteneva il suo consiglio? Suppongo che Mordecai volesse la pace della città quando aveva avvertito il re dei ciambellani ribelli, Bigtan e Teres (*Ester* 2,21-23). Per «pace» s'intende qui la sicurezza di chi governa, significato che nella storia esilica il termine ha di frequente. Assuero è chiaramente un personaggio problematico, dato che acconsente senza difficoltà alle richieste di Aman come farà in seguito con Ester, ma spesso i re e gli oligarchi protessero i giudei da attacchi populisti e la politica giudaica ufficiale dell'età esilica fu tendenzialmente conservatrice, sostenendo l'autorità costituita in base al principio di Geremia che «nella pace avrete anche voi pace». È quindi probabile che nella Babilonia e in Persia gli esuli abbiano obbedito alla legge del re, almeno per quanto riguardava l'ordine sociale.

Obbedivano però anche a una legge tutta loro e, come mostra il libro di Daniele, ciò potrebbe averli condotti a rifiutare obbedienza al re. Ma anche in casi meno estremi di quello di Daniele e in ambienti relativamente più favorevoli, le leggi d'Israele riguardo al culto, il matrimonio, gli alimenti, l'osservanza del sabato e molto altro avrebbero contribuito a isolare la comunità esilica lasciandola sempre esposta ad accuse come quelle di Aman. Al tempo stesso la legge contribuiva alla sopravvivenza degli esuli come comunità e chiudeva la strada all'assimilazione, destino comune dei popoli dell'antichità quando venivano deportati. Sopravvivenza e vulnerabilità stanno insieme, e questa scabrosa associazione determina la natura della politica esilica.

«Cerca la pace della città» è una massima politica, ma ciò cui fa pensare è un programma politico assai limitato. Non invita gli esuli a cercare la pace di un certo tipo di città, i cui usi e regole potessero andare d'accordo con quelli di un certo tipo di popolo. L'invito vale per ogni città, e questo fino a quando in questo mondo gli Aman sono senza potere, e fino a quando ci sono dei Mordecai e delle Ester in grado di intercedere per i giudei. La cosa migliore è probabilmente una città imperiale e cosmopolita, governata con autorità. Per quanto riguardava Babilonia, gli esuli non avevano né potevano avere maggiori ambizioni politiche. Speravano di tornare a Gerusalemme, ma l'intenzione di Geremia quando scrisse la sua lettera fu di persuaderli a non fare niente più che sperare. Una volta avvenuto il ritorno – grazie a Ciro, non a un re davidico –, gli esuli che rifiutarono di tornare preferendo le loro case e i giardini nella Babilonia non ebbero da sperare altro che la «pace». Per quanto poterono, obbedirono alle leggi dei re stranieri che, a quanto era dato vedere, erano stati scelti da Dio perché li governassero.

1 Si veda ad esempio A. Cohen (ed.), *The Five Megilloth*, London 1952, 211-212.

Il gran numero di quelli che rimasero fu una sorpresa? La tragica visione di Ezechiele, dell'esilio come fossa colma di ossa inaridite (37), non fa pensare affatto alla contentezza provata evidentemente da molti esuli. Lo stato d'animo che esprimono gli scritti esilici rimasti (e individuabili) è a un tempo di apprensione e di attesa: la contentezza è radicalmente assente. Talvolta ci si spinge a sperare l'indipendenza e un regno riunificato ma, come si è accennato, ciò che interessa è altro. Il desiderio di restaurazione della monarchia resta vivo quanto basta per dar vita nel tempo a tutta una dottrina messianica. Ma l'interesse principale di Ezechiele e del Secondo Isaia va a mio parere al ritorno fisico e spirituale – al favore di Dio, a Gerusalemme, a Sion – molto più che a una restaurazione politica. E questo interesse primario, come del resto risulterà, è perfettamente compatibile con l'adattamento e la calma obbedienza. Si presta addirittura a una realizzazione indiretta: il saluto festoso di chi resta e guarda partire gli esuli senza unirsi a loro.

La pace favorì negli esuli una svolta interiore. Lo si constata chiaramente nella tendenza individualizzante di *Ezechiele* 18, ma anche nei nuovi modelli sulla cui base ci si definisce e a cui si ispirano le associazioni religiose che iniziano a prendere forma a Babilonia. Questi modelli non sono facili da individuare, perché nei testi biblici del periodo i temi esplicitamente dottrinali sono rari. Molti degli scritti che circolavano nell'esilio erano infatti rifacimenti editoriali e redazionali, e le nuove forme di associazione furono provvisorie e sperimentali, creazioni del momento più che progetti programmatici. Eppure fu proprio negli scritti babilonesi che il popolo del libro e la sinagoga fecero la loro prima comparsa.

Finché Israele fu indipendente i suoi sacerdoti, profeti e scribi produssero libri di ogni tipo – codici di leggi, cronache di corte, oracoli, componimenti poetici e racconti epici – senza alcun impulso visibile a fissarli in qualche forma definitiva o a creare un canone consacrato. Non intendo dire che i libri non fossero importanti; una sezione del Deuteronomio potrebbe anche essere stata pensata come sorta di costituzione per un regno riformato. Ma in un certo senso la vita politica era una realtà autosufficiente, tanto da non necessitare di testi fondativi, ed era abbastanza varia da rendere probabilmente impossibile accordarsi su un solo complesso di testi. La messa in canone di certi testi ha inizio nella Babilonia, ed è abbastanza probabile che sia qui che videro la luce le versioni finali o penultime del Pentateuco, dei libri storici e di alcuni libri profetici. Tutti questi scritti erano stati elaborati in precedenza; ora si disse che il lavoro era terminato, che il testo era autorevole, soggetto soltanto a interpretazione non più a revisione. È come se il libro, o il libro dei libri, prendesse il posto dello stato, fornendo una solida base all'identità collettiva.

Impossibilitati a incoronare un re, gli esuli elevarono a canone una serie di testi.

Questo sviluppo diede origine a un gruppo dirigente di nuovo tipo, quello degli scribi, piuttosto che dei sacerdoti o dei profeti, ma non vorrei sembrare esagerato. Nell'esilio la profezia continuò a esistere – raggiungendo col Secondo Isaia punte altissime d'intensità religiosa e di efficacia poetica –, e le visioni e gli oracoli di Aggeo e di Zaccaria che sono pervenuti sono fonti importanti per la storia più antica del ritorno. Nella Babilonia, d'altro canto, i sacerdoti non restarono inattivi, malgrado la cessazione del sacrificio; i testi biblici fanno pensare che studiarono le loro genealogie, mantennero la loro posizione sociale e fecero piani per il futuro.

Ezechiele 40-48 è una profezia che illustra un tempio-stato, e non è difficile immaginare il profeta che a casa sua ne espone i particolari barocchi – prodotto dell'immaginazione in esilio – a riunioni di parenti sacerdoti. Ma nella Babilonia l'opera più importante dei sacerdoti fu il lavoro di scrittura.

Per quanto oggi vi sia disaccordo sulla portata effettiva dell'attività degli scribi, di rado se ne mette in dubbio l'importanza.[1] Dovevano concorrervi in molti, ma come già si è accennato riguardo all'operato dei primi legislatori, nulla si sa delle condizioni e della natura del lavoro degli scribi – dove si riunivano, quali controversie sorsero tra loro, come riuscirono a produrre testi (più o meno) definitivi. Al termine dello sviluppo, Esdra, la cui ascendenza sacerdotale viene fatta risalire a Sadoq, Fineas e Aronne, porta con sé il nuovo libro a Gerusalemme. Questo almeno è quanto ci viene raccontato, ed è evidente che in ciò è implicito come Esdra abbia avuto un ruolo di guida nella creazione del libro. Egli è «Esdra, il sacerdote, lo scriba, anche scriba delle parole dei comandamenti del Signore e dei suoi statuti per Israele» (*Esdra* 7,11). I suoi titoli non sono una novità; i re avevano scribi, e così pure i profeti. Esdra però è il primo scriba indipendente, non funzionario regio, non discepolo di profeti. Si può pensare a lui come primo editore di Dio.[2]

Una volta che vi furono testi completi e autorizzati, devono esserci state anche letture ed esposizioni di testi. Al tempo di Giosia al popolo era stato letto il Deuteronomio, ma era stato evidentemente un evento eccezionale. La prima lettura del nuovo libro (o libri) di Esdra è raccontata in Neemia: «Così leggevano nel libro la legge di Dio partitamente, ne dicevano il senso e facevano comprendere [al popolo] la lettura» (8,8). Il secondo libro delle Cronache fa pensare che letture di questo genere si fa-

---

1 Per gli argomenti che fanno pensare a una grande importanza dell'opera degli scribi si veda K. Van Der Toorn, *Scribal Culture and the Making of the Hebrew Bible*, Cambridge 2007.

2 D.W. Halivni tratta del ruolo di Esdra in *Revelation Restored. Divine Writ and Critical Responses*, Boulder, Colo. 1997.

cessero già nel periodo della monarchia, ma il suo racconto rispecchia probabilmente un'epoca più recente: «Ed essi [i leviti] insegnarono in Giuda e avevano con loro il libro della legge del Signore e percorsero tutte le città di Giuda e istruivano il popolo» (17,9). L'insegnamento della legge divenne un momento abituale del culto giudaico – e dura ancor oggi con le due stesse attività: lettura del libro e sua spiegazione. Scommetterei che le due insieme furono per la prima volta sperimentate nella Babilonia. Le riunioni religiose degli esuli sono per noi perlopiù un mistero, ma negli scritti profetici (e nella storia di Ester e nelle leggende di Daniele, quantunque d'epoca posteriore) s'incontrano qua e là accenni che lo storico Yehezkel Kaufmann così riassume: «Il popolo si riuniva per cercare i 'comandamenti giusti', per ascoltare la legge, digiunare e pregare».[1] Negli scritti sacerdotali del Pentateuco non si parla delle loro «nuove forme di devozione»; queste devono essere state considerate temporanee o provvisorie, ma col tempo divennero l'«essenza del culto».[2] Senz'altro nuova è ora la natura partecipata del culto; l'aspetto di supplenza del culto nel tempio, dove per il popolo agiscono i sacerdoti e al popolo non resta che assistere, è scomparso del tutto.

Animato da questo nuovo spirito (Kaufmann lo definisce «democratico»), il culto finisce sempre più col distinguere il popolo d'Israele – facendone qualcosa di simile più a una comunità o a un sodalizio religioso che a una nazione politica. Questa trasformazione, iniziata nell'esilio, continua dopo il ritorno, nonostante la riedificazione del tempio e la ripresa dei sacrifici. «Comunità» e «sodalizio» sono i termini preferiti dai sacerdoti, alcuni dei quali, al seguito del Secondo Isaia più che di Ezechiele, sembravano propensi a pensare il tempio come «casa di preghiera» e anche «casa di preghiera per tutti i popoli» (*Isaia* 56,7). Il nuovo modo di concepirsi apre la via al proselitismo e alla conversione religiosa, e proprio nella Babilonia si parla delle prime conversioni. «Ai figli dello straniero che aderiscono al Signore, per servirlo e per amare il nome del Signore... a chiunque rispetta il sabato... e sta saldo nella mia alleanza» il Secondo Isaia promette che avranno «un posto e un nome... nella mia casa e all'interno delle mie mura» (56,5-6). Costoro faranno ritorno a Gerusalemme insieme con tutti gli altri israeliti. Nella letteratura preesilica si racconta di chi aderisce a Israele per via di matrimonio o di residenza prolungata e di assimilazione, ma non si parla di «aderenti» nel senso del Secondo Isaia, né c'è qualche autore esilico che illustri una procedura per «aderire» o ne fornisca una giustificazione dottrinale. Tutta la questione fu com'è noto fonte di preoccupazione, e dopo il ritorno di aspre controversie. Nel mondo antico non c'erano precedenti di conversione religiosa. In questo caso

1 Y. Kaufmann, *History of the Religion of Israel*, IV. *The Babylonian Captivity and Deutero-Isaiah*, New York 1970, 173.   2 Y. Kaufmann, *History of the Religion of Israel* IV, 44-45.

la comparsa del fenomeno fa capire le dimensioni della trasformazione prodotta dall'esperienza dell'esilio.[1]

Tutto ciò che accadde negli anni dell'esilio accadde in assenza di un'autorevole direzione politica. L'adattamento alla condizione d'impotenza fu spontaneo, l'effetto di una serie di decisioni non programmate di individui o piccoli gruppi. La relativa riuscita di questo adattamento – dal momento che nella Babilonia e poi in una diaspora assai più estesa Israele riuscì a sopravvivere – solleva quello che è forse il problema centrale del pensiero politico ebraico: quanto importanti sono sovranità, indipendenza e direzione autorevole? quanto importante è avere, al pari delle altre nazioni, propri re che nominino i giudici e combattano guerre?

Questo problema fu di continuo dibattuto nella storia ebraica posteriore. Una lunga serie di rivolte e di movimenti messianici ha mirato alla restaurazione dell'indipendenza e, solitamente, della monarchia. Ma la tradizione di passività politica e di adattamento che ebbe inizio nella Babilonia non mancò mai di sostegno collettivo. Anch'essa infatti ha un suo eroismo, come con parole celeberrime ebbe a dire Simon Dubnow. Questi immagina che rivolgendosi agli israeliti al momento dell'esilio la «provvidenza della storia» dica loro: «Stato, territorio, esercito, gli attributi esteriori del potere nazionale, sono per voi inutile sfarzo. Andate nel mondo e dimostrate che un popolo può vivere senza questi attributi, esclusivamente e unicamente per forza di spirito».[2] Ester, com'è presentata nel suo libro, potrebbe senz'altro essere un modello di una forza del genere. Mordecai, per parte sua, chiaramente non lo è, e tuttavia è anch'egli indispensabile alla sopravvivenza del popolo in esilio. Quando commentando il libro di Ester da una prospettiva sionista lo scrittore yiddish I.L. Peretz chiamava Mordecai delatore e ruffiano, sperava in uno stato che rendesse non più necessari ebrei cortigiani come lui, e anche come Ester.[3]

Entrambi i lati di questo dibattito possono rivendicare precedenti biblici. Nella maggior parte dei suoi libri la Bibbia è la testimonianza di una nazione indipendente – e David Ben-Gurion poté appellarvisi a giustificazione del progetto sionista.[4] È però anche la testimonianza di una nazione il cui Dio non lascia molto spazio a un processo decisionale autonomo. Contrariamente ai filosofi greci, gli autori biblici non annettono mai grande valore alla politica come forma di vita. Anche se il patto del Sinai

1 Sul proselitismo cf. E. Bickerman, *From Ezra to the Last of the Maccabees. Foundations of Postbiblical Judaism*, New York 1982, 18-20.

2 S. Dubnow, *Nationalism and History*, New York 1970, 262, cit. in D.L. Smith, *The Religion of the Landless. The Social Context of the Babylonian Exile*, Bloomington, Ind. 1989, 207 s.

3 Ho trovato questo testo (con l'aiuto di amici) in un'edizione ebraica: *Kol Kitvei Y.L. Peretz*, v. *Mishal Ve'Dimyon* II, Tel Aviv 1949, 188.

4 Cf. D. Ben-Gurion, *Ben-Gurion Looks at the Bible*, Middle Village, N.Y. 1972.

sembrerebbe comportare l'impegno collettivo per creare una comunità politica di un certo tipo, è possibile reinterpretare il patto come impegno individuale, accettato da ogni membro della comunità, a vivere in un certo modo. Le istituzioni che definivano questo «modo» non dovevano essere istituzioni statali. Potevano essere sinagoghe, accademie, tribunali, assemblee e comunità (q^{e}hillot) che agivano in autonomia soltanto limitata. Tutto ciò si presentò più tardi, e solo più tardi fu evidente che la Babilonia era stato il luogo in cui per la prima volta qualcosa di radicalmente nuovo era stato pensato, discusso e (forse) messo alla prova.

Capitolo 8

Il regno di sacerdoti

Tra le molte e differenti promesse che Dio fa a Israele, una delle prime (nel racconto biblico quale ci è pervenuto) è quella di *Esodo* 19,6: «E sarete per me un regno di sacerdoti e una nazione santa». Non è del tutto chiaro che cosa sia esattamente un «regno di sacerdoti», ma a queste parole si è spesso dato un significato pregnante. Dio promette una trasformazione della società e una politica nuova: un regno senza re, un sacerdozio universale. Così com'era in *Esodo* 19, Israele non aveva né re né sacerdoti, e da soli tre mesi era fuori dall'Egitto, dove re e sacerdoti erano molto importanti. Se allora si leggono queste parole nella loro collocazione testuale, come parole pronunciate nel deserto, esse sembrano promettere un anti-Egitto. Ma se, come non di rado si pensa, sono parole da datarsi agli ultimi anni della monarchia o ai tempi babilonesi o al secondo tempio gerosolimitano, può anche trattarsi della promessa di un anti-Israele. Conformemente a una di queste date, la promessa parrebbe una versione israelita del «sacerdozio di tutti i credenti» di Lutero, che aveva di mira la gerarchia costituita – fatto salvo che il criterio decisivo per il sacerdozio sono la nascita e la nazionalità anziché la fede. Il Secondo (o Terzo) Isaia (66,21) spezza il legame con la nazione, consentendo che gli stranieri svolgano il servizio sacerdotale, mentre per l'autore di *Esodo* 19 solo gli israeliti – ma ognuno di loro! – sono compresi nella promessa. Tutta la nazione sarà santa.

Soltanto poco più avanti nel racconto biblico questa promessa viene messa alla prova quando Core organizza una ribellione contro il governo di Mosè (*Numeri* 16). Il racconto della ribellione dev'essere successivo alla promessa dell'Esodo, dato che l'argomento fondamentale di Core è che la promessa si è già adempiuta: «Voi pretendete troppo per voi», dice a Mosè e ad Aronne, «vedendo che tutta la comunità era santa – ognuno di loro – e che il Signore era tra loro: perché dunque vi innalzate al di sopra dell'assemblea del Signore?». Nella ricerca biblica si pensa perlopiù che l'episodio di Core, quale che sia l'antica tradizione su cui si fonda, sia un racconto polemico scritto nel corso della disputa esilica o postesilica fra i sacerdoti leviti e quelli sadociti (aroniti) (cf. *Ezechiele* 44).[1] Di

[1] M. Smith, *Palestinian Parties and Politics That Shaped the Old Testament*, London 1987, 128 (tr. it. *Gli uomini del ritorno. Il Dio unico e la formazione dell'Antico Testamento*, Verona 1984, 293-294).

fatto Mosè pensa che Core rivendichi l'uguaglianza con Aronne non per tutto Israele ma soltanto per sé e i suoi parenti, «i figli di Levi». Nel nostro testo, invece, Core avanza chiaramente una rivendicazione più generale, mentre Mosè, se è disposto a negare la santità ai leviti, dev'essere disposto a negare la santità di tutto Israele («ognuno di loro»). Come funzionerebbe questo diniego? Mosè potrebbe sottolineare che la consacrazione speciale dei sacerdoti, chiunque essi siano, è una caratteristica fissa della religione d'Israele: tutto Israele è santo, ma certi israeliti sono più santi di altri. Oppure potrebbe richiamarsi ai verbi al futuro di *Esodo* 19: Israele *sarà* un regno di sacerdoti e una nazione santa, ma soltanto quando avrà imparato a vivere secondo alla legge.

Vi sono quindi tre posizioni. La prima, forse la più antica, è gerarchica di tipo convenzionale e sottolinea la distinzione fra sacerdoti e gente comune (e forse anche fra sacerdoti di alto e basso rango). La seconda propende per una sorta di utopismo sacerdotale secondo cui la gerarchia è legittima ma transitoria; in futuro, a un certo punto, il sacerdozio sarà universale, quantomeno fra gli uomini d'Israele. Per parafrasare Lenin riguardo agli intellettuali, si potrebbe dire che funzione dei sacerdoti è di rendere superflua la specializzazione del sacerdote.[1] La terza posizione è radicale e immediata: il popolo è già santo e la gerarchia sacerdotale è superflua già ora. Moshe Weinfeld afferma che il libro del Deuteronomio (a suo parere opera di scribi di corte, non di sacerdoti del tempio) propugna una versione modificata di questa terza posizione. Gli autori insistono ovunque, e di solito al presente, sulla santità d'Israele: «Poiché tu sei un popolo santo per il Signore tuo Dio: il Signore tuo Dio ha scelto te» (7,6).[2] Nella rappresentazione deuteronomica della società e del governo israeliti c'è posto per sacerdoti ma, come si vedrà, un posto meno importante che nelle rappresentazioni del Levitico, di Ezechiele o delle Cronache, e a ciò si accompagna un'importanza maggiore delle responsabilità del popolo.

Ma i Deuteronomisti sono riformatori, non ribelli come Core. Contro l'argomentazione di Mosè in *Numeri* 16 essi pensano a un sacerdozio unificato che non distingue fra leviti e aroniti; contro l'argomentazione del Levitico minimizzano l'importanza cultuale del sacerdozio nel suo insieme, spingendosi ad attribuire una funzione di rilievo al comune israelita nel quadro del sistema sacrificale. Al tempo stesso per la vita religiosa il sacrificio sembra essere, nei loro libri, meno essenziale che negli scritti sacerdotali. D'altro canto essi non dicono mai che tutti gli israeliti sono sacerdoti o che tutti saranno o dovrebbero essere sacerdoti. I capitoli «costituzionali» del Deuteronomio (17 e 18) illustrano esplicitamente una serie

1 Lenin, *What the 'Friends of the People' Are*, Moscow 1951, 286.
2 M. Weinfeld, *Deuteronomy and the Deuteronomic School*, Oxford 1972, 226-228.

di ruoli sociali e, per quanto è dato riconoscere, ne strutturano il quadro, sulla base delle storie e dei testi profetici, come fosse questo l'ordinamento biblico universalmente riconosciuto: re, sacerdoti, profeti. Anche se Israele è (già ora) una nazione santa, la messa in atto della sua santità richiede una struttura sociale differenziata di un certo tipo, nella quale i sacerdoti hanno una parte importante, anche se ridotta.

L'utopismo sacerdotale, la speranza di una santità senza differenze, continua tuttavia a sopravvivere in Israele. Lo si trova riaffermato, ad esempio, dal Secondo (o Terzo) Isaia, quando rivolgendosi a tutto il popolo il profeta ricorda la promessa dell'Esodo (61,6):

Ma sarete detti sacerdoti del Signore; vi chiameranno ministri del nostro Dio.

Si accennerà più avanti che una versione dello stesso utopismo sta dietro alla convinzione di farisei e rabbi di aver preso il posto dei sacerdoti e di essere subentrati nel compito di insegnare al popolo le regole della santità. Questo è d'altra parte uno sviluppo postbiblico, e questa convinzione potrà realizzarsi soltanto dopo la distruzione del tempio.

Qual è allora il regime biblico che ha come sua utopia il «regno di sacerdoti»? Solo alla fine dei tempi biblici, nei secoli successivi al ritorno da Babilonia, ci sarà un governo in cui i posti di responsabilità sono occupati da sacerdoti. Nella Bibbia, nel sistema politico religioso i sacerdoti occupano perlopiù il secondo gradino e talvolta, in esposizioni più complesse, anche il terzo. Nella denuncia dei profeti, ad esempio, l'ordine è normalmente gerarchico – come quando Geremia predice la distruzione di Gerusalemme, la città di David,

a causa di tutta la malvagità dei figli d'Israele e dei figli di Giuda, che hanno commesso per provocarmi all'ira, loro, i loro re, il loro principi, i loro sacerdoti e i loro profeti, e gli uomini di Giuda e gli abitanti di Gerusalemme (32,32).

Con «principi» (śarim) qui probabilmente si intendono funzionari regi o notabili locali; la loro precisa funzione politica, alla quale costantemente si allude, non viene mai definita. Come già si è accennato, i profeti non avanzano pretese di governo; esortano, consigliano ma non governano. La gerarchia tipica può quindi essere, e spesso si riduce a essere, una diarchia: il regime di re e sacerdoti in cui predominano i re anche se i sacerdoti non sono senza pretese. Il secondo libro delle Cronache dà un rapido quadro del principio diarchico quando racconta di Giosafat, re di Giuda, contemporaneo di Ahab, che dice ai suoi giudici: «Ecco, Amaria, il sommo sacerdote, vi guiderà in ogni cosa del Signore, e Zebadia, il figlio di Ismaele, capo della casa di Giuda, in tutte le cose del re» (19,11). La sua dichiarazione fa pensare a un doppio sistema giudiziario in cui i sacerdoti sono incaricati soltanto di questioni rituali. Il versetto di *Deute-*

ronomio 17 relativo ai sacerdoti e ai giudici non introduce una divisione del genere, ma certo è possibile che sotto la monarchia i sacerdoti non avessero parte alcuna in tutte «le cose del re». Le «cose del Signore», dove dominavano, erano tuttavia molto importanti.

Di fatto il sommo sacerdote era nominato dal re, e per questo subito dopo la sua ascesa al trono Salomone bandisce da Gerusalemme il sacerdote Abiatar (1 *Re* 2,26-27) e nel nuovo tempio insedia Sadoq; allo stesso modo Geroboamo, dopo aver creato un regno indipendente nel nord, sceglie un sacerdozio affatto nuovo: «e fece... sacerdoti tra gli ultimi del popolo, che non erano dei figli di Levi» (2,31). Ma di Geroboamo si dice che con la sua scelta ha peccato, mentre Salomone si sottrae alla censura probabilmente soltanto perché la famiglia di Sadoq, da lui confermata nel sommo sacerdozio, occupò questa posizione fino alla rivolta maccabaica e compilò tutte le genealogie. In linea di principio l'ufficio del sommo sacerdote fu ereditario, almeno in Giuda dove il culto del tempio non venne mai meno. Se scelse, il re pescò fra i discendenti di Sadoq – fra i suoi discendenti diretti, se si deve credere al testo biblico.

Essendo nominati da un'autorità indipendente, i sacerdoti furono in grado di opporsi al re – e pare l'abbiano fatto abbastanza di frequente, anche se non tanto spesso quanto i profeti, e non per ragioni dello stesso tipo. Era più probabile che difendessero il rito che non il codice morale, come nel caso del re Uzzia:

Poiché egli [Uzzia] trasgredì contro il Signore suo Dio ed entrò nel tempio... a bruciare incenso sull'altare dell'incenso. E Azaria il sacerdote entrò dopo di lui e con lui ottanta sacerdoti del Signore, che erano uomini valorosi. Ed essi si opposero al re Uzzia e gli dissero: Non spetta a te, Uzzia, bruciare l'incenso al Signore, ma ai sacerdoti figli di Aronne... esci dal santuario; poiché hai trasgredito (2 *Cronache* 26,16-18).

Questo racconto non figura nel libro dei Re; è un racconto specificamente sacerdotale. Ma anche nel libro dei Re i sacerdoti sembrano intervenire nella politica del palazzo – più o meno abitualmente, se la storia di Ioiada e di Ioas è rappresentativa. Ioiada, il sommo sacerdote, era sposato con Ioseba, sorella del re di Giuda, Acazia. Alla morte di Acazia, quando sua madre s'impadronì del potere uccidendo i suoi stessi nipoti, il sacerdote e la principessa misero in salvo uno dei loro nipoti, il piccolo Ioas, e con l'aiuto delle guardie del palazzo e del tempio lo tennero nascosto nel tempio per sei anni e infine lo incoronarono re. I racconti di 2 *Re* 11 e di 2 *Cronache* 23 descrivono la cerimonia d'incoronazione e il patto che l'accompagna: «E Ioiada fece un patto tra il Signore e il re e il popolo affinché fossero il popolo del Signore; e un patto anche tra il re e il popolo». Quando venne insediato, Ioas aveva sette anni e lo zio fungeva da reggente: «E Ioas fece quel che era giusto agli occhi del Signore tutti i giorni in cui Ioiada il sacerdote lo istruiva» (*1 Re* 12,2). Una volta cresciuto, tuttavia, sembra che Ioas si sia scontrato col sacerdote suo mentore, assumendo l'amministrazione dei fondi del tempio e forse arrivando a uccidere il figlio di Ioiada, Zaccaria – dimentico, dicono i cronachisti, della bontà del padre (2 *Cronache* 24,20-22). La storia è raccontata diversamente nel libro dei Re, ma ambedue i gruppi di autori biblici sembrano pensare che il sommo sacerdote sia un reggente e un mentore appropriato per giovani re.

La diarchia ebbe i suoi alti e bassi ma durò quanto la monarchia giudaita. Alla fine Geremia confida ancora nella durata dei suoi due generi di colleghi, i re e i sacerdoti: David non sarà mai privo di un discendente che sieda sul trono, egli dice, «né i sacerdoti, i leviti, mancheranno di chi stia davanti a me... a sacrificare di continuo» (33,17-18). E il profeta Zaccaria, che sogna la restaurazione della monarchia dopo l'esilio, rappresenta due reggitori, Zorobabele, della casa di David, e Giosia, il sommo sacerdote sadocita, ciascuno con la corona, «e sarà tra i due consiglio di pace» (6,13). In realtà nel racconto storico Zorobabele scompare e sembra sia stato eliminato dalla visione profetica, lasciandosi dietro una frase di una singolarità interessante, su cui si è molto discusso: «Prendi poi argento e oro e fai corone, e mettile sul capo di Giosia... il sommo sacerdote» (6,11). Due corone, ma una testa soltanto: Giosia fu il primo dei sovrani sacerdoti d'Israele.[1]

La condizione per la nascita di un governo sacerdotale fu la distruzione della monarchia ad opera di un esercito straniero. I sacerdoti non fanno la rivoluzione e prendono il potere, non sgombrano il terreno per occuparlo; semplicemente colmano un vuoto. Solo nella visione di Ezechiele di un tempio-stato governano al di sopra del re, facendo di lui quello che Joachim Becker ha chiamato un «soprannumerario della ierocrazia, sottoposto a regolamentazione precisa».[2] Nel tempio-stato della storia, non in quello della profezia, non c'è un re israelita. Il suo posto è preso dall'imperatore persiano, che il Secondo Isaia chiama il servo del Signore, e in seguito da un governatore locale che, potendo, preferisce governare indirettamente lasciando al sommo sacerdote l'ordinaria amministrazione. Quando finalmente compare, il regno sacerdotale è quindi un regime collaborazionista, privo di sovranità e di forza militare. Privato di un re, il campo dell'azione politica d'Israele fu drasticamente ridotto.

Ma il sommo sacerdote fu nondimeno un potentato politico che sovrintese a istituzioni e diresse attività di governo correnti (soprattutto giudiziarie), riscuotendo decime e talvolta altre tasse. A poco a poco il sommo

---

1 Per una rassegna degli studi sull'argomento e per un tentativo oltremodo elaborato e contorto di sostenere che la seconda corona significa la futura «incoronazione escatologica di un re davidico», si veda *Haggai, Zechariah 1-8* (Anchor Bible), Garden City, N.Y. 1987, 337-373.

2 J. Becker, *Messianic Expectation in the Old Testament*, Philadelphia 1980, 62.

sacerdote si appropriò delle insegne della monarchia: copricapo e corona, tunica e pettorale, olio dell'unzione. Il suo splendore, come viene presentato con favore da Ben Sira all'inizio del II sec. a.C., era senz'altro superiore al suo potere reale, ma la sua persona incarnava e insieme rappresentava quel tanto di potere che era rimasto a Israele.[1] Quando ricomparve, la monarchia fu edificata a partire dall'ufficio sacerdotale. Prima d'essere re, gli Asmonei furono sacerdoti e, anche se per loro l'aggiunta del secondo titolo deve aver rappresentato un progresso, molti dei loro contemporanei non ebbero dubbi che essere sacerdoti era preferibile – era più al centro dell'ordine delle cose. Per questo l'autore del libro postbiblico dei *Giubilei* paragona i leviti al più alto ordine di angeli che servono direttamente Dio, adempiendosi così la promessa fatta a Levi, il figlio di Giacobbe, che al «seme dei tuoi figli sarà gloria e maestà e santità».[2] Questo è il credo dello stato-tempio; non prende atto che il sommo sacerdote era uno strumento di re terreni e stranieri. Per di più, questi era nominato, o almeno confermato, da questi stessi re, a differenza dei giudici dell'Israele premonarchico, dove i re erano «innalzati» solo da Dio. Che cosa allora rendeva legittimo il governo dei sacerdoti agli occhi dell'israelita comune?

La legittimità di qualsiasi sacerdozio dipende dalle competenze che dimostra. Il sacerdozio è un ufficio, non una vocazione, e nel mondo antico fu ovunque un ufficio ereditario. I profeti erano chiamati, innalzati al pari dei giudici; venivano da una certa località o da una certa famiglia, era dato loro un messaggio da trasmettere, specifico per il loro tempo e il loro luogo. I sacerdoti erano destinati al loro ufficio dalla stessa nascita, erano gli eredi di un sapere altamente specializzato e per principio immutabile e venivano formati alla pratica di antichi riti. Quando vengono contestati, i profeti raccontano il momento della loro chiamata; i sacerdoti recitano invece la loro genealogia. I sacerdoti d'Israele potevano anche ricordare la benedizione di Mosè per i figli di Levi, che costituiva per loro una sorta di primogenitura:

Insegneranno a Giacobbe i tuoi [di Dio] giudizi e a Israele la tua legge; metteranno davanti a te incenso e ogni sacrificio bruciato sul tuo altare.

Il versetto proviene dal Deuteronomio (33,10) ed è caratteristico il modo in cui capovolge la convenzionale concezione sacerdotale della funzione del sacerdote che, come fa intendere il Levitico, mette al primo posto il sacrificio e fa dei figli di Levi soprattutto i maestri del rito e delle norme

---

1 Cf. B.L. Mack, *Wisdom and the Hebrew Epic. Ben Sira's Hymn in Praise of the Fathers*, Chicago 1985, 84-87.

2 *Giubilei* 30,14 e 31,14; si vedano le considerazioni svolte su questi passi in C.T.R. Hayward, *The Jewish Temple. A Non-Biblical Sourcebook*, London 1996, 85-88.

di purità. Altri potranno insegnare e giudicare, ma il rito è terreno esclusivo del sacerdote. All'altare egli è veramente sovrano.

I sacerdoti degli scritti sacerdotali (lasciando da parte per il momento il codice di santità di *Levitico* 18-26) sono i rappresentanti di una versione molto spiccata del materialismo religioso. Questa dottrina è decisamente lontana dalla mentalità moderna, tanto che oggi i lettori della Bibbia tendono a saltare il Levitico, come pure buona parte dell'Esodo e di Numeri, o a cercare in questi testi ciò che quasi certamente non contengono: il simbolismo della spiritualità. Qui i sacerdoti non maneggiano simboli; fanno a pezzi animali e aspergono sangue sull'altare, e lo fanno perché il sangue *è* (non perché rappresenta) la forza della vita: «Perché la vita della carne è nel sangue» (*Levitico* 17,11). E bruciano le viscere grasse perché Dio ne gradisce il profumo: è l'«offerta al Signore di un dolce profumo fatta col fuoco» (1,9). Il sangue e il grasso erano «pane» di Dio, come credeva ancora il sacerdote-profeta Ezechiele (cf. 44,7), e i sacrifici erano efficaci per la soddisfazione che procuravano. Per quanto sia difficile per noi capirla, era dottrina degli scritti sacerdotali che il perdono di Dio si acquista col sacrificio del sacerdote, non col rammarico, la contrizione o la penitenza del peccatore. Né il sacrificio è espressione di rammarico; il sacrificio è quello che materialmente è, e ciò significa che «il sangue fa espiazione per l'anima» (17,11). Si presuppone una sostituzione – il sangue dell'animale per il sangue del peccatore (l'espiazione mediante sacrificio funziona soltanto per i casi a cui non si applica la pena capitale). Sangue contro sangue; anche il sangue sull'altare non è simbolo dello stato d'animo del peccatore.

Solo il sacerdote asperge col sangue. Di fatto, soltanto quando il peccatore è lo stesso sacerdote c'è in Israele qualcuno che espia per se stesso. Tutti gli altri, dal «governante» o «capo» (*naśi'*) a «uno del popolo», devono trovare un sacerdote, procurarsi gli animali adatti e attendere il perdono divino: «e il sacerdote farà per lui un'espiazione per il suo peccato e questo gli sarà perdonato» (4,26.31). La situazione è la stessa se a peccare è «tutta la comunità d'Israele»; il sacerdote fa espiazione «per loro» (4,20), e anche tutti loro sono perdonati. C'è qui certamente un fondamento solido per la legittimità del sacerdote, ma si osservi come la solidità sia funzione della fede materialista. Si trasformi il sacrificio in semplice offerta votiva, gli si dia come scopo principale «fornire nutrimento per le componenti bisognose della società israelita» (come Weinfeld sostiene facciano i Deuteronomisti), lo si presenti come il simbolo di altro che non sia in potere del sacerdote, come il rammarico o il pentimento, e si saranno sminuiti radicalmente la legittimità del sacerdote e il potere di cui questi è il portatore.[1]

1 Weinfeld, *Deuteronomy and the Deuteronomic School*, 212-213.

Concezioni diverse del sacrificio sono abbastanza comuni tra i profeti, la maggior parte dei quali sottolinea, come si è visto, che la condotta morale, non il rigore rituale, non il sangue e il grasso di «migliaia di arieti» (*Michea* 6,7), assicura il benessere del popolo e la sua sicurezza nel paese. Ma negli ultimi giorni della profezia, quando fu riedificato il tempio e il sommo sacerdote governava, parve che il materialismo del Levitico avesse ritrovato nuova vita. Ci si rende conto della forza di questa dottrina nel momento in cui diventa la base non soltanto dell'osservanza rituale ma anche della denuncia profetica – proprio come si può veramente conoscere il potere dei sacerdoti nel momento in cui vengono accusati dei peccati d'Israele e delle sofferenze che ne erano la conseguenza, come un tempo erano accusati i re. Si leggano i versetti seguenti di Malachia, l'ultimo dei profeti letterari che, alla maniera dei primi profeti, proclama la disapprovazione divina per Israele, ma rivolgendosi direttamente ai «sacerdoti che disprezzano il mio nome»:

Offrite pane contaminato sul mio altare e dite: dove l'abbiamo contaminato? Quando dite: la tavola del Signore è spregevole. E quando offrite un animale cieco in sacrificio, non è male? E quando offrite quello zoppo e malato, non è male? Offritelo al vostro governatore; sarà contento di voi o accetterà la vostra persona?, dice il Signore degli eserciti! (1,7-8).

Qui ci si riferisce alla prescrizione che gli animali sacrificati a Dio siano «senza difetti». «Dell'animale cieco o storpio o mutilato... non farete un'offerta col fuoco» (*Levitico* 22,22). Malachia ha ben presenti queste parole, così come Amos ha presente il codice dell'Esodo quando ammonisce il ricco a non farsi dare pegno dal povero (2,8). Ma quale differenza! Amos difende l'ordinamento morale, Malachia quello rituale.

Non è qui mia intenzione criticare Malachia ma soltanto sottolineare l'importanza che nella sua visione del mondo ha l'ordinamento rituale, né intendo avanzare l'idea che l'ordinamento rituale non sia una cosa seria e rigorosa. Malachia stesso critica i sacerdoti pigri e arroganti che non si dedicano ai loro doveri. Questi sacerdoti, del resto, quali che siano i loro peccati non sono privi di dottrina morale. Come scrive Israel Knohl, in buona parte del Levitico «il concetto di santità... è di natura rituale, privo di qualsiasi contenuto morale». Ciò non toglie che il codice di santità dei capp. 18-26 (che al seguito di Knohl considero una revisione di scritti sacerdotali precedenti) includa nel codice rituale un forte e originale insegnamento morale.[1] Stando a questo testo la santità d'Israele richiede sia moralità sia osservanza rituale – tanto la giustizia del popolo quanto i

---

[1] I. Knohl, *The Sanctuary of Silence. The Priestly Torah and the Holiness School*, Minneapolis 1995, 151. Per l'argomentazione storica si veda il cap. 5.

riti dei sacerdoti. «Ama il tuo prossimo come te stesso» è dopotutto un comandamento del Levitico.

Resta che nel complesso degli scritti sacerdotali l'amore e la moralità sembrano avere il secondo posto rispetto a una santità concepita in forma più angusta, fatta di sacrifici per i peccati e d'infiniti riti di purificazione. Per come lo concepiscono i sacerdoti, Dio è offeso non solo dagli animali mutilati sui suoi altari, ma anche dagli esseri umani impuri nel suo paese. Perciò gli autori del Levitico sono estremamente attenti ai pericoli del sangue mestruale, alle eruzioni della lebbra e alle polluzioni notturne, come pure ai pericoli degli alimenti impuri e a quelli dell'incesto, dell'omosessualità, della depravazione e di altri «abomini» sessuali. Tutte queste faccende sono sottoposte al controllo dei sacerdoti: «stabilire la differenza tra l'impuro e il puro» (*Levitico* 11,47). Pertanto i sacerdoti, che nei consueti settori della politica hanno poteri limitati, governano invece gli aspetti più intimi del vivere quotidiano. Prescrivono i sacrifici, fanno espiazione per i peccati del popolo, insegnano al popolo le leggi di purità, sovrintendono ai riti di purificazione e ne stabiliscono l'efficacia. Sono tutte questioni della massima importanza, perché un popolo impuro contamina il paese, e quando «il paese è contaminato» – dice Dio a Mosè – «visiterò l'iniquità che è in esso e la terra stessa vomiterà i suoi abitanti» (18,25).

Poiché spetta a loro svolgere questa funzione capitale, i sacerdoti devono attenersi a leggi di purità più rigide degli altri israeliti, e le più rigide sono quelle per il sommo sacerdote, il quale, una volta l'anno, il giorno dell'espiazione, entra nel santo dei santi, dove Dio (o la «gloria» di Dio) dimora, ed espia per tutto Israele. La gerarchia religiosa è stabilita in termini di santità relativa e di obbligazione giuridica. Le nazioni che circondano Israele sono esenti da obbligazioni, a meno che i loro membri non entrino nel paese, che letteralmente non tollera la contaminazione; gli stessi israeliti sono soggetti all'intero codice di purità, che si applica in forma ancor più rigida ai diversi ordini di sacerdoti. Questi livelli di santità corrispondono anche a una gerarchia spaziale: i paesi stranieri, la terra santa, Gerusalemme, il Monte Sion, il tempio e il santuario interno del tempio. Stando agli scritti sacerdotali, nemmeno Mosè poteva entrare nel santuario interno (*Esodo* 40,35). La massima autorità d'Israele (e, secondo i Deuteronomisti, il suo primo profeta), per quanto concerne la santità fu un comune israelita o anche – data la sua ascendenza levitica – un sacerdote del rango più basso. Nel regno sacerdotale l'azione sovrana fondamentale era l'ingresso del sommo sacerdote nel luogo della presenza (in senso proprio) di Dio. Qui egli era solo e supremo.

Merita d'altro canto tornare a sottolineare come a questa dottrina gerarchica se ne affiancasse una antigerarchica che attendeva con ansia il sacerdozio di tutto Israele. Il codice di santità, senza negare il ruolo speciale dei sacerdoti, proclama la santità d'Israele nella sua interezza, e ciò vale anche per il Deuteronomio, dove pure c'è una certa riduzione dell'importanza dei sacerdoti. Quando nel periodo immediatamente postbiblico accettarono di osservare a casa loro le norme di purità sacerdotale, i farisei misero in atto una sola delle linee della tradizione biblica. D'altra parte non rivendicarono un ruolo nel sistema sacrificale e, dato il loro studio infinitamente minuzioso sul puro e impuro, o meglio poiché erano tanto profondamente interessati allo *studio*, sembra evidente che avevano abbandonato le principali dottrine del materialismo sacerdotale. Dediti alla tradizione biblica nella sua totalità, conservarono (come i rabbi che succedettero loro) un certo rispetto per la genealogia sacerdotale: riconobbero una gerarchia religiosa nella quale non erano i primi. Nel loro modo di vedere (e nella pratica, una volta che il tempio fu distrutto e il sistema sacrificale abolito) la gerarchia effettiva fu radicalmente antigenealogica. Un passo del trattato *Horajot* del Talmud Babilonese propone la nuova graduatoria. Quando si riscattano prigionieri – dicono i rabbi – l'ordine di priorità è questo: studioso, re, sommo sacerdote, profeta. Tradotto in termini politici, ciò significa che i rabbi rivendicavano a se stessi il primo compito che il Deuteronomio assegna ai sacerdoti. Loro insegnavano «a Giacobbe i giudizi di Dio, e la legge di Dio a Israele». Fecero di se stessi i maestri della purificazione e pure del sacrificio, benché il loro fosse ora un magistero puramente teorico, e furono anche dottori di una «legge» che andava ben oltre la tradizionale competenza sacerdotale. Invitavano Israele allo studio di questa legge: la santità veniva dallo studio più che dalla pratica rituale, anche se quel che si studiava era la legge della pratica rituale. Nell'aula scolastica non c'era nulla di simile alla mediazione sacerdotale o al privilegio familiare. Gli studiosi citavano altri studiosi, ma tutti erano su un piede di parità davanti alla legge.

Durante l'esilio babilonese e nei secoli successivi al ritorno la natura precisa del sacerdozio fu oggetto di aspro dibattito. Di questo dibattito non ho trovato un resoconto autorevole o del tutto convincente, nonostante gli sforzi eroici di molti studiosi.[1] Non credo nemmeno che sia possibile attribuire con qualche sicurezza le varie parti dei testi biblici agli autori degli opposti schieramenti. Qualsiasi attribuzione è rischiosa – non soltanto per la frequente oscurità dei testi ma anche perché i partiti cambiarono nel corso del tempo, furono divisi essi stessi e condivisero posizioni e opinioni diverse. Soprattutto furono tutti sostenitori di una politica sacerdotale. Erano in disaccordo su chi fossero i sacerdoti o sui poteri e i privilegi delle diverse famiglie sacerdotali. È di questo periodo l'utopia di un

1 M. Smith, *Palestinian Parties and Politics*, spec. cap. 7.

sacerdozio universale (israelita), che trova appropriata e materiale espressione nel profeta Zaccaria, il quale prevede un giorno in cui i «vasi nella casa del Signore saranno come i bacili davanti all'altare. Sì, tutti i vasi in Gerusalemme e Giuda saranno santità al Signore degli eserciti» (*Zaccaria* 14,20-21).[1] Come si è accennato, eredi di questo utopismo sono i rabbi, anche se per loro davanti al Signore sono santi non i vasi sacrificali ma le argomentazioni giuridiche. I sacerdoti si mostravano interessati soprattutto al grado gerarchico di chi maneggiava i vasi. In considerazione dell'importanza capitale del rito del tempio (e del valore dei doni e delle offerte che affluivano nei sacri recinti), l'assegnazione di incombenze sacerdotali – pulire e presidiare i cortili del tempio, sorvegliare le porte, esaminare gli animali, cantillare i salmi, tenere registrazioni, offrire sacrifici – interessava in tutti i sensi di questo termine pregnante. Le persone che lavoravano o svolgevano funzioni nel tempio si dovevano contare a migliaia, e con le famiglie a decine di migliaia. Pare che si spendesse una quantità di tempo a inventare genealogie e a riscrivere la storia d'Israele così da elevare il proprio ruolo e screditare quello dei rivali. Sotto l'aspetto politico la posta in gioco era alta, non sotto quello dottrinale o religioso, a quanto mi è dato vedere.

Più importante si rivelò un'altra questione nello sviluppo della religione d'Israele: se sadociti, leviti o chi altri furono i sacerdoti, chi furono gli uomini e le donne comuni per i quali si compivano sacrifici e si faceva espiazione? Se s'immagina Israele come nazione santa e regno di sacerdoti, la risposta alla domanda è evidente: tutte le altre nazioni sono nazioni comuni che faranno di Gerusalemme e del tempio il loro centro religioso. Questo sogno dorato dell'universo mondo imperniato sul tempio e il suo culto è una delle versioni, forse quella prevalente, dell'universalismo biblico. Talvolta è di tipo trionfalista, come nel passo del Secondo (o Terzo) Isaia che si è citato. «Ma sarete chiamati sacerdoti del Signore...», che continua: «godrete delle ricchezze dei gentili e nella loro gloria vi vanterete» (61,6). Meglio note sono le parole più benevole del Primo Isaia:

E verranno molti popoli e diranno: Andiamo e saliamo al monte del Signore, alla casa del Dio di Giacobbe; ed egli ci insegnerà le sue vie e noi cammineremo sui suoi sentieri: perché da Sion uscirà la legge e da Gerusalemme la parola del Signore (2,3).

Chiamiamo «profetiche» simili predizioni, e tali sono; ma merita sottolineare che «la casa del Dio di Giacobbe» è il tempio e che la «legge» (*torah*, istruzione) che esce da Sion è quella che i sacerdoti pretendevano di avere il compito di insegnare. Questo universalismo è anche di natura sacerdotale; è elaborato principalmente nel periodo dell'esilio e del ritorno, quando politicamente i sacerdoti furono l'elemento dominante, e rispec-

1 Per i vasi contaminati di un sacerdozio corrotto si veda *Ezechiele* 24,3-10.

chia i loro interessi – i loro interessi nell'immediato, anche prima del tempo finale, perché per il «salire» delle nazioni non è necessario attendere il sacerdozio di tutto Israele. Sadociti e leviti, o alcuni di loro, s'immaginavano già al centro dell'universo, a presiedere non tanto una nazione ma una comunità di fede pronta ad accogliere i «figli dello straniero che si uniscono al Signore»:

Anche loro condurrò al mio monte santo e li colmerò di gioia nella mia casa di preghiera: i loro olocausti e i loro sacrifici saranno graditi sul mio altare; perché la mia casa sarà detta casa di preghiera per tutti i popoli (*Isaia* 56,6-7).

I dibattiti più interessanti di cui si trova traccia nei testi scritti o riveduti in età postesilica riguardano i rapporti degli israeliti con estranei e stranieri. Il problema sono i matrimoni misti, l'ammissione al tempio, il sincretismo religioso e il proselitismo; essendo quelli tempi di predominio sacerdotale sia intellettuale sia politico, per tutti questi problemi s'incontrano sacerdoti schierati su diversi fronti. Il programma di riforma di Esdra, con la sua insistenza su un giudaismo esclusivista, viene spesso definito sacerdotale, e di fatto Esdra apparteneva a un'eminente famiglia sacerdotale. Suoi avversari erano invece i sacerdoti di Gerusalemme (o molti di loro), che pare avessero una concezione diversa del giudaismo, censurata da Esdra e anche da Neemia come assimilazionista e anche idolatrica. In realtà fra esclusivismo e assimilazionismo le posizioni possibili erano molte, e numerose quelle di fatto. Non vedo ragioni di dubitare della fedeltà religiosa di quei sacerdoti che erano disposti a tollerare i matrimoni misti, che erano ansiosi di accogliere forestieri ai riti del tempio e anche al sacerdozio («Anche da tra loro [i forestieri] prenderò sacerdoti e leviti, dice il Signore» [*Isaia* 66,31]), che si erano a loro modo conciliati con (certe) pratiche religiose straniere e che incoraggiavano i non israeliti a «unirsi al Signore».[1]

Tutte queste posizioni si accordano perfettamente con la natura generalmente tendente all'accomodamento del corpo sacerdotale, i cui membri perlopiù pare fossero pronti a riconoscere un sovrano straniero. Degli autori delle Cronache Elias Bickerman scrive che la «tendenza di quest'opera è di raccomandare una sorta di quietismo politico che risultasse gradito alla corte di Susa».[2] Non è un caso che all'unica critica rivolta al governo imperiale in *Neemia* 9,36-37 segua immediatamente un patto di «separazione». Il nazionalismo politico e l'esclusivismo religioso vanno di pari passo, mentre una fede universalista si accompagnerà più probabilmente con l'accomodamento. Nel suo commento al Levitico Baruch Levine ha di recente fatto osservare che due termini preferiti dai sacerdoti, *ha-'edah* e *ha-qahal*, «la comunità» e «l'assemblea», si riferiscono a Israele come or-

---

1 E. Bickerman, *From Ezra to the Last of the Maccabees. Foundations of Postbiblical Judaism*, New York 1982, 18-20.   2 E. Bickerman, *From Ezra*, 30.

ganismo religioso più che nazionale politico; non esprimono un particolare legame genealogico, familiare o tribale e nemmeno indicano un'area geografica. Levine pensa che questa terminologia «rispecchi le condizioni di vita della popolazione giudaita agli inizi del periodo postesilico».[1] Ma se si suppone che i termini siano tardi (cosa per niente certa), essi potrebbero più naturalmente rispecchiare le condizioni di vita della realtà giudaica nel suo insieme – sparsa in tutto l'impero persiano e anche oltre, e coinvolta sul piano locale nella vita economica, ma sempre rivolta a Gerusalemme, per averne istruzione, sacrificio ed espiazione. A loro volta i sacerdoti guardano ai giudei sparsi ovunque come ai loro sostenitori, come ai membri della loro comunità, e benché siano attenti alle loro proprie genealogie è senz'altro possibile che siano meno attenti a quelle di tutti gli altri; tutti loro, o qualcuno di loro, potrebbero anche sperare in una comunità allargata grazie a matrimoni misti e conversioni. È da ricordare che secondo il decreto del re persiano Artaserse la missione di Esdra si rivolgeva a «tutti quelli che conoscono le leggi del tuo Dio» (*Esdra* 7,25). Di queste parole lo stesso Esdra diede un'interpretazione molto restrittiva, ma nel contesto dell'impero parrebbe del tutto appropriata una missione sacerdotale concepita in termini più generali.

L'adattamento fu per i sacerdoti e forse per tutto Israele di grande giovamento. Benché poco se ne sappia, pare che i secoli di governo sacerdotale siano stati tempi di prosperità e di crescita. Certo, agli inizi del II sec. a.C. la «comunità» dei sacerdoti fu molto più corposa di quanto fosse stata alla fine del VI, ma quando essa si scontrò con l'aggressivo imperialismo ellenizzante dei siriani, la politica sacerdotale di adattamento fallì. Dopo la rivolta asmonea, guidata da una delle famiglie sacerdotali minori, l'ideologia nazionalista trasformò la vecchia politica sacerdotale. Per un certo tempo la nuova politica ebbe successo, ma poi conobbe i suoi rovesci; fu sostituita dal nuovo atteggiamento di accomodamento dei rabbi, che per la maggior parte accettarono la dominazione romana, proprio come i sacerdoti avevano accettato quella persiana, in cambio di una certa mano libera all'interno della comunità giudaica. Quantomeno un sacerdote, a noi noto col suo nome romano di Giuseppe, avrebbe appoggiato la vecchia politica sacerdotale. Fu un traditore dell'effimera nazione stato degli zeloti, ma al tempo stesso fu uno dei maggiori difensori della religione giudaica qual era stata in passato: imperniata sul culto del tempio su cui presiedeva il sommo sacerdote. Dopo la distruzione del tempio Giuseppe prese le difese dei farisei.[2]

---

[1] B.A. Levine, *The JPS Torah Commentary. Leviticus*, Philadelphia 1989, XXXIII; sull'uso dei termini *qahal* e *'edah*, privi di «connotazione genealogica, familiare o tribale», v. p. XXXI.

[2] Per la presentazione idealizzata del regime sacerdotale in Giuseppe, si veda in particolare *Contra Apionem* 2,104-107 e 184-189.

Come Giuseppe afferma, i rabbi furono gli eredi dei sacerdoti, e il tempio-stato dei sacerdoti (come l'esilio nel quale per la prima volta lo si immaginò) fu una sorta di prefigurazione della condizione apolide della comunità rabbinica. Governato da uomini privi della maggior parte delle prerogative della sovranità, privi di esercito e con pochi poteri di polizia, le cui funzioni erano soprattutto rituali, i cui «sudditi» erano incerti e almeno in parte volontari, che venivano a patti con padroni stranieri, il tempio-stato è stato trascurato da chi studia la Bibbia e dagli storici della politica. I sacerdoti stessi che cosa pensavano di questo regime? È difficile saperlo; dovevano pensare che fosse legittimo perché divino, e dopotutto questo è il regime per il quale Giuseppe coniò il termine «teocrazia». Ma i giudei della diaspora che sognavano di tornare in terra d'Israele normalmente immaginavano che vi sarebbero stati condotti da re, non da sacerdoti. La difesa del sacerdozio in Ben Sira fu esclusa dal canone biblico e quella che ne fece Giuseppe era sospetta. Ciò che la Bibbia stessa racconta della politica sacerdotale (in quanto distinta dal rito sacerdotale) è confuso e confonde, è una riscrittura che si sovrappone a testi antichi più che una argomentazione. Ciò nondimeno il tempio-stato sopravvisse quasi quanto era sopravvissuta la monarchia; fu l'ultimo dei regimi biblici e probabilmente non il peggiore.

Capitolo 9
La politica della sapienza

La sapienza popolare non ha età e presumibilmente è antica quanto il popolo. Rispecchia il buon senso del vivere quotidiano. La sapienza di scuola, quella letteraria, la raccolta, la rifinitura e la ricostruzione ideologica di ciò che il popolo produce, compaiono in un particolare momento della storia della cultura. La sapienza di scuola si sviluppa con le istituzioni politiche i cui membri richiedono d'essere istruiti. Le sue primissime forme sono quelle di un sapere trasmesso direttamente: uno scritto ufficiale per un figlio, di una regina madre per un giovane re, come in *Proverbi* 31. Pare tuttavia probabile che fin quasi dagli inizi fossero presenti varie figure in funzione mediatrice, come insegnanti, saggi, «uomini sapienti». La letteratura sapienziale è opera della categoria che chiamiamo intellettuali. Conformemente all'uso dei testi biblici si parlerà qui di «uomini sapienti» (o di «i sapienti»), e quando questi rivestano una carica li si dirà «consiglieri».

Nell'Israele antico vi furono anche «donne sapienti», due delle quali sono menzionate in 2 *Samuele* 14,2 e 20,16. Al pari della profezia, la sapienza non è ereditaria ed è quindi accessibile ai due sessi (a differenza del sacerdozio e della monarchia, che si trasmettono in linea maschile). Negli scritti sapienziali l'espressione «donna sapiente» compare una sola volta (*Proverbi* 14,1) e non è previsto che le donne siano consiglieri del re. Naturalmente le madri insegnano ai figli come devono vivere. Il primo esempio di consiglio materno, riportato in *Proverbi* 31,3, è: «non dare il tuo vigore alle donne». La misoginia è un tratto comune ai Proverbi, all'Ecclesiaste e al libro di Ben Sira di epoca immediatamente postbiblica, la nota che vi predomina è il timore della sessualità femminile più che il disprezzo per le donne (anche se può esserci pure questo). Come nel caso di altri israeliti, si suppone che il sapiente si sposi; la donna ideale è una moglie virtuosa. «Apre la sua bocca con sapienza» (*Proverbi* 31,26), ma questa sapienza ha a che fare con questioni domestiche, non con quelle pubbliche. Forse sorprende che la moglie virtuosa sia attiva nel commercio ma mai in politica (cf. 31,16.18.24). I testi pervenuti, anche quelli della regina madre, furono probabilmente scritti da uomini.[1]

---

1 Il pregiudizio di genere è talmente evidente da non aver bisogno di commenti. Una critica femminista è comunque utile: D. Bergant, *Israel's Wisdom Literature. A Liberation-Critical Reading*, Minneapolis 1997, cap. 4.

Non sempre, tuttavia, «uomini sapienti» è una espressione elogiativa – in questo è simile al suo moderno equivalente. I primi sapienti che compaiono nella Bibbia sono servitori del faraone d'Egitto (*Genesi* 41,8; *Esodo* 7,11), e fra i nemici dei sapienti è comune l'identificazione della sapienza con l'Egitto. Di fatto sia la sapienza popolare sia quella di scuola hanno validità internazionale, e l'Egitto è indubbiamente una delle fonti cui attinsero i sapienti di Israele; di una sezione importante dei Proverbi (22,17-24,22) perlopiù si pensa che il modello sia l'*Istruzione di Amenemope*, della fine del Nuovo Regno.[1] Massime epigrammatiche e detti gnomici attraversarono i confini con la stessa facilità dei vasi e delle monete, e in tutti questi casi è facile che i prodotti locali siano imitazioni. La sapienza è il più cosmopolitico dei generi biblici, e i profeti le erano ostili proprio per questa ragione. Benché in Israele le venga dato un posto alle corti di Salomone e di Ezechia, non s'incontra alcun accenno alla storia israelita, nessun momento in cui la sapienza sia stata trasmessa al popolo, come avvenne per la legge e la profezia. Solo nella sapienza di Ben Sira s'incontra un racconto storico. Ben Sira presenta una personificazione della Sapienza che va in cerca di «un luogo di quiete» fra tutte le nazioni del mondo – finché non interviene Dio stesso:

Allora il creatore di ogni cosa mi diede un comando e colui che mi aveva creato mi assegnò un luogo per la mia tenda. E disse: Prendi la tua dimora in Giacobbe e abbi in Israele la tua eredità (24,8).[2]

Questa nazionalizzazione della sapienza è però un fenomeno assai recente – e risale a tempi in cui la sapienza e la *torah* si erano di fatto assimilate l'una all'altra. Nei testi biblici la sapienza è riconosciuta come patrimonio comune d'Israele e delle altre nazioni. Gli uomini sapienti, dai funzionari del faraone a Giobbe e ai suoi «confortatori», sono di solito non israeliti, e nonostante affermazioni di tipo agonistico – «e la sapienza di Salomone superò... tutta la sapienza dell'Egitto» (*1 Re* 4,30) – queste rivendicazioni acquistano peso soltanto quando si riconosca la serietà dell'antagonismo. Allo stesso modo, quando a proposito della legge rivelata d'Israele il Deuteronomista scrive che

questa è la vostra sapienza e la vostra intelligenza agli occhi delle nazioni, le quali sentiranno tutti questi decreti e diranno: Certo, questa grande nazione è un popolo sapiente e intelligente (4,6),

egli presuppone un ambiente internazionale nel quale la sapienza è apprezzata e perseguita.

La sapienza d'Israele è la sua legge: questa è la posizione ultima dei sa-

---

1 S. Weeks, *Early Israelite Wisdom*, Oxford 1994, cap. 1 e appendice.

2 Traduzione secondo *The Apocrypha of the Old Testament* (Revised Standard Version), ed. B.M. Metzger, New York 1963, 159, alla quale si attengono anche tutte le altre traduzioni dei passi citati di Ben Sira.

pienti, ed essa rende accessibile a tutto Israele, non solo all'élite sociale e politica, la loro sapienza così come lo è la legge. In origine la loro posizione era invece molto diversa. Un tipo di sapienza più esclusiva si può trovare nel libro dei Proverbi, gran parte del quale data probabilmente ai secoli precedenti l'esilio. La continua identificazione della sapienza con la corte di Salomone può essere attendibile o meno, ma non è pura piaggeria. Il motto di spirito, una delle forme fondamentali della sapienza, è naturalmente di casa alla corte dei re. Perché allora non alla corte del più potente re d'Israele? Il potere regio richiede ai cortigiani che sperano di avervi parte o di beneficiarne quelle stesse qualità che la sapienza di scuola cerca di coltivare: prudenza, dominio di sé ed eloquenza (la «dolcezza delle labbra» di *Proverbi* 16,21). Benché le raccolte di detti fossero probabilmente usate a scuola, l'uso della sapienza stessa aveva luogo nella corte, tanto che nel libro dei Proverbi si può trovare una raffigurazione ben informata e ravvicinata della vita con il re, quasi la sola fornita dalla Bibbia, dopo il racconto delle disavventure domestiche di David. È un'utile visione dal basso – anche se non molto dal basso: è scritta nella prospettiva dell'aspirante uomo di corte (o di colui che aspira a essere suo maestro). Gli anziani d'Israele cercavano un re per poter essere governati «come tutte le nazioni», e i cortigiani del re cercavano la sapienza così da potere avanzare negli uffici come tutti i cortigiani.

Nulla di sorprendente o di originale può essere trovato in quelli che si potrebbero considerare i proverbi regi – quelli di cui la corte è l'origine o lo scopo. Il loro insegnamento è rivolto a un solo problema: come far carriera a servizio del re. Un piccolo numero di proverbi, raggruppati in gran parte nei capitoli 28 e 29, sembra illustrare un'esperienza negativa della monarchia, ma per lo stile e la natura dei consigli che vengono offerti, esso è caratteristico del libro nel suo complesso. Al centro sta l'apprendimento del singolo che deve trovare la sua strada in un ambiente irto di pericoli. Come dice uno dei primi proverbi,

Il timore di un re è come il ruggito di un leone: chi lo provoca all'ira pecca contro la sua propria anima (20,2),

che significa, probabilmente, che mette a rischio la propria vita. *Proverbi* 28,28 ne trae semplicemente le conclusioni su come si comporta il sapiente quando i tempi non sono buoni:

quando i malvagi salgono [al potere], gli uomini si nascondono,

non sfidano il re né in privato né in pubblico. Non è questa la via della sapienza.

Uomini sapienti danno consigli al re: in che altro modo potrebbero manifestare la loro sapienza, come altrimenti avanzare a corte? «Il favore del re è per il servitore sapiente» (*Proverbi* 14,35). L'esempio classico di questo servitore sapiente, promosso dal favore regio, è Giuseppe in Egitto. Negli studi la storia di Giuseppe è letta spesso come novella sapienziale.[1] Giuseppe attribuisce a Dio le sue interpretazioni di sogni, ma le sue proposte politiche sembrano essere il frutto della sapienza e della prudenza che lo distinguono (cf. *Genesi* 41,33).[2] Queste danno certamente al faraone ogni motivo di favorire Giuseppe, dal momento che il loro risultato è un grande accrescimento del potere del re: di fatto l'asservimento del popolo egiziano (47,20-21). Gli autori biblici non commentano le politiche di Giuseppe, anche se né i Deuteronomisti né i profeti le avrebbero probabilmente accettate se fossero state messe in atto per conto di un re israelita. Ciò nondimeno Giuseppe si mostra «prudente e sapiente», il più fortunato dei cortigiani nella Bibbia (prima di Mordecai e di Ester).

Di rado il rapporto tra sapienza e successo è così diretto. Nei Proverbi i cortigiani devono essere pazienti e propizievoli tanto quanto sapienti:

> Con la pazienza si persuade il giudice, e una lingua dolce spezza le ossa (25,15).

E ancora:

> L'ira del re è messaggera di morte, ma un uomo sapiente la placherà (16,14).

L'immagine qui è quella di un sovrano assoluto o quasi assoluto che ha bisogno di consiglio, lo cerca e lo premia. Chi spera di essere suo consigliere deve prima essere suo cortigiano – alla lettera, deve fargli la corte. Il corteggiamento richiede spinte materiali (le chiamiamo bustarelle):

> Il dono fa largo all'uomo e lo porta alla presenza dei grandi (18,16).

Ancor più importanti sono tuttavia le parole dolci, ben scelte, dette sommessamente proprio al momento giusto. Questo, in ogni caso, devono fare i sapienti; diversamente, nel mondo dei ricchi e dei potenti non avrebbero alcuna funzione da svolgere.

I giovani allievi cui ci si rivolge nei Proverbi sembrano di fatto essere figli dei ricchi e potenti; vanno convinti che, se anche la ricchezza «crea molti amici» (19,4), richiede nondimeno la disciplina della sapienza. Per quanto riguarda la politica, questa disciplina della sapienza è soprattutto disciplina della lingua. I giovani sono anche esortati a evitare il bere e le avventure sessuali, e non è mia intenzione sminuire l'importanza di questo pio e tradizionale consiglio; i Proverbi mostrano grande paura per le «donne forestiere» quando alla fine del libro fanno il ritratto della moglie ideale.

---

1 Ma Stuart Weeks, in *Early Israelite Wisdom*, cap. 6, recensisce la letteratura sull'argomento e polemizza contro qualsiasi collegamento tra la novella di Giuseppe e le scuole sapienziali.

2 Joseph Blenkinsopp, in *Wisdom and Law in the Old Testament. The Ordering of Life in Israel and Early Judaism*, New York 1983, 38, sottolinea il ruolo della provvidenza nella storia. La sapienza dei Proverbi è più secolare; eppure Giuseppe sembra agire sulla base di certi suoi precetti.

Ma il consiglio più propriamente politico, che è anche l'esempio paradigmatico del dominio di sé da esercitare a corte, ha a che fare con la parola. Anch'esso può assumere forme pie:

> Labbra giuste sono la gioia dei re, ed essi amano chi parla rettamente (16,13).

Ma più spesso il consiglio è formulato in termini secolari e prudenziali:

> Chi sorveglia [*šomer*, tiene a freno] la sua bocca e la sua lingua
> preserva l'anima da preoccupazioni (21,23).

Oppure in termini che combinano pietà e prudenza:

> Le labbra del giusto sanno che cos'è accettabile,
>   ma la bocca del malvagio dice cose perverse (10,32).

Molto altro nei Proverbi mostra la natura delle corti regie, nessuna che sia specifica d'Israele, anche se presumibilmente agli allievi del sapiente s'insegna a trattare proprio con i re d'Israele. Si può vedere qui come questi uomini di corte fossero uguali a tutti quelli delle altre corti. In nessun passo dei Proverbi c'è il vago indizio di rimproveri o ammonimenti come quelli rivolti ai re da profeti come Neemia o Elia. Quel che i saggi raccomandano sono duttilità, adulazione, timore, cautela e calcolo. Quando sei alla tavola del re, sorveglia i tuoi modi (23,1), non fare racconti; impara l'arte di tener nascoste le cose (11,13); nei tempi avversi tienti nascosto (28,12. 28); in tempi migliori domina la tua ambizione, muoviti lentamente e non darti grandi arie:

Non darti arie davanti al re e non metterti al posto dei grandi, perché è meglio che ti venga detto: Sali quassù, piuttosto che tu sia posto più in basso, alla presenza del principe che i tuoi occhi hanno visto (25,6-7).

E, cosa più importante di tutte,

Figlio mio, temi il Signore e il re e non immischiarti con chi vuole il cambiamento (24,21).

Nulla è detto di questi aspiranti «novatori» (*šonim*: riformatori? ribelli?). Fatta eccezione per questo verso, i soli avversari del sapiente di cui si parli nei Proverbi sono i malvagi. L'opposto della sapienza è la follia, ma l'opposizione attiva viene dalla malvagità. Data la visione del mondo degli autori sapienziali classici, le due cose si legano fino a coincidere. Ma la coincidenza non può essere completa, perché i malvagi (sempre senza nome) sembrano essere per lo più i cortigiani rivali che, poiché spesso hanno successo, devono avere anch'essi una lingua dolce e astuta, ossia una loro sapienza. Non c'è tuttavia motivo di pensare che qualcuno di questi sapienti sia impegnato nel cambiamento politico o sociale. Più probabilmente quelli con cui s'insegna ai sapienti di non intromettersi sono i profeti d'Israele.

Senz'altro i profeti furono poco teneri con la sapienza. Nei loro libri i consiglieri del re, esplicitamente riconosciuti come sapienti, vengono spesso denunciati per i consigli pragmatici che danno e perché li danno a proprio nome e non in nome di Dio: «Guai a coloro che sono sapienti ai propri occhi e prudenti a loro modo di vedere» (*Isaia* 5,21). «Hanno respinto la parola del Signore, e quale sapienza è in loro?» (*Geremia* 8,9). Tutta la loro sapienza è straniera, molto probabilmente egiziana; il loro consiglio viene identificato con la particolare politica di cercare l'alleanza militare con l'Egitto: «Guai a loro, che scendono in Egitto in cerca d'aiuto» (*Isaia* 31, 1). Gli autori sapienziali non si permettono riferimenti locali del genere. Le loro sono espressioni di ostilità generalizzata, e a differenza di quelle dei profeti al centro non mettono quasi mai il re; di norma al centro sta ciò che è noto da qualsiasi altra esperienza di politica monarchica: malvagio non è il re ma soltanto i suoi (altri) consiglieri.

> Togli il malvagio dalla presenza del re,
>   e il suo trono sarà fondato sulla giustizia (25,5).

Le poche eccezioni a questo motivo politico sono altrettanto generali; se per caso erano riferite a un re o a una politica regia in particolare, il riferimento viene taciuto (come esige l'insegnamento del sapiente):

> Leone ruggente e orso infuriato;
>   tale è il malvagio che domina su un popolo povero (28,15).

La sapienza rispecchia e sostiene le istituzioni esistenti. I saggi dei Proverbi credono nella monarchia, accettano la gerarchia politica e sociale, avallano le regole della rispettabilità. Non sono al di sopra dell'adulazione:

> Un oracolo divino è sulle labbra del re:
>   in giudizio la sua bocca non sbaglia (16,10).

Non sono privi di fiducia nel loro posto nell'ordine delle cose:

> Dove non c'è consiglio, il popolo cade;
>   ma nella moltitudine dei consiglieri c'è sicurezza (11,14).

Contrariamente alla richiesta profetica che il re ascolti solo la parola di Dio, i sapienti vivono comodamente in un mondo che ricalca le loro proprie parole:

> Qualsiasi progetto è reso accetto dal consiglio:
>   e fa' guerra avendo ben riflettuto (20,18).

Tutti i loro consigli sono mondani e strategici, miranti a far posto alle differenze, a raggiungere il compromesso, a negoziare alleanze e a ricorrere alla guerra solo come mezzo estremo. Il sapiente è interamente impegnato nel mondo così com'è.

Si parla di mondanità dei sapienti non perché essi fossero empi o immorali; a loro modo furono maestri di giustizia. Il mondo così com'è ha un suo idealismo. Le classi privilegiate giustificano se stesse ai loro propri occhi, e una delle funzioni dei sapienti è fornire i termini di questa giustificazione. La parte di gran lunga maggiore del libro dei Proverbi è dedicata all'esortazione etica più che a consigli di prudenza. Di fatto, tuttavia, la tesi centrale della sapienza classica è che l'esortazione etica *è* consiglio prudenziale. Non si fa distinzione fra sapienza politica e sapienza pia. L'uomo sapiente rispetterà la morale stabilita e l'ordine politico (come fa Giuseppe quando respinge la moglie di Putifarre), e il suo riguardo verrà (alla fine) ricompensato. Dio governa il mondo in un modo per il quale chi fa il bene ha anche successo. Viceversa, chi già sta bene può essere ragionevolmente sicuro della sua (passata) bontà. La soddisfazione è qualcosa che quasi sorprende, ma non è rara nella lunga storia del potere e del privilegio. Nei testi sapienziali il compiacimento è tanto fondamentale che è quasi impossibile farne la parodia; l'esempio classico lo s'incontra nei Salmi:

> Sono stato giovane e ora sono vecchio;
> non ho mai visto il giusto abbandonato,
> né la sua stirpe mendicare pane (37,25).

I Proverbi sono fitti di rassicurazioni analoghe (v. ad es. 10,3), impartite sia al popolo nel suo complesso sia al singolo – anche se i rapporti fra i due non suscitano particolare interesse. Quando i sapienti dicono:

> La giustizia innalza una nazione, ma il peccato è un disonore per qualsiasi popolo [oppure, in una diversa lezione, impoverisce il popolo] (14,34),

non fanno nessun tentativo di precisare a chi ci si riferisca: i peccati di chi? quale popolo? Queste domande, tanto essenziali per gli scritti profetici, negli scritti sapienziali non vengono mai poste, così come non si sollevano mai i problemi della punizione collettiva e della responsabilità individuale. Fondamentale per la sapienza è una concezione forte anche se ingenua della responsabilità individuale – richiesta, forse, dall'ambiente della scuola, ma si tratta di una concezione del tutto non problematica. È anche totalmente astorica e questi due caratteri negativi possono senz'altro essere tra loro connessi. Il destino delle nazioni e delle famiglie, la punizione di una generazione per i peccati di un'altra, la speranza o il timore per i giorni che verranno – niente di tutto ciò la nostra mente riesce a immaginare senza la storia. È un tratto singolare della denuncia che Giobbe fa della giustizia di Dio, che non dica mai una parola sulla morte dei suoi figli, della sua perdita di posterità. Come si vedrà, Giobbe è tutto preso dalla giustizia e dalla sofferenza sue proprie. Quando la soddisfazione subisce un tracollo, la sapienza è ridotta allo sdegno personale, alla disperazione, al cinismo (e insieme con questi, o per causa loro, a una specie di filosofia); al contrario, i profeti trovano rifugio nell'escatologia.

La giustizia di Giobbe è la giustizia dei Proverbi. Egli è vissuto nel rispetto della morale dei detti dei sapienti e rivendica, per così dire, i suoi diritti materiali. Se crediamo che la virtù sia ricompensa a se stessa o che sarebbe meglio fosse ricompensa a se stessa, visto che non c'è altro, considereremo questa richiesta il segno di una morale inferiore. Ma il livello del comportamento richiesto dai sapienti non è basso né si dovrebbe pensare che la soddisfazione dottrinale conduca alla rilassatezza personale. Anche i profeti avrebbero riconosciuto che coloro che si vantano di vivere realmente all'altezza delle esigenze etiche dei Proverbi sono persone buone. E il punto è da sottolineare: l'etica della letteratura sapienziale è un'etica elevata, anche se manca del senso critico, dell'impegno appassionato e della specificità storica di altri scritti biblici.

È tipico del sapiente «tenersi lontano» dal male piuttosto che affrontarlo direttamente (così come il cortigiano prudente «si nasconde» dai malvagi):

> Non seguire la strada dei malvagi
>   e non entrare nella via degli uomini cattivi.
> Evita questa strada, non passarvi, allontanati
>   e passa oltre (*Proverbi* 4,14-15).

Giobbe è uno che «teme il Signore e *sta lontano dal male*», secondo il consiglio di *Proverbi* 3,7; nei Proverbi e in una serie di Salmi la frase in corsivo è ripetuta cinque volte; altrove nella Bibbia è usata una sola volta (in Isaia). Per contro, la tipica ingiunzione del Deuteronomio è «*tieni lontano* il male da Israele» – imperativo collettivo che esige l'azione anziché l'astensione. In tutti i nove passi in cui la frase ricorre, l'azione richiesta è l'uccisione dei malfattori. I Proverbi sono più benevoli: i re adirati possono minacciare la morte, ma i sapienti li rabboniscono.

I Proverbi e il Deuteronomio sono i due grandi libri precettistici della Bibbia. Sembrano provenire dallo stesso ceto di scribi e funzionari urbani, ma sono profondamente diversi – come fossero stati scritti, i Proverbi prima, il Deuteronomio durante o dopo un'epoca di straordinario risveglio religioso. Molti precetti sono gli stessi, anche se nel primo libro si presentano come consiglio dei sapienti, nel secondo come comandamenti del Signore. Diversi sono il linguaggio e il tono, rispettivamente quelli di un consiglio e di un comando appropriati, ma, e più importante, anche gli argomenti sono diversi. Nel Deuteronomio i comandi di Dio sono collocati all'interno di un racconto storico accolto dal popolo nella forma di un patto e giustificato con l'esperienza della schiavitù in Egitto. Nei Proverbi non ci sono richiami all'Egitto o al Sinai né accenni a un patto. La regola di vita come si presenta in quelle che (probabilmente) sono le parti preesiliche del libro, viene cercata e trovata grazie alla sapienza umana e viene argomentata sulla base del Dio della creazione non del Dio della storia:

> Chi opprime il povero offende il suo creatore (14,31; 17,5).

> Il ricco e il povero s'incontrano: il Signore ha creato l'uno e l'altro (22,2).

Nella sua autodifesa Giobbe sostiene la stessa cosa:

> Se ho avuto in spregio la causa del servo o della serva quando litigavano con me, che cosa farò quando Dio si alzerà?... Colui che nel grembo fece me non fece anche lui? (31,13-15).

L'etica della sapienza è più universalista di quella del Deuteronomio, come fa capire un interessante spostamento linguistico: nel Deuteronomio il destinatario più comune della condotta morale è «il tuo fratello»; nei Proverbi è «il tuo prossimo» (o nella versione di re Giacomo «il tuo amico»; l'ebraico è *re'eka*). Nel Deuteronomio il termine «fratello» con i suoi affini compare circa cinquanta volte, «prossimo» diciotto volte. Nei Proverbi «prossimo» compare trentatré volte, «fratello» soltanto otto.[1] Poiché inoltre nei Proverbi di Israele non si fa menzione, la fratellanza, quando i sapienti vi si richiamano, è sempre una relazione familiare, non nazionale. Forse per questa ragione l'etica sociale dei Proverbi manca dell'intensità di quella del Deuteronomio. Il sapiente sprona i suoi allievi ad avere misericordia dei poveri (14,21), a dar loro il pane (22,9), a non derubarli (22,22), a non opprimerli impadronendosi dei loro campi (23,10) o praticando con loro l'usura (28,8), ma non c'è nulla della potenza del comandamento deuteronomico:

> Se vi sarà tra voi un povero che sia dei tuoi fratelli dentro una delle tue porte... non indurirai il tuo cuore e non chiuderai la tua mano davanti al tuo fratello povero, ma aprirai larga a lui la tua mano (15,7-8).

Gli uomini sapienti non mancano di buona volontà verso il povero ma non è nel loro stile tenere spalancata la mano.

Allo stesso modo, quando i sapienti dicono «fa' la guerra avendo ben riflettuto», si mettono contro la guerra santa del Deuteronomio e premono per un'etica politica alternativa. Intendono dire: cerca alleanze militari, combatti solo quando è prudente farlo, appena cessato di combattere fa' la pace. Poiché Dio ha creato sia il prossimo sia i fratelli, la guerra di sterminio è esclusa. Ahab seguiva probabilmente il suggerimento dei suoi consiglieri quando firmò un trattato di pace con i siriani (cadendo sotto la censura di uno dei profeti d'Israele). La guerra è un'attività secolare, non religiosa; perciò la sua violenza è limitata. Questa posizione è importante, trova espressione in alcuni codici di leggi ed è esemplificata

---

[1] Nel cap. 3 ho fatto un confronto simile tra il Deuteronomio e il Levitico. Probabilmente è vero che sia gli uomini sapienti sia gli autori sacerdotali sono più universalisti dei Deuteronomisti, e merita riflettervi; ma uomini sapienti e sacerdoti non sono simili sotto qualsiasi altro aspetto.

nei racconti storici, ma nei libri biblici non viene mai difesa in termini dottrinali. Né è difesa negli scritti sapienziali, dov'è soltanto implicita. I sapienti non provocano i guerrieri di Dio così come non provocano il re.
La loro non è un'etica dello scontro, e quindi l'alternativa che incarnano
non assume mai una forma violenta.[1]

Nei Proverbi i consigli politici e morali sono sempre rivolti al singolo, mai
al popolo nel suo insieme.[2] Dal momento però che si presume che questi
individui diventeranno giudici e funzionari, persino re, l'interesse per il
destino del popolo non è assente. Gli allievi possono essere assorbiti dalla
loro carriera, ma si tratta di carriere pubbliche e il loro presunto oggetto
è il pubblico benessere. «Col giudizio il re rafforza il paese» (29,4), non solo il suo trono. Questo legame fra i sapienti e il popolo, mediato dall'eser-
cizio di una carica, nella letteratura sapienziale più recente scompare. Scrive Elias Bickerman: «A Qohelet l'idea di un servizio pubblico è estranea:
il governo per lui è tirannico e, nell'Ecclesiaste, non c'è una parola sui doveri dell'uomo verso il prossimo».[3] In effetti l'autore dell'Ecclesiaste sembra sempre scrivere per giovani con ambizioni politiche, che sperano di
assistere a corte il re. Ha però ragione Bickerman di pensare che il re appare ora soltanto nelle vesti del potere, mai della giustizia, e che non si cerca mai di indirizzare l'ambizione del giovane al benessere della nazione.
Ti consiglio di rispettare il comando del re... Non affrettarti ad allontanarti dalla
sua vista: non persistere nel fare il male; poiché egli fa quel che gli piace. Dov'è
la parola di un re, là c'è potere, e chi può dirgli: Che cosa fai? (8,2-4).
Lo stico «non persistere nel fare il male» rende quattro parole ebraiche che
i più oggi pensano che abbiano un significato più pregnante. La versione
di re Giacomo che sopra si riporta è apologetica. Ciò che probabilmente
l'autore consiglia è qualcosa come «non esitare a compiere le malvagità
che il re ti suggerisce» o «non insistere in questioni che il re considera cattive».[4] Entrambe le alternative si adattano bene al passo nel suo insieme
e rivelano quella che è stata chiamata la «crisi» della sapienza classica.[5] I
sapienti non credono più che moralità e prudenza richiedano lo stesso
comportamento e, nella misura in cui la loro sapienza è una sapienza mon-

---

1 Susan Niditch fa osservare nella Bibbia l'esistenza di un'«etica pragmatica della guerra come
arte di governo», che però non trova molto spazio per esprimersi. Cf. S. Niditch, *War in the Hebrew Bible. A Study in the Ethics of Violence*, New York 1993, 35-37.
2 Y. Kaufmann, *The Religion of Israel. From Its Beginnings to the Babylonian Exile*, tradotto e
abbreviato da M. Greenberg, Chicago 1960, 328-329.
3 E. Bickerman, *Four Strange Books of the Bible*, New York 1967, 152 (tr. it. *Quattro libri
stravaganti della Bibbia*, Bologna 1979, 164-165).
4 Cf. R. Gordis, *Koheleth. The Man and His World*, New York 1955, 172-173.
5 B.L. Mack, *Wisdom and the Hebrew Epic. Ben Sira's Hymn in Praise of the Fathers*, Chicago
1983, 143 ss. Cf. Blenkinsopp, *Wisdom and Law*, 46-52.

dana, radicata nella pretesa di capire come stanno realmente le cose, non possono più dare consigli morali. Non possono dire ai loro allievi quel che ora sarebbe necessario: agisci secondo giustizia e metti a rischio la tua vita. Non è questa la strada del sapiente. L'effettivo consiglio dell'Ecclesiaste è di rinunciare all'ambizione politica e di evitare la scena pubblica (l'autore non è del tutto incoraggiante nemmeno a proposito della vita privata, ma non è questo che qui interessa). Se devi assistere il re, obbediscigli senza fare questioni. Non cercare di consigliarlo o di distoglierlo dal male. Non pensare che si delizierà della giustizia delle tue labbra e che con questa ti conquisterai un posto al suo fianco.

Non è facile capire quali siano le premesse storiche di questo cambiamento radicale. Di quali eventi è conseguenza la crisi della sapienza classica? o forse, come senz'altro potrebbe essere, l'Ecclesiaste è l'opera di un isolato sapiente disilluso? Non è difficile immaginare che l'autore sia un intellettuale provocatore che contesta la soddisfazione dei colleghi, godendo della loro indignazione. Egli era infatti uno di loro, come afferma l'epilogo del suo libro: «Cercò e mise in ordine molti proverbi» (12,9) – allo stesso identico modo degli «uomini di Ezechia» di *Proverbi* 25,1. Ma non soltanto il temperamento del suo autore bensì l'universo stesso dell'Ecclesiaste sembra completamente diverso da quello dei sapienti di Ezechia. La spiegazione che di solito viene data di questa differenza fa dell'Ecclesiaste un libro postesilico; la crisi intellettuale sarebbe l'effetto della disfatta politica, della distruzione del paese, del trauma della deportazione, della perdita di sovranità. Naturalmente, se la datazione a cui normalmente si pensa è corretta (IV sec. a.C. o inizi del III), tutto ciò appartiene ormai a un passato piuttosto lontano. L'autore dà l'idea di far parte di un ceto superiore (se non dominante) sicuro e agiato; non ha il tono di qualcuno sconvolto da perdite politiche né, come Giobbe, personali. L'ingiustizia che vede tutt'intorno a sé non può essere stata una novità e non c'è alcun motivo di pensare che fosse peggiore (come avrebbe potuto esserlo?) dell'ingiustizia di cui parlano i profeti preesilici.

Forse la differenza ha a che fare con l'esperienza prolungata di una dominazione straniera. È difficile pensare che gli uomini sapienti dei Proverbi riassumano la loro visione della monarchia di Israele nelle parole dell'Ecclesiaste:

Ho notato tutto quanto accade sotto il sole, quando gli uomini... hanno autorità su altri uomini per trattarli ingiustamente (8,9, NJPS).

Questi «uomini» poco attraenti non sono certo i re di Israele, come conferma la più importante affermazione politica dell'Ecclesiaste, dove alla Giudea ci si riferisce come a provincia dell'impero (*m^edinah*: il termine ricorre soprattutto nei libri di Esdra, Neemia ed Ester):

Se vedi in una provincia l'oppressione del povero e la soppressione di diritto e giustizia, non te ne meravigliare, perché un alto funzionario [šomer] è protetto da uno più alto e tutti e due da uno ancor più alto (5,7-8, NJPS).

L'affermazione sembra parlare di una gerarchia di funzionari corrotti, ciascuno dei quali sfrutta quello immediatamente sotto di lui, protetto da quello che gli sta immediatamente sopra, mentre il popolo è infine vittima di tutti. Forse quello che rende così poco sorprendente l'oppressione è che non si tratta di funzionari israeliti. L'assenza di sorpresa è segno di rassegnazione e d'impotenza.

Con tutto ciò non si è ancora spiegata la crisi intellettuale – perché certo vi furono uomini sapienti (come vi furono sacerdoti) israeliti che si adattarono all'imperialismo persiano. Non è possibile spiegare la rassegnazione e la disperazione semplicemente mettendo a posto le date. I profeti preesilici non erano rassegnati e il postesilico Ben Sira, vissuto sotto un imperialismo più recente, non fu disperato. Di fatto non si giunge mai a sapere quale esperienza pubblica o privata condusse l'autore dell'Ecclesiaste alla sua visione della vita umana come vita vuota e vana. Ma quando si osservi questa visione più da vicino si riuscirà forse a vedere che cosa apra la sapienza alla disperazione.

L'Ecclesiaste mette in questione ogni attività umana, ma il libro s'interessa soprattutto ad attività competitive: la ricerca di ricchezze e di cariche. Proprio in questo la sapienza classica prometteva il successo. Il valore del successo perlopiù viene dato per scontato: era un segno del favore di Dio, era al servizio del pubblico bene, era in se stesso piacevole e migliorava la vita ai propri eredi:

> Un uomo buono lascia un'eredità ai figli dei suoi figli (*Proverbi* 13,22).

Pur non possedendo una visione del futuro, la letteratura sapienziale guarda coerentemente in avanti. La sua direzione è espressa dalla forma del suo indirizzo: «figlio mio». È soltanto una figura: il sapiente si rivolge a tutti i figli d'Israele o quantomeno dell'élite d'Israele come fossero i figli dei loro maestri, i legittimi eredi della sapienza. Presa in sé, tuttavia, la sapienza non fa nulla per rafforzare i legami che presuppone. Gli autori sacerdotali guardavano indietro ad Aronne e alla costruzione del tabernacolo, nell'intento di anticipare il tempo in cui il tempio verrà visto come il centro del mondo. I profeti guardavano indietro a Mosè, nell'intento di anticipare le benedizioni e le maledizioni. La sapienza non offre una visione del passato, e la sua presa sul futuro è perciò fragile e problematica.[1]

La crisi della sapienza è la crisi di uomini che non hanno più nulla da pensare delle loro carriere. Possono ancora far denaro e sopravvivere a corte, ma per ragioni che non sappiamo non credono più nell'importanza

1 J.L. Kugel - R.A. Greer, *Early Biblical Interpretation*, Philadelphia 1986, 48.

di queste attività. La loro ricchezza non gioverà ai loro figli né maggior valore ha il loro successo politico:

Perché c'è un uomo che ha lavorato in sapienza e in intelligenza e in equità, e a un uomo che non vi ha faticato lo lascerà come sua parte (*Ecclesiaste* 2,21).

Questo per il «figlio mio». Farebbe meglio a farsi la sua strada che ereditare da me; o anche: non mi dà nessun piacere lasciargli le mie ricchezze (o la mia sapienza) – questo forse si avvicina di più allo spirito del testo. Nemmeno al popolo serve il sapiente:

Ho considerato tutte le oppressioni che si commettono sotto il sole: ed ecco le lacrime degli oppressi, e non avevano chi li confortasse; dalla parte dei loro oppressori c'era il potere; ma quelli non avevano chi li confortasse (4,1).

Quella sapienziale non è una letteratura che consoli, è una letteratura che spinge al successo. Ma se il successo non giova a nulla, a che serve? Il consiglio dell'Ecclesiaste è di concentrare tutte le energie sulla propria vita, su se stessi, senza darsi pensiero dell'eredità, pubblica o privata, che potremmo lasciare alle generazioni future:

Non v'è nulla di meglio per un uomo che godere delle proprie opere, perché questa è la sua sorte: chi infatti lo porterà a vedere che cosa sarà dopo di lui? (3,22).

Ma questa gioia è per sempre oscurata dalla precognizione della morte che mette fine a tutto. Agisci ora – dice l'autore dell'Ecclesiaste – perché si avvicina rapido il momento in cui non agirai più:

Tutto ciò che trovi da fare, finché puoi fallo; perché non c'è attività, né accorgimento, né scienza, né sapienza nella fossa dove andrai (9,10).

Non riesco a pensare a un passo, negli scritti dei sacerdoti o dei profeti, in cui la morte sia raffigurata così chiaramente come fine assoluta – non che sacerdoti o profeti credano in un aldilà; credono semmai in un futuro della famiglia o della nazione. Con la formula «mio popolo» con cui di norma apostrofano il loro uditorio, danno sostanza e specificità al «figlio mio» della sapienza. Proprio in virtù del suo senso dell'unità storica il Secondo Isaia può svolgere la funzione che la sapienza evita: «Consolate, consolate il mio popolo» (40,1).

L'autore dell'Ecclesiaste dà per perso il suo popolo non perché pensi che sia malvagio ma perché egli non è in grado di aiutarlo – neppure i suoi figli è in grado di aiutare. Non vede un nesso causale tra i suoi sforzi e il loro benessere. Manca del tutto in questo libro un qualsiasi impegno in un progetto in atto – come in questi stichi provenienti dalla sapienza rabbinica posteriore:

Non è tuo dovere finire l'opera, ma non hai la libertà di trascurarla.[1]

---

[1] *Pirqe Abot* 2,21, in *The Living Talmud. The Wisdom of the Fathers and Its Classical Commentaries*, Chicago 1957, 116.

Alla base del lavoro di raccolta dei proverbi e d'istruzione dei giovani potrebbe esserci un'idea come questa, che però non trova una formulazione chiara negli scritti dei sapienti. Per questo la crisi della sapienza, quale che sia l'evento che vi si esprime, è insita nella letteratura sapienziale fin dai suoi inizi.

Ritirandosi in se stesso l'autore dell'Ecclesiaste segue semplicemente il consiglio dei Proverbi: quando il malvagio prende il potere, il sapiente si nasconde. Sarebbe tuttavia un errore presentare questa reazione in termini totalmente negativi (come si è fin qui fatto). Dal loro nascondiglio i sapienti continuano a osservare il mondo e lo vedono forse con maggior chiarezza di quanto non facciano sacerdoti e profeti. Lo vedono certamente con occhio più pratico – come accade nei versi dell'Ecclesiaste sulla gerarchia dei burocrati, forse il solo caso biblico di analisi strutturale, nel freddo rifiuto di tutte le pie frasi convenzionali sulla giustizia e la sua ricompensa, e infine nel primo esplicito apprezzamento (negli scritti biblici) della vita privata borghese:

> Vivi felice con la sposa che ami tutti i giorni della [tua] vita (9,9).

D'altro canto non si vedono figli che colleghino marito e moglie alla comunità più in generale e al futuro. Quel che l'Ecclesiaste apprezza è una vita privata senza responsabilità: un edonismo tranquillo, riflessivo, scettico, talvolta tenero, il cui protagonista (maschio) riesce a essere grande soltanto per lo sdegno col mondo dal quale si è ritirato:

> Ho visto... il luogo del giudizio, che vi era malvagità, e il luogo della giustizia, che vi era iniquità (3,16).

La sapienza delusa scivola in filosofia, i proverbi sono sostituiti da domande e ragionamenti. La tendenza è chiarissima in Giobbe, libro che nega espressamente ciò che i Proverbi e anche l'Ecclesiaste danno per scontato: la possibilità di raggiungere la sapienza. Facendo sue le tradizioni dei sapienti il Deuteronomio dice della sapienza stessa d'Israele che «a te non è nascosta». Non è in cielo né al di là del mare, ma molto vicina: «nella tua bocca e nel tuo cuore» (30,11-14). Giobbe invece domanda: «dove si troverà la sapienza?», e risponde che «è nascosta agli occhi di tutti [i] viventi» (28,12.21). La sapienza è nascosta per la stessa ragione per cui il sapiente si nasconde: il trionfo nel mondo dei malvagi, tanto inspiegabile quanto terrificante. Non si può spiegarlo sulla base del presupposto classico di un ordine morale visibile e di una giustizia divina ragionevolmente sollecita e prevedibile. Perciò la sapienza diventa il segreto di Dio e la filosofia lo sforzo umano per trovarla. Certo, la conclusione del ragionamento di Giobbe è che non si può trovarla; la sola sapienza possibile per l'umanità è il timore di Dio, ma raramente questa conclusione è sembrata persuasiva ai lettori del resto del libro. Le domande di Giobbe sono solo un inizio.

Perché pone le sue domande e vi insiste con tanta veemenza? Non si può dire che non ci fossero risposte. Messi di fronte alle sofferenze di Israele gli autori biblici si adoperarono per elaborare una serie di spiegazioni più o meno plausibili. Ma per loro Israele aveva già un posto in un ordine storico, così che le loro spiegazioni potevano guardare in avanti e indietro. Per loro c'era spazio per manovrare. Giobbe, al contrario, pensa soltanto alla sofferenza individuale e solo al momento presente; vuole sapere perché *egli* stia soffrendo *proprio ora*. Israele sapeva d'essere un popolo che spesso non era riuscito a vivere all'altezza degli obblighi dell'alleanza. Di nuovo, invece, Giobbe è certo della sua giustizia, conformemente all'insegnamento dei Proverbi si è sempre «tenuto lontano» dal male. A guidare le sue domande sono la sua fiducia in se stesso, il suo egotismo e il suo interesse tutto per il presente. In questo senso egli è l'erede perfetto della sapienza classica: è radicalmente concentrato su se stesso.

Martin Buber scrive che quando leggiamo Giobbe «ci è più facile pensare al destino di esilio del popolo che alla sofferenza di un individuo».[1] Certamente la maggior parte dei lettori del libro troverà sorprendente questa affermazione. Non riesco a vedere nulla nel testo che inviti al passaggio di Buber dall'esperienza individuale a quella collettiva. Dall'inizio alla fine della sapienza biblica, infatti, non si cerca mai di richiamarsi alla storia di Israele. Non c'è ragione di leggere il lamento di Giobbe come se contenesse qualche (segreto) riferimento storico, più di quanto non se ne abbia quando si leggono i consigli dei Proverbi. La natura apolitica della sapienza più recente può avere cause storiche – la conquista ad opera di un impero e l'esilio –, ma niente conferma che l'autore di Giobbe abbia fatto di questa causa il suo argomento. La sofferenza di un giusto è un argomento sufficiente.

Giobbe non ha una carriera pubblica, non una vita a corte, non ricompensa regia per l'eloquenza della sua parola. È invece l'uomo di corte di Dio, fatto ribelle dalla delusione. E, come un buon re, Dio alla fine (anche se la fine è incredibile) lo premia perché ha detto «la cosa giusta» (42,8). Di Giobbe, Moshe Greenberg ha scritto che «la sua sofferenza immeritata gli ha aperto gli occhi sull'ingiustizia imperante in generale nella società».[2] L'esempio più evidente di questa scoperta si trova nel cap. 24, dove Giobbe parla degli oppressi con una compassione tale da non avere l'uguale nella letteratura sapienziale e forse nell'intera Bibbia. I profeti, che pure tengono gli occhi altrettanto ben aperti, sono tanto pronti a giudicare e minacciare che raramente si concedono il tempo che si prende Giobbe per

1 M. Buber, *The Prophetic Faith*, New York 1949, 189 (tr. it. 185).
2 M. Greenberg, *Studies in the Bible and Jewish Thought*, Philadelphia 1995, 340.

descrivere l'esperienza dell'oppressione e, più in particolare, l'esperienza della povertà e di chi è senza casa:

I poveri del paese insieme si nascondono. Ecco, come asini selvatici nel deserto escono per il lavoro… la steppa offre il cibo per loro e per i loro figli… Sono bagnati dagli scrosci dei monti e abbracciano la roccia in cerca di riparo (24,4-5.8).

Cose come queste sono rare anche in Giobbe, perché il tema principale dei suoi discorsi è la sua *propria* immeritata sofferenza. E quando, come dice Greenberg, questi discorsi «assumono il carattere di una 'causa pattizia' al rovescio, perché l'uomo accusa Dio anziché essere Dio che accusa l'uomo», Giobbe non fa che imporre con forza il proprio caso. La sua non è un'azione legale collettiva:

Ora ecco, ho preparato la mia causa; so che sarò dichiarato innocente (13,18).

Ecco, grido contro l'errore, ma non sono ascoltato: grido ad alta voce, ma non c'è giustizia (19,7).

In nessun modo Giobbe è un portavoce politico o legittimo degli oppressi. Ma è come se avesse il compito di rappresentare semplicemente l'uomo. Privo d'identità nazionale, della fedeltà al patto, di legami familiari, è innocente e vulnerabile. Col suo essere tutto assorbito in se stesso, diventa un archetipo. La grande domanda filosofica posta dal libro, «perché l'uomo soffre?», di fatto è la versione ingenuamente generalizzata della domanda «perché sto soffrendo?». Giobbe non contempla visioni di una società migliore in cui la sofferenza potrebbe venir alleviata (per alcuni e in certi momenti). Non «s'immischia con chi vuole il cambiamento», perché ha fatto una grande scoperta: sa che il mondo non è come l'hanno descritto i sapienti (e come continuano a descriverglielo, stando seduti davanti a lui), e chiede perciò una spiegazione. Sa tutto questo e avanza la sua domanda *come uno dei sapienti*. La sua volontà di capire è sempre guidata dalla speranza della riuscita personale – ora nella forma della reintegrazione divina. E come l'autore dei Proverbi e diversamente da quello dell'Ecclesiaste, egli crede ancora che «labbra giuste sono la gioia dei re». Se soltanto Dio lo ascoltasse, dice nel suo ultimo discorso,

gli dichiarerei il numero dei miei passi; come un principe mi presenterei a lui (31,37).

Naturalmente risulta che Dio è sempre stato ad ascoltare. Giobbe è quindi ormai propenso, e infine persuaso, a porre fine alle sue domande radicali (anche se nessuna ha mai avuto risposta), e viene riportato alla sua condizione di prosperità. L'epilogo di Giobbe che racconta il suo ristabilimento rappresenta la fine della crisi della sapienza classica. Non intendo fare affermazioni sulla cronologia dei diversi scritti (molti studiosi assegnerebbero all'Ecclesiaste una data posteriore a Giobbe), ma sul significato di quest'ultimo soltanto. Indubbiamente la conclusione arriva con troppa facilità, ma è quel che accade a volte con le crisi, nel mondo intellettuale se non in quello pratico. Giobbe impara a temere Dio e a lasciar perdere la filosofia. Senza alcuna ulteriore indagine sul valore prudenziale della pietà, la sapienza le viene definitivamente subordinata. Ben presto questo valore sarà garantito dalla dottrina dell'aldilà, ma la fine ultima di Giobbe, benedetto da Dio, anticipa già la felicità del sapiente nel mondo a venire.

Che ne è in questo mondo degli allievi del sapiente una volta che la crisi è passata? A questa domanda potrebbero rispondere i sette figli e le tre figlie della seconda famiglia di Giobbe, che continuano a vivere felici anche dopo, riprendendo senza problemi la vita della sua prima famiglia, ma non è consentito loro parlare. Suppongo che di fatto siano tornati ad andare alla scuola (i figli, almeno), dove studiarono raccolte di proverbi molto simili a quelle del libro biblico dei Proverbi, imparando a farsi strada nel mondo. Ma questo mondo non aveva più il suo centro nella corte del re. È possibile farsi un'idea di che genere di mondo fosse dando una rapida occhiata all'opera di Joshua Ben Sira, che tenne una di quelle che devono essere state le ultime scuole di sapienza, negli anni che precedettero la loro sostituzione ad opera delle accademie rabbiniche.[1]

Il libro della sapienza di Ben Sira è postbiblico, ma penso sia rivelatore di quello che potrebbe essere considerato il progresso della sapienza biblica. Il libro è straordinariamente complesso e qui non si cercherà di affrontarne la complessità. Nella forma dell'encomio ellenistico il libro contiene il racconto della storia politica d'Israele; è un inno in lode di uomini celebri (o pii), nel quale sacerdoti e profeti ne escono meglio dei re, mentre i sapienti non sono menzionati affatto.[2] Il libro fornisce un ritratto, forse un autoritratto, dello scriba tutto dedito al tempo stesso allo studio della legge di Dio e della «sapienza degli antichi», alle profezie e ai proverbi – come se le due componenti, accuratamente distinte nei testi biblici, formassero ora un unico argomento. Esso presenta anche, come si è accennato all'inizio del capitolo, una visione nazionalizzata della sapienza: è la prima raccolta di proverbi esplicitamente giudaici. Ma niente di tutto ciò qui interessa: qui si vorrebbe piuttosto mettere a fuoco nel libro di Ben Sira il tentativo di restaurazione della sapienza biblica. L'autore copia, imita, ripete gli argomenti dei Proverbi (anche di altri libri, ma soprattutto di questo), anche se in modo incompleto, unilaterale, con impercettibili cambiamenti, così che nel suo scritto si può vedere la tendenza della sapienza

1 Per una trattazione specialistica di ciò che potrebbero essere state queste scuole e per un giudizio sulle testimonianze relative alla loro esistenza si veda J.L. Crenshaw, *Education in Ancient Israel. Across the Deadening Silence*, New York 1998, cap. 3.
2 Cf. B.L. Mack, *Wisdom and the Hebrew Epic*.

nel corso della sua crisi – non la rottura radicale dell'Ecclesiaste e di Giobbe, ma il movimento sottostante.[1]

Al centro, per Ben Sira, c'è quasi esclusivamente la vita privata dei suoi allievi. Quando parla di consigli, raramente egli pensa al consiglio che un uomo sapiente dà a un re; pensa piuttosto ad amici che si consigliano vicendevolmente. La sua morale sessuale non mira a liberare dalle distrazioni e dai pericoli l'ambizioso cortigiano, ma a consolidare la famiglia e ad assicurare l'autorità del marito. Quando illustra il comportamento appropriato in un banchetto, la sua attenzione è rivolta alla riunione per un pranzo privato, non alla tavola regia. La sua «istruzione riguardo al discorrere», importante qui come nei Proverbi, ha a che fare col pettegolezzo, le vanterie, la volgarità, l'imprecare che si fa nelle strade e nelle case della città, non col discorso politico richiesto alla presenza dei potenti. Tutto ciò non vuol dire che a Ben Sira l'ambizione secolare non interessi; secondo lo stile classico, sua aspirazione è d'insegnare agli allievi «come servire i grandi» (8,8). Ma per lui importante è altro. Quando parla di vita pubblica egli pensa all'assemblea locale più che alla corte del re, e nulla di quanto dice fa pensare che presenziare all'assemblea sia decisivo per la carriera dei suoi giovani.

Ciò nondimeno Ben Sira è un restaurazionista che mette di nuovo al centro queste carriere e confida nel loro valore. La sapienza è di nuovo raggiungibile, soltanto è necessario che

voi che siete senza istruzione vi avviciniate
e prendiate dimora nella mia scuola (51,23).

Nonostante tutta l'importanza data allo studio della *torah*, la sapienza che Ben Sira insegna, al pari di quella dei Proverbi, è ancora perlopiù fondata sull'esperienza e l'osservazione. Si tratta più di consigli terreni che di comandamenti religiosi. Il suo libro è fitto di citazioni e di parafrasi bibliche, ma l'autore è in gran parte un consigliere e un maestro indipendente che aggiunge del suo al patrimonio della sapienza:

Quelli che comprendono detti diventano abili anch'essi
e creano proverbi appropriati (18,29).

In questa restaurazione la politica va in gran parte perduta. Ma guardando indietro, dalla prospettiva aperta da Ben Sira, ci si può chiedere se nella tradizione della sapienza la politica ebbe mai quella posizione centrale che ho fatto sembrare che avesse. La sapienza è un'etica e una linea di condotta per la vita di ogni giorno. Quando le condizioni di questa vita por-

[1] A illustrazione di come Ben Sira riveda il tema dei Proverbi e di altri testi biblici si veda S. Schwartz, *Were the Jews a Mediterranean Society? Reciprocity and Solidarity in Ancient Judaism*, Princeton 2010, cap. 3. A detta di Schwartz, Ben Sira fornisce una sorta di sociologia della dipendenza, del clientelismo e della reciprocità – qualcosa di mai tentato da autori biblici.

tarono gli allievi del sapiente alla corte del re, la sapienza insegnò loro le arti dell'uomo di corte; quando le condizioni cambiarono, la sapienza insegnò una forma più generale di vita civile. Di fatto, almeno in Israele, il sapiente non fece mai della politica qualcosa di decisivo per l'idea del vivere bene. Per questo venne abbandonata con tanta facilità durante la crisi – per non essere mai più ripresa nel periodo che seguì. La letteratura sapienziale non esprime mai qualche profonda finalità politica né qualche impegno per il benessere di un particolare gruppo di persone. E forse ancor più importante è che il tipo particolare di coraggio che (talvolta) la politica richiede è del tutto estraneo all'immagine che il sapiente ha di sé. Anche per questo aspetto Ben Sira è un restaurazionista:

Non domandare al Signore l'ufficio più alto, né un posto d'onore al re... Non cercare di diventare giudice, per non essere poi capace di estirpare l'iniquità... e gettare così una macchia sulla tua integrità (7,4.6);

Non litigare con un uomo potente, per non cadere nelle sue mani (8,1);

Tieniti lontano da chi ha il potere di uccidere, e non sarai angustiato dalla paura della morte (9,13).

Dal momento che la sapienza si fa guidare tanto profondamente dalla prudenza, si potrebbe senz'altro sperare in governanti che consultino il sapiente: sarà così meno probabile che corrano rischi nella condotta pubblica e quindi impongano rischi ai loro sudditi. Ma il sapiente non premerà per essere consultato. «L'uomo sapiente è cauto in ogni cosa», dice Ben Sira (18,27), e lo è prima di tutto per sé e soltanto dopo nell'interesse della città. Non c'è nessuna ragione di rivolgersi alla sapienza se non per il suo consiglio accorto: come condursi meglio nel fare tutto ciò che il sovrano vuol fare. La domanda politica più generale – che cosa si dovrebbe fare? – è fuori della portata della sapienza, va oltre l'ambizione del giovane. D'altra parte la domanda più generale è importante, come talvolta anche il sapiente è in grado di capire. «Dove non c'è visione, il popolo si perde» (*Proverbi* 29,18): questo è uno dei più intelligenti ed eccezionali detti sapienziali, dal momento che in nessun altro passo della Bibbia «visione» (*ḥazon*) è associato alla sapienza, ma soltanto alla profezia. Al riguardo gli autori biblici riproducono una dicotomia storica, comune a molte culture: l'uomo prudente che sussurra all'orecchio del re non ha nulla da dire sul destino della nazione – e gli avversari che gridano il loro sdegno nelle strade della città sono estremamente imprudenti. Detto in termini biblici, ai sapienti manca la visione, mentre i profeti hanno solo disprezzo per la sapienza politica.

Capitolo 10
Il messianismo

Vorrei definire il messianismo nel modo più generale possibile, includendovi qualsiasi dottrina di redenzione futura, non importa se l'agente della redenzione sia un messia individuale o meno. Un'unica precisazione è necessaria: il futuro prospettato dal messianismo sta in radicale discontinuità col presente. Il messianismo non si sviluppa per mezzo della proiezione di tendenze in atto, anche quando queste tendenze siano di natura «progressista», né è questione di modesti miglioramenti delle condizioni del momento, anche quando queste siano orribili. Le liberazioni circoscritte e temporanee raccontate nel libro dei Giudici non sono messianiche. I liberatori stessi possono essere dei protomessia, esempi precoci di una figura che si svilupperà appieno soltanto nell'ideologia monarchica; essi agiscono su scala ridotta, e che le loro imprese richiedano d'essere ripetute dimostra che il terreno su cui poggiano è un presente che non ha subito trasformazioni.

Anche Mosè non è che un protomessia, benché nell'Esodo compaia come l'agente incaricato da Dio di una redenzione in senso proprio. L'incapacità di questa prima redenzione di corrispondere alla sua promessa produrrà infatti, secoli dopo, la dottrina più radicale o stravagante o visionaria di una seconda redenzione, che chiamiamo messianica. La seconda redenzione si sottrae alla natura storica e condizionale della prima, è conclusiva ed è certa. D'altro canto non pare essere come la prima una risposta alle sofferenze del popolo, il cui «gemito» per la schiavitù in Egitto fu la causa immediata dell'appello di Dio a Mosè (*Esodo* 2,23-25). Simile è la storia raccontata nel libro dei Giudici: «E quando i figli d'Israele gridarono al Signore, il Signore suscitò un liberatore» (3,9). Per contro la liberazione messianica, forse perché non avviene nell'ambito di un convenzionale racconto storico, non ha un'occasione così chiara.

Ma se l'età messianica è in certo senso postistorica, la dottrina di un'età messianica è senza dubbio un artefatto storico, la costruzione di un tempo futuro che emerge da costruzioni preesistenti. Fin dall'inizio gli autori biblici furono impegnati in una visione della storia che guardava in avanti, orientata al futuro. Sembrano non sapere nulla, o forse vi si oppongono, della vecchia concezione corrente di tempo ciclico, che riflette i processi naturali di nascita, maturità, morte e rinascita. Anche quando spronano i loro lettori a ricordarsi del passato – dell'esodo dall'Egitto e del patto al Sinai –, si rifanno a eventi del passato che guardano avanti, eventi carichi di promesse che si collocano su una linea (relativamente) retta col presente d'Israele o con i giorni ancora a venire.

In libri biblici posteriori, d'altro canto, la linearità semplice della storia dell'esodo non si ripete. Tranne che per la marcia forzata di Ezechiele attraverso il deserto (20,33-38) e la visione opposta del Secondo Isaia di un rapido e agevole ritorno da Babilonia (49,9-13), l'immagine del popolo in cammino non si ripresenta più. È diventata uno dei simboli essenziali della politica di sinistra; si pensi ad esempio al canto dei comunisti italiani *Avanti popolo* o al giornale socialista yiddish *Forwarts*. Come scrive il romanziere ceco Milan Kundera, la marcia è lo stereotipo profondo della sinistra, ma fa pensare a una politica attiva e partecipe per la quale nel messianismo biblico non c'è posto.[1] Ne resta forse un'eco nella denuncia delle ricadute del popolo in Osea e Geremia, ma nessuno di questi due profeti dice alcunché che faccia pensare che il contrario della ricaduta sia un movimento in avanti verso qualche meta politica. Il nuovo patto di Geremia (31,31-34), che inaugura quella che nel senso lato del termine è certo un'età messianica, non richiede nulla dal popolo, neppure il suo consenso. È l'adempimento incondizionato di quanto un tempo è stato formalmente promesso secondo i patti, in ricompensa dell'impegno umano.

Nel libro dei Giudici le liberazioni paiono essere di natura ciclica o quantomeno ricorrente: peccato, oppressione, redenzione, di nuovo peccato. Il ciclo d'altra parte non è qui quello della natura, la ripetizione non è preordinata ma è una particolarità storica, e nelle varie storie non è contenuto alcun ostacolo al sogno di una liberazione integrale e definitiva. Suppongo che vi fossero resistenze nei confronti di questo sogno e della politica da libro dei sogni che ne seguiva; devono esserci stati israeliti di mentalità pratica che pensavano che le piccole liberazioni fossero già un bene sufficiente: un luogo che era meglio dell'Egitto, quantunque non potesse essere perfetto; una pace che durava più di qualche anno, anche se come nei Giudici era seguita da nuove guerre; una vittoria che era più o meno decisiva, anche se non quella definitiva nell'ultima battaglia contro le forze riunite del male. Non conosco però una visione che sia la sommatoria di eventi di questo genere, una qualche speranza che l'insieme di piccole liberazioni sarebbe stato di dimensioni sufficienti a dare adempimento alla promessa divina. Gli autori che pensavano che la promessa non si era ancora adempiuta attendevano una realizzazione più sensazionale. Per questo le vicende del libro dei Giudici non vennero sommate o unite in un unico racconto; accadde invece che assai più tardi la storia modello fu

---

1 M. Kundera, *The Unbearable Lightness of Being*, New York 1987, 257. 261 (tr. it. *L'insostenibile leggerezza dell'essere*, Milano 1985, 263. 267).

ampliata e le fu attribuito un significato universale. Non in questi giorni, non nel mondo di tutti i giorni, ma in quei giorni, alla fine dei giorni, *alla fine di tutto*, sarebbe venuto un liberatore la cui storia sarebbe stata l'ultima storia politica che avremmo infine avuto da raccontare.

L'ultima storia culmina in una novità radicale: a differenza del ciclo della natura la sua fine non è identica al suo inizio. Eppure la fine è sempre adombrata dall'inizio, perché persino l'immaginazione messianica (e similmente anche quella rivoluzionaria) necessita di precedenti e di esempi. Il messianismo regio guarda indietro a David, benché la sua promessa – nel *Salmo 72*, per esempio – ecceda tutto ciò che il David storico abbia mai realizzato. Il messianismo teocratico guarda indietro a Dio e Israele nel deserto e al patto del Sinai, benché i profeti del regno di Dio non abbiano un buon ricordo dell'epoca del deserto e sperino in un patto nuovo, non semplicemente rinnovato. Nelle escatologie postbibliche il tempo messianico viene descritto comunemente in termini edenici, come ritorno al paradiso. Questa versione ultima del messianismo è l'espressione del sincretismo di concezioni giudaiche ed ellenistiche e della capitolazione della specificità storica del pensiero biblico.

Il messianismo ha origine dagli scritti storici. Non è facile spiegare come ciò accada, anche perché nella letteratura di altri popoli antichi non s'incontra nulla di analogo alla dottrina biblica del futuro. Suppongo che questa dottrina abbia motivazioni religiose, anche se il futuro è descritto esplicitamente in termini politici: il governo di un re buono, il regno della giustizia, il trionfo d'Israele sui suoi avversari. Qui si è davanti non a una semplice trasposizione politica e psicologica, come se tutto ciò che il popolo desidera ma al momento non può avere sia semplicemente spostato nel futuro. Indubbiamente uno spostamento di questo genere serve ad alleggerire le tensioni politiche qui e ora, ma è difficile credere che i profeti pensassero a un obiettivo del genere. Questa è la spiegazione volgare e riduzionista di qualsiasi fede orientata al futuro, sia di una nazione nei suoi giorni a venire, sia del singolo nell'aldilà: «la torta l'avrai in cielo dopo morto».

La migliore interpretazione del messianismo è quella religiosa, teologica addirittura, anche se gli autori biblici non propongono nulla di simile a una teologia esplicita. Se Dio opera nella storia, questa deve avere una fine degna dell'interesse che Dio ha per essa. Non può finire con la disfatta militare, la distruzione e la disperazione del suo popolo eletto. Allo stesso modo, se Dio consente che in questa vita i malvagi prosperino e i giusti soffrano, deve procurare punizioni e premi adeguati in un altro luogo: il «mondo a venire» è un'invenzione postbiblica, ma è ispirata dalla stessa logica che ispira il messianismo biblico. Di fronte a crisi politiche un ragionamento come questo può favorire il compiacimento (e anche sconsideratezza). Amos ha di mira questo compiacimento quando fa chiedere a

Dio: «Figli d'Israele, non siete per me come figli degli etiopi?» (9,7). Si potrebbe poi dire che nemmeno per gli etiopi la storia può finire con la distruzione e la disperazione. Se Dio è giusto e nient'altro, nessuno, come dice Amleto, eviterà la frusta; ma se è fedele, compassionevole e benevolo, ci dev'essere in serbo qualcosa di meglio per Israele – e forse pure per le altre nazioni.

Questa speranza viene alimentata dalla disillusione e a ogni pasto diventa sempre più prodiga. Ma nella storia umana la delusione non è una variabile indipendente, è funzione delle aspettative, che è come dire della speranza stessa. Per questo i profeti poterono essere delusi ancor prima delle catastrofi politiche del 721 e del 587: le speranze profetiche si spingevano molto in alto. Non è chiaro se fu la delusione a portarli ad andare al di là della sdegnata richiesta che proprio ora Israele vivesse nel rispetto del patto e al di là dei fieri annunci di future catastrofi se la loro voce fosse rimasta inascoltata. Molti commentatori non considerano altro che questo, e in tutte le profezie che si riferiscono a un tempo successivo alla punizione divina vedono un'aggiunta posteriore. È invece possibile che i profeti preesilici abbiano immaginato quel che fanno pensare i loro libri così come ce li troviamo davanti: adesso il fallimento, ben presto la punizione, ma in seguito una nuova età di giustizia e di pace. Nella Bibbia la natura di questa nuova età è determinata dalle speranze che i profeti nutrono per Israele, caratterizzata in due modi dalla loro disillusione: in primo luogo la nuova epoca è ora interamente opera di Dio, non opera del popolo o dei suoi capi; in secondo luogo la nuova epoca assume una sorta di completezza e perfezione che non può aver avuto prima di essere collocata in un futuro indefinito, nel tempo di Dio.

Un quadro unico e autorevole del futuro messianico, nella Bibbia non c'è. Ci sono invece rappresentazioni diverse che esprimono diverse concezioni della politica nell'ambito del patto e diversi modi di immaginare la pace (tra nazioni o tra singoli uomini e donne o fra tutte le creature di Dio) e la giustizia sociale (con o senza re e sacerdoti). Ai nostri fini la differenza decisiva è quella tra due versioni del futuro che consegue direttamente dalle discussioni sulla monarchia. Nella loro forma originaria queste discussioni non hanno nulla a che fare col messianismo. Così come appare nei libri dei Giudici e di Samuele, il regno di Dio non è il sogno di giorni a venire ma una realtà immediata. Quando Dio dice a Samuele che con la richiesta di un re il popolo riunito «non ha rifiutato te ma ha respinto me, ossia che io non dovrei regnare su di loro» (1 *Samuele* 8,7), intende dire che *fino ad allora è stato lui a regnare*. Quanto poi ai suoi successori umani, non c'è evidentemente in loro nulla di messianico, nemmeno agli occhi del popolo che (come si è visto nel capitolo 4) della monarchia ha una concezione del tutto pragmatica. Ciò non impedì che in anni più recenti entrambi i partiti di questa disputa, monarchici e teocratici, riformulassero le loro istanze in termini messianici.

Esporrò queste riformulazioni distintamente, non prima di aver anzitutto fatto osservare che i due lati del dibattito sono costruzioni storiche. Nei testi biblici essi non compaiono come partiti politici distinti, né gli individui che ne sono i protagonisti sono sufficientemente determinati da potersi definire fautori di un partito. In molti libri profetici si possono trovare la posizione monarchica e quella teocratica in versetti o in capitoli attigui. Sia gli stessi profeti sia i redattori dei loro libri devono averle considerate in certo modo tra loro compatibili – di fatto, ciascuna di esse può essere enunciata in modo tale da lasciare spazio per l'altra. Ciò non toglie che rappresentino tendenze politiche e religiose significativamente diverse e, qualsiasi differenza indicassero per i giorni a venire, devono avere anche favorito differenze concrete in questi giorni, quelli della Bibbia qui e ora.

La prima posizione, dalla quale presumibilmente deriva il messianismo in senso stretto – la dottrina di un messia personale – guarda a un ideale re davidico che realizza le maggiori promesse della teoria alta della monarchia. Si sperò in un primo momento in un re del genere per l'epoca in cui a Gerusalemme i re davidici regnavano realmente ma non avevano ancora realizzato la promessa – e non era plausibile che lo facessero. Il *Salmo 72*, che fu scritto probabilmente per una cerimonia d'incoronazione, esprime questa speranza in termini ideologici – nel senso che parla come se il nuovo re sia per essere realmente il re delineato dal salmista. È facile vedere come questo genere di discorsi, ripetuti troppo spesso, potessero perdere il loro immediato potere di legittimazione e diventassero invece una visione critica o una fantasia di trasformazione. Ci si può rappresentare il *Salmo 72* come salmo protomessianico: esso fa le promesse adatte ma non trasmette il senso del loro radicalismo. Il nuovo re, vi si dice,

giudicherà i poveri... salverà i figli degli indigenti e farà a pezzi l'oppressore.

È la promessa di giustizia. Il re porterà anche prosperità materiale:

Scenderà come pioggia sull'erba falciata, come scrosci che bagnano la terra.

Infine porterà sicurezza e vittoria:

Tutti i re si prostreranno davanti a lui, tutte le nazioni lo serviranno.

La sola promessa messianica che qui manca è la promessa della pace, che spesso è assente negli scritti del messianismo monarchico. A che scopo i re, se non per fare guerre? Il quadro più dovizioso di un universo in pace è tuttavia fornito da Isaia in una profezia che inizia con le parole:

E un ramo spunterà dal tronco di Iesse e un virgulto nascerà dalle sue radici, e su di lui poserà lo spirito del Signore (11,1-2).

Questi versetti parlano di un re davidico – alcuni commentatori pensano che il profeta stia celebrando la nascita di un erede regale –, e Isaia continua descrivendo il regno di questo re come un regno in cui

il lupo dimorerà insieme con l'agnello e il leopardo giacerà accanto al capretto... E il lattante giocherà sulla buca dell'aspide... Non feriranno né distruggeranno in tutta la mia montagna santa, perché la terra sarà piena della conoscenza del Signore, come le acque coprono il mare (11,6-9).

Forse gli ultimi versetti si riferiscono a una trasformazione in senso proprio del mondo naturale, oppure si possono intendere allegoricamente soltanto nel senso – ed è un miracolo sufficiente! – che Israele, rappresentato dall'agnello, dal lattante e dal capretto, vivrà in pace con i suoi vicini. Se i versetti sono allegorici, sono immediatamente contraddetti dai vv. 14 e 15, che promettono vittorie militari sugli storici nemici del regno del sud. Questi ultimi versetti potrebbero tuttavia provenire da un'altra profezia, più convenzionale. Come che sia, il «ramo» davidico di Isaia è un vero messia che porta un giorno nuovo, diverso da tutti i giorni precedenti. Dopo il 587 le promesse di un re davidico sono anche promesse di restaurazione politica, ma se mirassero unicamente a una restaurazione e guardassero solo al ritorno di re come quelli censurati da Geremia, non ci sarebbe nessuna ragione di chiamarle messianiche.[1] Le promesse non sono tuttavia più realiste di quanto non fosse la profezia isaiana della «nascita» (se di questo si trattava).

Di fatto la restaurazione diventa ora il motivo centrale del messianismo monarchico: tornerà il re, il popolo sarà ricondotto alla sua terra, la divisione tra nord e sud sarà sanata, il tempio sarà riedificato, sarà rinnovato il patto regio e dureranno per sempre giustizia, prosperità, vittoria e pace. In queste profezie restaurazioniste – *Ezechiele* 37,21-28 ne è un precoce esempio – il re-messia non è egli stesso l'agente del ritorno; il solo agente è Dio: «E farò di loro una sola nazione nel paese sopra le montagne d'Israele e un solo re sarà re su tutti loro» (22).

Il re è «il mio servo David..., loro principe in eterno» (25), ma tutto ciò che egli fa è regnare sulla nazione ricostituita. Non c'è alcun accenno a una sua azione in vista della restaurazione; non c'è nessun invito esplicito all'azione politica. Non sono in grado di dire in che modo uno come Zorobabele leggesse testi come questi; dev'essergli parso che giustificassero un tentativo d'impadronirsi del potere in Gerusalemme e può anche averli let-

---

[1] Joachim Becker parla al riguardo di «monarchismo restauratore» e nega che sia in qualsiasi modo messianico. Cf. J. Becker, *Messianic Expectation in the Old Testament*, Philadelphia 1980, capp. 7-9.

ti come garanzia di riuscita. Quello che i testi dicono è d'altro canto che Dio soltanto porterà la liberazione. *Dio solo* è la norma del messianismo biblico. «Il messia dell'Antico Testamento», scrive un recente commentatore cristiano, confrontando implicitamente l'Antico Testamento col Nuovo, «non è mai visto come salvatore... È solo colui che preserva e difende una redenzione già manifestatasi».[1] Vorrei soltanto avanzare una modesta precisazione: dal momento che la monarchia rappresenta nella Bibbia la coscienza politica, ci si attenderebbe che i re e gli aspiranti re cercassero qualche mezzo per giustificare la loro istanza. Il corteo dei pretendenti è invece soltanto postbiblico.

La seconda concezione del futuro messianico fa pensare alla restaurazione della monarchia non di David ma di Dio – una redenzione senza nessun re umano, né come autore né come primo beneficiario. Primo beneficiario è Israele stesso, il popolo come collettività, dopo di che, in molte formulazioni di questo secondo messianismo Israele assurge ad agente di una redenzione più generale: «luce per i gentili» (*Isaia* 49,6). La luce non di una dominazione illuminata ma dell'insegnamento di sacerdoti e delle parole di profeti:

E molti popoli andranno e diranno: Venite e saliamo sul monte del Signore, alla casa del Dio di Giacobbe, ed egli c'insegnerà le sue vie e noi cammineremo nei suoi sentieri: perché da Sion uscirà la legge e da Gerusalemme la parola del Signore (2,3).

Le due più celebri immagini bibliche della pace – questa, che introduce il citatissimo versetto «forgeranno le loro spade in vomeri» (2,4), e quella riportata più sopra, «il lupo dimorerà con l'agnello» (11,6) – compaiono rispettivamente in un passo che illustra il governo di Dio e in un altro che presenta il governo di un re davidico. Ma quella di una redenzione universale, portata per il tramite d'Israele e resa manifesta nella venerazione di Dio e nell'ottemperanza della sua legge, pare essere un'idea coerentemente non monarchica. E potrebbe essere anche antimonarchica – nel senso che potrebbe essere espressione dell'ostilità di cerchie sacerdotali e profetiche alla speranza di una restaurazione monarchica.

L'utopia sacerdotale su cui ci si è soffermati nel capitolo 8 è chiaramente antimonarchica: il minimo che si possa dire è che in un regno di sacerdoti non c'è posto per un re. Quando il Secondo (o Terzo) Isaia dice agli israeliti che «saranno chiamati sacerdoti del Signore..., ministri del no-

---

[1] H. Gese, *Prophecy and Psalms in the Persian Period*, in W.D. Davies - L. Finkelstein (ed.), *The Cambridge History of Judaism*, 1. *The Persian Period*, Cambridge 1984, 183. Si veda anche A. Mein, *Ezekiel and the Ethics of Exile*, Oxford 2001, 249: «La figura regia non interviene in aiuto di Jhwh per reintegrare Israele nel paese; il suo sembra più un governo dei benefici risultati dell'azione di Jhwh».

stro Dio» (61,6), immagina un'assemblea universale, quantomeno multinazionale, di persone comuni, uomini e donne, attenti e obbedienti (e che pagano le decime), ma in nessun modo politicamente subordinati a Israele. In questa versione del futuro messianico la politica stessa è stata soppiantata. Nel profeta Gioele si leggono argomentazioni analoghe in un passo che ricorda la speranza di Mosè in un tempo in cui egli non sarà il solo araldo della parola divina:

Fosse tutto di profeti il popolo del Signore, e su di loro il Signore porrebbe il suo spirito! (*Numeri* 11,29).

Sembra infatti che Gioele guardi a più che a una mera nazione di profeti:

E dopo questo accadrà che effonderò il mio spirito su ogni carne (3,1).

Il resto del passo fa capire che coloro cui si riferiscono queste ultime parole sono un che di particolare, non di universale: non solo «a profetare saranno i vostri figli e le vostre figlie», ma anche «i vostri anziani» e «i vostri giovani». L'aggettivo personale ripetuto è importante. La profezia è più ugualitaria del sacerdozio, ma qui è circoscritta agli israeliti. Chiunque d'altro canto può ascoltare l'insegnamento profetico e tenerne conto:

E accadrà che chiunque invocherà il nome del Signore sarà salvato (*Gioele* 2,32).

Dove la parola e il nome stanno tanto in alto non è necessario un re, e forse per un re nemmeno c'è posto.

Perlopiù gli esempi di messianismo senza re sono postesilici, anche quando compaiono nei libri di profeti preesilici. Questo, almeno, è il modo comune di vedere di commentatori recenti, che non metterò in discussione. Indubbiamente i profeti non videro il mondo come lo vedono gli uomini e le donne comuni, e d'altro canto si comprende che il re debba scomparire dalla loro visione grosso modo nello stesso tempo in cui scompare dalla nostra vista. L'eccezione più vistosa a questa regola può servire a confermarla. Nei giorni che per la monarchia del nord devono essere stati gli ultimi, Geremia parla del nuovo patto del «giorno che viene». Avendo rinunciato agli ultimi re – riconoscendo che sono gli ultimi – guarda indietro, non al patto regio ma a quello della nazione, e in avanti, non a un rinnovo ma a una trasformazione:

Ecco, vengono giorni – dice il Signore – in cui farò un patto nuovo con la casa d'Israele e con la casa di Giuda: non secondo il patto che feci con i loro padri nei giorni in cui li condussi... fuori della terra d'Egitto; quel mio patto che violarono... Ma il patto sarà questo... Porrò la mia legge nelle loro parti interiori e la scriverò nei loro cuori (31,31-33).

Se la legge si rivolge agli orecchi del popolo, questo può ascoltare o non ascoltare, scegliere la benedizione o la maledizione; ma se la legge è scritta nei loro cuori, l'obbedienza sarà spontanea e certa. Come con ogni moralità interiorizzata, la legge di Dio non richiede più agenti esterni pedagoghi o politici. Nella visione di Geremia anche sacerdoti e profeti sembrano non essere più necessari:

E tra loro non più nessuno insegnerà al suo vicino e nessuno al suo fratello, dicendo: Conosci il Signore; perché tutti loro mi conosceranno, dal più piccolo di loro al più grande (31,34).

Si è incontrato questo stesso versetto quando si è affrontata la fine della responsabilità ereditaria e collettiva, perché a dire di Geremia quella fine avverrà nei giorni a venire, quando sarà trascesa la stessa politica. Intendo «insegnare» in 31,34 nel senso di istruzione autorevole (sacerdotale o levitica), quindi come se stia per l'autorità in generale. I versetti del profeta ricordano anche la prima azione autoritaria e brutalmente coercitiva dei leviti dopo l'episodio del vitello d'oro, quando fu ordinato loro da Mosè di eliminare gli idolatri (*Esodo* 32,27). Nel tempo messianico del nuovo patto non saranno necessari né la coercizione né l'istruzione, né nella visione di Geremia sono presenti agenti gerarchici di coercizione e istruzione. «Tutti loro mi conosceranno» fa pensare a un egualitarismo radicale, alla realizzazione quantomeno della versione precoce che ne ha Core:

Tutta la comunità è santa, ognuno di loro, e il Signore è tra loro: perché dunque v'innalzate al di sopra dell'assemblea del Signore? (*Numeri* 16,3).

Nei giorni a venire nessuno innalzerà se stesso, oppure tutti s'innalzeranno.

La venuta del tempo felice che verrà non è qualcosa di facile, quasi sia il *telos* di una storia progrediente, da raggiungere passo dopo passo come la terra promessa. Il tempo messianico si trova sul lato opposto di una cesura temporale, e dai profeti è chiamato «giorno del Signore». In tutto il periodo monarchico l'idea di un giorno simile pare essere stata un tratto della religione popolare, e forse anche della religione ufficiale, in ogni caso sempre immaginato come giorno di trionfo per Israele. È presumibile che di questo futuro trionfo vi fossero visioni e anche annunci profetici, benché non ne sia stato conservato nessuno dagli editori della nostra Bibbia. Si è invece conservato il duro diniego di Amos delle attese del popolo:

Guai a quanti di voi desiderano il giorno del Signore! quale fine è per voi? Il giorno del Signore è tenebre e non luce (5,18).

Dai tempi di Amos l'argomentazione profetica è del tutto coerente: il giorno che verrà è il giorno della vendetta, dell'ira e della distruzione del Signore. Gran parte dei testi profetici è interessata a questo giorno più che ai giorni che verranno dopo. «Il messianismo giudaico – scrive Gershom Scholem – è per origine e natura... una teoria della catastrofe».[1]

1 G. Scholem, *The Messianic Idea in Judaism*, New York 1971, 7.

Il giorno del Signore è un giorno di giudizio, ma non è *il* giorno del giudizio quale compare nella letteratura apocalittica posteriore. Qui esso è associato alla risurrezione dei morti, quando gli individui saranno giudicati uno a uno e saranno premiati o privati di un posto nel mondo a venire. Tutte queste idee sono postbibliche e appartengono a un capitolo posteriore della storia religiosa. Nella Bibbia Dio giudica e punisce le nazioni, anzitutto Israele, usando le altre come suo bastone, e quindi le altre per i loro peccati o per quel che hanno fatto a Israele. Le punizioni vengono presentate con grande abbondanza di particolari e spesso con un gusto che probabilmente i lettori di oggi trovano fastidioso. Nei libri profetici s'incontrano molti passi in cui i profeti sembrano squilibrati, privi di controllo, tutti presi dallo sdegno per «quelli che se la passano bene a Sion» (*Amos* 6,1) – e a Ninive, Babilonia, Tiro e in molti altri luoghi. Tutti costoro sono condannati e la condanna pare collettiva: uomini. donne e bambini sono distrutti dall'ira di Dio (Ninive viene invece risparmiata). Le descrizioni della catastrofe sono così sconvolgenti che non è tanto consolante sapere che il giorno del Signore non sarà di fatto l'ultimo, che in qualche modo esso darà inizio a una nuova età, quella messianica (senza che la transizione sia mai spiegata). Non è difficile provare simpatia per il rabbi che diceva di sperare nella venuta nel messia, ma non finché egli era in vita.

Le descrizioni del giorno del Signore variano molto, soprattutto nelle immagini del terrore che incute. Esito a riconoscere qualche sviluppo storico nelle diverse versioni, anche se scoperte del genere sono frequenti nella letteratura critica, interessata soprattutto a spiegare l'apocalittica in pieno rigoglio del periodo postbiblico. Molti passi dei libri profetici non sono databili con un minimo di sicurezza, così che si può facilmente sistemarli in qualsiasi ordine cronologico sia necessario per ottenere la conclusione adatta. Scholem afferma di attenersi all'ordine logico e scrive come se questo fosse anche l'ordine effettivo. «L'antitesi nazionale fra Israele e i gentili», egli scrive, «si amplia in un'antitesi cosmica in cui si fronteggiano i regni del sacro e del peccato, della purità e dell'impurità, della vita e della morte, della luce e delle tenebre, di Dio e delle potenze antidivine».[1] Nella Bibbia in sé soltanto l'antitesi nazionale è rappresentata chiaramente, anche se un ristretto numero di passi, che possono essere o meno recenti, fa pensare a una battaglia finale transnazionale tra le forze del bene e quelle del male, raffigurata in forma allegorica:

In quel giorno il Signore punirà con la sua spada forte e grande e potente leviatano il serpente astuto, anche leviatano il serpente tortuoso (*Isaia* 27,1).

Leviatano può stare qui per l'Egitto, l'Assiria o qualche altro nemico reale

---

1 G. Scholem, *Messianic Idea in Judaism*, 6.

d'Israele, oppure può anticipare la bestia delle apocalissi più recenti. Nel secondo caso, quello che inizia come tentativo dei profeti di interpretare la storia politica termina con un giorno del Signore affatto mitico.

Contro questa interpretazione depone tuttavia la tipica visione profetica – a quanto mi è dato vedere sia quella antica sia la più recente – di ciò che seguirà a quel giorno terribile. Sia che Israele sia governato da un re-messia, sia che il popolo sia formato di sacerdoti o profeti o ancora di soggetti all'istruzione religiosa, di solito si chiarisce che dopo il giorno del Signore le nazioni continuano a coesistere come facevano prima. Nei testi biblici nulla fa pensare al superamento dell'identità nazionale: non c'è una versione giudaica di una chiesa universale trionfante.[1] In *Ezechiele* 36, che promette a Israele un nuovo patto, e in *Ezechiele* 37, che promette la restaurazione della monarchia, le altre nazioni stanno a guardare quello spettacolo di divina liberazione e ne ricevono ammaestramento:

Allora le nazioni che sono rimaste intorno a voi sapranno che io il Signore ho ricostruito i luoghi distrutti e coltivato ciò che era desolato (36,36).

La visione d'Isaia, di un mondo in pace sotto il governo di Dio, si basa sullo stesso presupposto che dopo tutti i giudizi e le guerre il mondo sarà ancora quello delle molte nazioni:

Ed egli sarà giudice tra le nazioni e biasimerà molti popoli, e forgeranno le loro spade in vomeri e le loro lance in falci: una nazione non alzerà la spada contro una nazione, né impareranno più la guerra (2,4).

Forse tutto quel che rimane è un resto per ogni nazione; in ogni caso ne rimangono più d'uno. La visione profetica dei giorni a venire è spesso autenticamente universalista, ma quel che è universalizzato è la conoscenza di Dio e quindi il suo dominio, non il popolo d'Israele. L'umanità rimane divisa, anche se la divisione non è più letale. Davanti a questo quadro sono propenso a sostenere che i giorni a venire non sono dopo tutto gli ultimi giorni, la fine della storia indicata dall'apocalittica postbiblica. Se è ancora possibile presentare Dio come colui che giudica e riprende le nazioni, vuol dire che si vive ancora una vita che assomiglia a quella ordinaria, che gli esseri umani fanno ancora scelte e la vita normale continua ad andare bene o male. L'età messianica è sì in rapporto di discontinuità con ciò che l'ha preceduta, è radicalmente nuova, ma sempre umanamente riconoscibile – per questo i profeti possono vederla e parlarne in pubblico. «Fin dall'inizio», dice il Dio d'Isaia, «non ho parlato in segreto» (48,16). I finali apocalittici, al contrario, sono segreti nel vero senso della parola; la conoscenza della loro natura è esoterica, è rivelata in un linguaggio che come quello di Daniele e del libro cristiano dell'Apocalisse

---

1 J. Klausner lo chiarisce molto bene in *The Messianic Idea in Israel. From Its Beginning to the Completion of the Mishnah*, New York 1955, 70.

è praticamente impenetrabile. La fine della storia può essere oggetto soltanto di appropriazione mistica e gnostica. La visione d'Isaia, per quanto utopica e a volte fantasiosa, continua a invitare a un'elaborazione razionale – e talvolta l'ha avuta.

Qual è il significato politico del messianismo biblico? Dal momento che nella visione profetica l'unico attore è Dio, sembrerebbe che per agenti umani non ci sia nulla da fare. I profeti invitano al pentimento e alla fedeltà al patto per scongiurare l'ira di Dio. Se però il giorno dell'ira non c'è, presumibilmente non ci saranno nemmeno i giorni che si dice verranno dopo di esso. Se Israele se la cava bene da solo, Dio non farà niente di meglio per il resto che sopravvive al suo giudizio – ragionamento curioso e proprio per questo, a mio parere, non formulato chiaramente. Sembra sia convinzione di tutti i profeti che Israele non se la caverà bene da solo e che quindi sarà necessaria l'azione di Dio. Che altro potranno fare, allora, gli uomini e le donne pii se non attendere? Come Scholem scrive, il messianismo pare pensare a «una vita vissuta nel differimento», nella quale non è possibile compiere nulla di consistente e di significativo.[1] In questo senso con la loro visione i profeti compromettono ogni forma di ambizione politica; favoriscono la quiete, la rassegnazione e la passività. Svolgono quindi la funzione spesso attribuita alla religione dai suoi critici ostili: avallano il potere dei poteri esistenti.

Questo bilancio degli effetti della profezia potrebbe sembrare in contraddizione con quanto sopra si è detto del suo sovversivismo. Se i profeti sfidarono re e sacerdoti senza però offrire alternative realistiche, re e sacerdoti non dovettero essere troppo rattristati da questa sfida. Senza dubbio non desideravano sentire ciò che i profeti avevano da dire, né desideravano che lo sentisse il popolo, ma parlando dei giorni a venire i profeti non incitavano a una politica rivoluzionaria o a un nuovo regime. Il messianismo profetico fu in realtà totalmente non politico. È simile più alla consolazione che all'incitamento: qualche parola di speranza, dopo la condanna d'Israele per quello che è stato e dopo le terribili predizioni di sventura. In ogni caso non c'era nulla da fare.

Nel corso degli anni tanta gente ha d'altro canto ricevuto incoraggiamento da queste parole di speranza. La storia postbiblica è segnata da una lunga serie di esplosioni di profetismo messianico, di movimenti politici in senso stretto che miravano a forzare la mano di Dio per affrettare la venuta del suo «giorno». Indubbiamente il messianismo produce una sorta di politica, anche se di questa politica nella Bibbia stessa non v'è traccia. Forse la critica più pertinente da rivolgere alle visioni profetiche è duplice: non solo esse resero passivi (alcuni), ma anche incoraggiarono

[1] G. Scholem, *Messianic Idea in Judaism*, 35.

(altri) a fare incautamente affidamento su una promessa divina che non si realizzò mai. Gli attivisti politici posseduti da una fede messianica si sottraggono ai vincoli che gravano sulla normale azione politica. Non sono tenuti a soppesare le loro possibilità, ad accattivarsi l'appoggio popolare, a prepararsi a una lunga marcia, a costruire istituzioni alternative. Certo è possibile, come anche Scholem dice, che lo sprone all'azione sia «insito nella proiezione [profetica] nel futuro dell'uomo di quanto in lui c'è di meglio».[1] Quello che invece è mancato nell'insegnamento dei profeti è che il futuro è estremamente incerto e che il successo o il fallimento, la benedizione o la maledizione, come ragionevolmente sostenevano i Deuteronomisti, sono interamente in mani umane.

[1] *Op. cit.*, 15.

Capitolo 11

Dov'erano gli anziani?

Come, di fatto, veniva esercitata l'autorità nell'Israele antico, come funzionava la politica o come si pensava che funzionasse, sul piano sia locale sia nazionale? – farsene un'idea sulla base dei testi biblici non è facile. Chi faceva che cosa e per chi? A questa classica domanda politica i profeti danno una risposta retoricamente convincente – e, ne sono certo, anche vera: i potenti infieriscono sui poveri. Ma ciò è quello che (certi) potenti hanno sempre fatto. Vogliamo saperne di più: chi erano i potenti? com'era inteso il loro potere dagli autori biblici? come si pensava che si dovesse o non dovesse usare il potere? era giustificata la resistenza dei poveri? chi, oltre ai profeti, parlava in loro difesa? Sulla base dei testi biblici a queste domande non si può fornire una risposta come quella che invece è possibile dare sulla base di testi greci e romani, o di testi dell'Europa medievale o della vasta letteratura moderna. Non sono pervenuti documenti giuridici o amministrativi, e gli scritti che sono sopravvissuti, se contengono molti racconti d'azione politica di rado mettono al centro le grandi questioni politiche: qual è il regime migliore? come vanno prese le decisioni politiche? quali sono gli obblighi dei cittadini/sudditi? Già lo si è detto, e merita ripeterlo: la politica, quella secolare, la politica quotidiana, la gestione dei nostri affari correnti, non è riconosciuta dagli autori biblici come attività d'importanza decisiva o umanamente appagante.

Per questo la maggior parte dei personaggi politici delle storie bibliche restano figure indistinte. Si sa qualcosa dei re d'Israele. Come in molte altre culture, la corte del re e la sua famiglia sono argomenti di grande interesse, anche se di un interesse più vicino a quello che oggi chiamiamo interesse umano che interesse politico. La lunga storia della lotta per la successione di David è senz'altro una storia politica, ma nessuno degli autori biblici la commenta mai o tenta di trarne conclusioni teoriche o pratiche. Il lamento di David su Assalonne è il solo commento che resta sulla più memorabile delle rivolte bibliche. Per il resto ben poco si sa del rango e dell'attività dei funzionari regi per il cui appoggio David forse lottava, variamente indicati come principi, governanti, capi, governatori e maestri di palazzo, né molto di più si sa di giudici e scribi del re – tutte ombre. Ma le ombre più interessanti sono gli anziani.

Nella Bibbia si menzionano in 140 casi anziani di vario genere, e soltanto in un piccolo numero di questi il riferimento non è di natura politica, trattandosi genericamente di uomini e donne anziani. Il più delle volte gli anziani sono un gruppo che ha una funzione da svolgere e la loro presenza è richiesta per qualche scopo. Sono «gli anziani di» – anziani d'Israele, di Giuda, di Gerusalemme; del popolo, del paese, della città; oppure dei sacerdoti. L'espressione fa pensare a un compito rappresentativo e a una sfera di responsabilità. Gli anziani furono presenti in alcuni eventi cruciali della storia d'Israele: ebbero una funzione di primo piano nell'istituzione del patto del Sinai e una meno definita nei grandi rinnovi del patto raccontati nei libri di Giosuè e nel secondo dei Re (non in Neemia). Pare abbiano governato Israele dopo la morte di Giosuè – non a livello nazionale, come rappresentanti di Dio (questa parte toccò ai giudici), ma a livello locale, per finalità quotidiane. Formarono la delegazione che si recò da Samuele a chiedere un re, che è forse il momento chiave nella storia biblica. Fecero il patto con David e lo unsero re d'Israele. Si unirono alla processione che portò l'arca al tempio di Salomone, e a detta di Ezechiele, che scriveva verso gli ultimissimi giorni della monarchia, «settanta uomini [lo stesso numero di quelli del Sinai], anziani della casa d'Israele» (*Ezechiele* 8,11) parteciparono al culto idolatrico proprio in quello stesso tempio. Chi furono esattamente questi uomini? che cosa facevano e che cosa si riteneva facessero nel tempo che separava le loro comparse nei testi?

Di fatto si sa a malapena che cosa gli anziani fecero quando comparvero; si parla della loro presenza, soltanto raramente delle loro azioni od opinioni. Quando si pronunciano (davanti a Samuele, ad esempio, o al «processo» di Geremia), parlano sempre all'unisono; non si sente mai di anziani che discutano fra loro o anche soltanto parlino tra loro. La prima vera e propria comparsa degli anziani – in questo caso «gli anziani d'Israele» – è un esempio paradigmatico di come vengano trattati dagli autori biblici. In *Esodo* 3,16-18 Dio comanda a Mosè di riunire gli anziani, di annunciare loro la liberazione imminente e di presentarsi con loro davanti al faraone. Gli anziani vengono quindi debitamente riuniti, ma quando Mosè giunge al palazzo sembra che siano scomparsi: «Poi Mosè e Aronne entrarono e dissero al faraone...». Un commentatore rabbinico che si chiede: «dov'erano gli anziani?» avanza l'idea che in un primo momento essi se ne siano andati con Mosè e Aronne, ma che poi «furtivamente, uno dopo l'altro, sgattaiolarono via» (*Esodo rabba* 5,14). Ancora schiavi, avevano paura di opporsi al loro padrone. È una bella storia, forse penetrante, sugli effetti psicologici della servitù. Il narratore può però anche aver dato per scontata la presenza degli anziani; non vengono menzionati perché non hanno nulla da fare o da dire. Sono testimoni silenziosi che stanno lì a rappresentare il popolo nel suo insieme.

Lo stare a rappresentare pare essere una parte che svolsero spesso, nel modo più evidente quando fu rinnovato il patto (benché in quelle occasioni fosse presente anche qualche parte del «popolo»). Ma non avrebbero potuto avere questa funzione se non avessero avuto qualche responsabilità più importante. Non cercherò di dire quali furono tali responsabilità; questo è compito degli storici dell'Israele antico.[1] Desidero solo sapere quello che gli autori biblici dicono e non dicono di questi funzionari, se tali furono. Rispetterò la reticenza degli autori, anche se non tanto da rinunciare alla possibilità di esaminarla e spiegarla. Per il momento non resta che supporre che gli anziani fossero attori di rilievo nella politica d'Israele: se così non fosse, non comparirebbero tanto spesso nei testi. Ma allora perché se ne dice così poco? chi erano gli anziani? dove stavano?

Il nome di «anziani» implica che si aveva a che fare con i capi di gruppi parentali, patriarchi (il nome ebraico è sempre maschile) che normalmente agivano insieme (il nome è sempre al plurale). Individualmente gli anziani possono aver esercitato autorità sulla loro famiglia o sul loro clan; in tutte le situazioni di cui si ha notizia negli scritti biblici, «gli anziani» formano un gruppo. Vengono e se ne vanno insieme, sono consultati insieme (quando lo sono), insieme sono testimoni e, come già si è osservato, si esprimono in piena concordia. Soltanto di rado, d'altro canto, si lancia un'occhiata a un'assemblea di anziani – e in questi casi, che hanno perlopiù a che fare con la guerra, gli anziani sono presentati come quelli che dirigono l'assemblea tribale e consigliano il re in questioni militari (nelle Cronache sono chiamati «capi dei padri» o «guide dei figli»). Nell'Israele premonarchico è possibile che la confederazione delle tribù fosse rappresentata da qualche forma di assemblea di circostanza – come pare affermare un oscuro (e controverso) passo delle benedizioni di Mosè:

E [Dio] era re in Jeshurun, quando i capi del popolo e le tribù d'Israele erano riuniti insieme (*Deuteronomio* 33,5).

Ma in nessun testo biblico s'incontra qualcosa di simile a una assemblea istituzionalizzata, che si riunisca regolarmente, i cui membri vengano scelti in questo o quel modo preciso. Vi furono indubbiamente assemblee di anziani, ma non di un genere tale (o che non si occuparono di argomenti tali) da attirare l'interesse dei nostri autori. Di norma la Bibbia non parla dell'assemblea o della riunione o del consiglio *degli* anziani. Al nome segue sempre la preposizione: anziani *di...*; gli anziani fanno sempre parte di un insieme più generale, anche se resta sempre estremamente oscuro il loro rapporto con questo insieme e con sue altre parti. I tentativi di situa-

[1] H. Reviv ha scritto da storico un libro eccellente sugli anziani: *The Elders in Ancient Israel. A Study of a Biblical Institution*, Jerusalem 1989.

re gli anziani in una più ampia struttura costituzionale travisano la traspa-
renza di questa preposizione ricorrente.

Si considerino ad esempio «gli anziani della città» menzionati con estre-
ma frequenza nel Deuteronomio, dove vengono attribuite loro certe responsabilità giudiziarie che hanno a che fare sia con la legge penale sia
con quella civile (familiare).[1] Essi operano a fianco di giudici e sacerdoti,
ma con compiti loro specifici, non come membri di una gerarchia giudiziaria o amministrativa, tranne che nelle nostre costruzioni. Di come «gli
anziani della città» siano scelti fra tutti gli anziani che vivono nella città,
nulla si dice. Il libro di Rut fornisce il solo racconto di anziani nell'atto di
svolgere uno dei compiti attribuito loro dal Deuteronomio – fungere da
testimoni al rifiuto (o come qui, all'assunzione) degli obblighi di levirato.
I testimoni vengono scelti, a quanto pare casualmente, da Boaz, il fratello
superstite, che intende far fronte agli obblighi:

E scelse dieci uomini fra gli anziani della città e disse: Sedete qui [alla porta]. Ed
essi sedettero (4,2).

Pare che un qualsiasi gruppo di dieci faccia al caso; non si tratta qui di una
regolare seduta di anziani della città.

Meglio definito dev'essere stato un gruppo di «anziani di Galaad» che
trattò con Iefte in *Giudici* 11. A differenza di Boaz, Iefte non andò a cer-
carsi gli anziani con cui trattare; questi vennero da lui e le promesse che
gli fecero presupponevano in loro la funzione di rappresentanti. Il loro accordo con Iefte viene in seguito ratificato da un gruppo più esteso:

Iefte allora se ne partì con gli anziani di Galaad e il popolo lo fece suo capo e con-
dottiero (11,11).

Si può pensare qui a un comitato esecutivo di anziani e a un'assemblea popolare di capi famiglia o guerrieri maschi («il popolo»). Gli anziani hanno il potere di negoziare, il popolo quello di ratificare. A detta di Baruch
Halpern questo è nell'Israele antico il modello costituzionale corrente,
ma questo ipotetico modello conta troppo pochi esempi e troppe eccezioni; l'ipotesi è quindi plausibile ma estremamente incerta.[2] In ogni caso non
si ha notizia di come il comitato esecutivo fosse scelto e di chi fossero i
suoi membri. Il problema veramente importante è perché gli autori biblici si mostrano così poco interessati alla «costituzione».

Il modello di Halpern non è palese in quello che dovrebbe essere il caso
decisivo: l'approvazione di David come re da parte delle tribù del nord:

---

1 Bernard M. Levinson sostiene che l'autorità degli anziani viene di fatto ridotta dai Deuteronomisti ma che al lettore inesperto ciò non risulta evidente; cf. B.M. Levinson, *Deuteronomy
and the Hermeneutics of Legal Innovation*, New York 1997, 124-127.

2 B. Halpern, *The Constitution of the Monarchy in Israel*, Chico, Cal. 1981, 198-206.

Tutti gli anziani d'Israele vennero allora dal re a Hebron, e davanti al Signore il re David fece un'alleanza con loro a Hebron, ed essi unsero David re d'Israele (2 *Samuele* 5,3).

Del popolo qui non si parla. D'altro canto gli anziani non vengono menzionati nel racconto dell'investitura formale di Salomone a successore di David, che è opera di sacerdoti e profeti di corte insieme alla guardia di palazzo; il popolo compare all'ultimo minuto, non per confermare ma soltanto per acclamare il nuovo re:

E suonò la tromba e tutto il popolo disse: Dio salvi re Salomone (*1 Re* 1,39).

Dove sono gli anziani?

Una volta instaurata la monarchia, la funzione degli anziani sul piano nazionale pare sia stata in gran parte, se non esclusivamente, consultiva e formale. Tuttavia le loro comparse nel primo e secondo libro dei Re sono troppo rare per poter dire anche questo con certezza. Notoriamente gli anziani si oppongono alle pretese tiranniche di Roboamo, il figlio di Salomone, consigliandolo di alleggerire i gravami sui sudditi e offrendogli per questo un buon consiglio ispirato a prudenza: «Se oggi servirai il tuo popolo... e dirai loro parole buone, saranno tuoi servi per sempre» (*1 Re* 12,7). Ma il consiglio è respinto in modo sbrigativo. Quando parlano gli anziani hanno scarsa autorità e non è loro riconosciuto il diritto di parola: danno consigli soltanto quando ne siano richiesti dal re.

È utile qui mettere a confronto due racconti delle guerre di Ahab con Aram (Siria) in *1 Re* 20 e 22. Nel capitolo 20 si racconta che Ben-hadad, re di Aram, chiese un pesante tributo a Israele; Ahab «convocò tutti gli anziani del paese» perché lo consigliassero su come rispondere.

E tutti gli anziani e tutto il popolo gli dissero: Non ascoltarlo e non acconsentire (20,8).

Donde venisse il popolo non è chiaro, perché soltanto gli anziani erano stati convocati. Forse il popolo era presente unicamente con i suoi rappresentanti, la cui opinione è compresa in quella degli anziani. O forse la convocazione era una chiamata alle armi e il consiglio fu dato dai responsabili e approvato dai soldati. Tutto ciò che l'autore del libro dei Re desidera far sapere è d'altro canto che Ahab non agì senza consultare (alcuni fra) i suoi sudditi – e che in questo caso ne seguì il consiglio. Fatto questo, combatté la guerra con successo. Tre anni dopo (cap. 22) Ahab era pronto a combattere di nuovo, questa volta alleato con Giosafat di Giuda. Su richiesta di Giosafat i due re mandarono a chiamare i profeti per «informarsi» del Signore. Dai quattrocento profeti di corte e dall'isolato Michea figlio di Imla ebbero risposte contrastanti e quindi decisero da sé.

Dov'erano gli anziani? anziani e profeti si contesero l'attenzione del re?

come decise il re se chiedere consiglio ai rappresentanti del popolo (se questo erano gli anziani) o ai profeti del Signore? Da questi due racconti non emergono certo requisiti costituzionali. Ancora una volta emerge il disinteresse radicale del narratore per la costituzione.

Gli anziani erano veri rappresentanti (o solo testimoni, come in Rut)? Anche in occasione di cerimonie non è evidente che vi si trovassero al posto di qualche gruppo più esteso. Si prendano i due primi versetti di 2 *Re* 23, con cui ha inizio il racconto del rinnovo del patto ad opera di Giosia:

E il re diede l'ordine e riunirono presso di lui tutti gli anziani di Giuda e di Gerusalemme. E il re salì alla casa del Signore, e con lui tutti gli uomini di Giuda e tutti gli abitanti di Gerusalemme e i sacerdoti e i profeti e tutto il popolo, grandi e piccoli.

Perché furono fatti venire per primi gli anziani? A quanto pare a loro Giosia non aveva nulla da chiedere né da far fare. Dov'erano questi anziani quando tutti gli altri salirono al tempio? Il secondo libro delle Cronache (34,29-30) fa lo stesso racconto del patto di Giosia, se non che i profeti scompaiono e sono sostituiti dai leviti. Resta oscuro quale fosse il rapporto degli anziani con ciascuno di questi gruppi. Se tutti erano presenti, chi rappresentavano gli anziani? se non avevano funzioni di rappresentanza perché non sono inclusi dagli storici nell'elenco di quanti «salirono»?

È idea comune e interessante, avanzata per esempio da Yehezkel Kaufmann, che gli anziani rimettano in auge in età monarchica la «democrazia originaria» degli inizi della storia d'Israele.[1] Essi costituirebbero un controllo democratico sul potere dei re, come i sacerdoti fungono da controllo aristocratico. Se i sacerdoti sono più importanti nella politica di palazzo (Sadoq e Salomone, Ieoiada e Ioas), gli anziani lo sono in ambito locale. Sono vicini al popolo, governano alle porte della città e, in caso di eventi nazionali, rappresentano tutti quegli uomini e donne che risiedono nei villaggi e nelle piccole città d'Israele. La scena di 2 *Re* 6,32 degli anziani di Dotan che siedono con Eliseo, il profeta popolare plebeo, corroborerebbe convenientemente questa opinione. Lo stesso vale per la semplicità e l'informalità espresse dalla storia di Rut – anche se, essendo Boaz un uomo ricco, la familiarità dei suoi rapporti con gli anziani potrebbe anche indicare qualcosa di diverso dalla democrazia. Perché l'idea degli anziani democratici è frutto di fantasia.

Di una «democrazia originaria» di Israele non esistono testimonianze storiche. «Gli anziani di...» compaiono normalmente in tutti i libri biblici, a partire dalla storia della schiavitù in Egitto. Il tentativo di Mosè (che segue il consiglio di Ietro) di sostituirli nominando «capi di migliaia, capi

---

1 Y. Kaufmann, *The Religion of Israel. From Its Beginnings to the Babylonian Exile*, tradotto e abbreviato da M. Greenberg, Chicago 1960, 256. 262.

di centinaia, capi di cinquantine, capi di decine» (*Esodo* 18,19-25), sembra aver fallito. In seguito i mercenari del re ebbero capi di questo tipo, ma del popolo nel suo complesso non si dirà più che fu organizzato secondo il consiglio di Ietro. Anche la riformulazione deuteronomica di *Esodo* 18 contiene una piccola ma importante concessione agli anziani e alle autorità di gruppi familiari. Il racconto originario dice: «E Mosè scelse in tutto Israele uomini capaci», implicando una selezione meritocratica, mentre nel Deuteronomio Mosè afferma: «Ho preso quindi i capi delle vostre tribù, uomini saggi e conosciuti» (1,15), implicando il riconoscimento dell'autorità tradizionale. Perché si dovrebbe pensare che questi capi tribali fossero guide democratiche? Forse furono chiamati saggi perché erano capi. Forse erano capi perché le loro famiglie erano ricche e potenti. Anche in tal caso avrebbero potuto imporsi al rispetto dei comuni israeliti e rappresentare certamente non solo gli interessi delle loro famiglie ma anche dei loro clan e tribù. Ma ciò è lungi dall'essere un regime democratico.

Forse è un piccolo segno della funzione rappresentativa e popolare che gli anziani avrebbero avuto nel pensiero degli autori biblici il fatto che essi non compaiano quasi mai nelle denunce profetiche di potentati. Re, sacerdoti, profeti e giudici sono tutti condannati, raramente gli anziani vengono anche soltanto ricordati. È anche possibile che i profeti non li ritenessero importanti: non avevano parte al potere di coloro che lo detenevano. O forse un violento sfogo di Isaia può raccontare tutta la storia:

Il Signore entrerà in giudizio con gli anziani del suo popolo e con i suoi principi: perché avete divorato la vigna e le spoglie del povero sono a casa vostra (3,14).

È da ripetere che degli anziani si sa tanto poco che si può ricostruire il mondo reale della Bibbia in qualsiasi modo si desideri. La democrazia originaria è tuttavia una costruzione particolarmente difficile, dato che i testi non contengono nulla che assomigli lontanamente a una difesa dottrinale o anche al racconto nostalgico di un governo popolare. L'idea che *vox populi, vox dei* è senz'altro ignota agli autori biblici. Nella Bibbia la voce di Dio è la voce di Dio. Dio parla a Mosè e ai profeti e per mezzo loro al popolo. Di frequente il popolo viene lasciato sullo sfondo, spesso ostinato, e conformemente a questa immagine si potrebbe dire che gli anziani rappresentano molto fedelmente il popolo quando questo ripudia il governo di Dio e chiede un re. A Samuele Dio dice di «ascoltare la voce del popolo in tutto quello che ti hanno detto» (*1 Samuele* 8,7), e Samuele fa quanto gli viene detto, anche se in seguito criticherà il popolo per la sua richiesta «malvagia» (12,17). Sarebbe difficile trovare un altro momento in cui si dà così retta al popolo – per la verità, in tutte le altre storie bibliche il popolo ha ben poco da dire e non ha occasioni istituzionali in cui parlare a voce alta. Stranamente Samuele non definisce malvagi gli anziani, benché qui essi siano presenti più decisamente che in tutte le loro altre apparizioni nei testi. Essi sono in qualche modo rappresentativi, ma non sono mai riconosciuti come la forza politica richiesta dalla democrazia, anche da una democrazia rudimentale.

Nondimeno si potrebbero intendere molti dei cenni agli anziani d'Israele come riflesso di una qualche pur modesta idea di democrazia, nel senso che quantomeno in faccende secolari il popolo o i suoi rappresentanti debba essere consultato e forse anche obbedito (dopotutto, contro il proprio miglior parere, Dio dà al popolo un re). Ma questo «debba» non è mai stabilito espressamente, non ne viene mai data una formulazione dottrinale; gli autori biblici non sembrano mai imbarazzati o sconcertati quando raccontano di decisioni politiche prese in assenza degli anziani e similmente del popolo. Tra queste alcune delle decisioni dei re d'Israele (in particolare di Giuda) più gravide di conseguenze: il rifiuto di Ezechia alla richiesta di resa avanzata dagli assiri e la rivolta di Sedecia al governo di Babilonia. In entrambi i casi i profeti furono consultati, gli anziani no (dov'erano gli anziani?). E dai due re, benché uno di loro segua il consiglio del profeta e l'altro no, in teoria si esige ugualmente che i profeti *debbano* essere ascoltati. Talvolta sollecitato talaltra no, il consiglio degli anziani non ha pari autorità.

Pare probabile che gli anziani divennero di nuovo importanti negli anni dell'esilio e successivamente – di un'importanza rinverdita forse dal tracollo della monarchia. Gli anziani di Giuda, seduti nella casa di Ezechiele ad ascoltarne le profezie (8,1), ricordano gli anziani che stavano seduti con Eliseo: nessuna alleanza del genere è testimoniata per i profeti che si collocano fra questi due. E degli anziani si dice anche che la loro autorità fu accresciuta dall'attività profetica di Aggeo e Zaccaria, e che furono messi in condizione di portare a termine il secondo tempio (*Esdra* 6,14). Gli anziani hanno una posizione di spicco nel libro di Esdra, mentre non compaiono in quello di Neemia, il cui autore nomina invece «nobili» e «governanti» (che potrebbero essere le stesse persone – tutti anziani – ma anche persone diverse). È comprensibile come la scomparsa della famiglia reale abbia dato maggior visibilità ad altre famiglie e ai loro capi maschi. Ma il governo degli israeliti di ritorno dall'esilio ebbe ben poco di democratico. I testi sembrano dare risalto alla natura dispotica del governo di Neemia (è interessante che Morton Smith paragoni Neemia ai tiranni greci suoi contemporanei).[1] Questa volta gli anziani *ci sono*, quantomeno nel testo di Esdra, ma chi fossero e quali poteri avessero non viene rivelato.

---

1 M. Smith, *Palestinian Parties and Politics That Shaped the Old Testament*, London 1987, 103-104 (tr. it. 164-166).

Gli anziani non occupano la mente e il cuore degli autori biblici. Della funzione e di coloro che la svolgono si parla soltanto occasionalmente, anche, penso, perché si presumeva che i lettori li conoscessero direttamente. Ma è mia opinione che questo disinteresse abbia anche un altro motivo, che ha a che vedere con la natura degli anziani, un'istituzione secolare e senza rapporti col patto. Settanta anziani d'Israele presero parte in qualche modo al banchetto del patto sul Monte Sinai insieme a Mosè e ad Aronne: «Videro Dio e mangiarono e bevvero» (*Esodo* 24,11); ciononostante gli anziani non fanno discendere la loro autorità dalla rivelazione del Sinai; erano già presenti in Egitto, malgrado non compaiano nell'incontro col faraone; in *Esodo* 12 sono loro a segnare col sangue le case degli israeliti; a detta di *Esodo* 18 avevano spezzato il pane con Ietro, proprio prima della sua incredibile idea di scegliere «capi delle centinaia» ecc. – come se gli anziani non fossero stati lì presenti! Quella degli anziani è la sola istituzione priva di fondamento biblico. Non è stata instaurata dal patto, come la monarchia e il sacerdozio; i suoi membri non sono chiamati, come i profeti; né vengono nominati in virtù di un comando divino, come accade per i giudici. Democratica o meno che sia, certo è che quella degli anziani è un'istituzione «primaria», cioè primordiale e antica. Anche nel Deuteronomio, dove agli anziani sono affidati compiti particolari nel sistema giudiziario, la loro esistenza è semplicemente presupposta.

Quantunque gli anziani fossero presenti al momento del patto, le loro attività, quando vien detto in che cosa consistono, sono di norma secolari. Essi contrattano con giudici come Gedeone e Iefte su questioni di sicurezza. Intervengono con funzione di giudici di livello inferiore in materia di legge penale e civile. Danno «consigli» su questioni di condotta politica (contrapposti da Ezechiele alla sua «visione» dei profeti e della «legge» dei profeti, entrambe di origine divina [7,26]). Chiedono a Samuele un re, così da poter essere come le altre nazioni. Talvolta tengono consulto con Ahab riguardo a guerra e pace. Ricordano un precedente decisivo nel «processo» di Geremia (ma non intervengono più nel corso del suo svolgimento). Niente di tutto ciò è privo d'importanza, ma tutto viene riferito senza commenti; in nessuno dei testi biblici si vede qualche tentativo d'illustrare l'opera degli anziani in termini generali o di fissare il loro posto nella gerarchia politica (o giudiziaria).

Ancor più interessante di quest'omissione è l'assenza degli anziani nelle visioni messianiche. Nei giorni a venire sembra che non ci sarà posto per loro. «I vostri vecchi faranno sogni» dice Gioele (2,28), ma benché egli usi la parola ebraica che viene tradotta comunemente con «anziani», è evidente che si riferisce a tutti gli uomini anziani e non ad alcuni che rivestono una carica. Il solo accenno agli anziani nelle visioni profetiche è in *Isaia* 24,23, dove si parla del tempo futuro, quando il Signore degli eserciti regnerà sul Monte Sion e in Gerusalemme e davanti ai suoi anziani nella gloria.

Questi sono però anziani di Dio, non d'Israele – e probabilmente Isaia si riferisce a un gruppo che compare talvolta in altri scritti profetici: «gli anziani dei sacerdoti». I sacerdoti hanno certo un posto nell'età messianica, come pure i profeti, anche se vi sono accenni a una soppressione di queste due funzioni speciali: tutto Israele offrirà sacrifici e profetizzerà. «Volesse Dio che tutto il popolo del Signore fosse profeta!», dice Mosè (*Numeri* 11,29). I re hanno un posto decisivo, almeno in certi futuri visionari; anche i giudici fanno occasionali apparizioni, dato che anche in età messianica si dovrà fare giustizia; in *Isaia* 2 Dio è giudice delle nazioni; nelle visioni di Ezechiele i sacerdoti sembrano fungere anche da giudici. Ma gli anziani dove sono? ai loro compiti particolari partecipa tutto il popolo? tutti diventeremo vecchi, ma nei giorni a venire faremo tutti da anziani?

Sospetto che nell'età messianica non ci sia posto per gli anziani perché questi sono privi di un significato o di una funzione specificamente religiosi. Di antica istituzione e ben noti al popolo, non poterono venir espunti dal racconto storico. Gli anziani, inoltre, possono essere stati partecipi (o testimoni) ai patti. Forse ci vien detto che erano presenti allo scopo di rafforzare la nostra coscienza di essere stati anche noi presenti e di essere vincolati per via vicaria mediante la loro presenza. Non hanno però uno scopo ulteriore e futuro, e tutte le loro funzioni secolari non hanno alcun interesse, sono irrilevanti. In una politica divina e in una storia teologica gli anziani, privi di carisma o di chiamata e di investitura divina, erano del tutto superflui. Stando a ciascuno dei racconti biblici di santità, provenivano da un tempo precedente a quello in cui Israele divenne una nazione santa. Qualsiasi sia stata la loro vera funzione nella politica d'Israele, non facevano parte del filone principale della sua storia.

Questo filone principale avrebbe potuto essere raccontato in modo diverso – e sospetto che talvolta lo fu. Il primo libro dei Maccabei, scritto un po' troppo tardi per essere preso in considerazione per il canone, fa capire questa possibilità, e lunghi passi conservatisi nella Bibbia registrano la storia secolare d'Israele come dev'essere stata compresa da alcuni gruppi di autori israeliti. La fondazione della monarchia e la storia della successione davidica, cui già mi sono richiamato, sono esempi di primaria importanza, e merita far osservare il ruolo di spicco che hanno gli anziani in questi casi – affrontando Samuele, consigliando Assalonne e contrattando il ritorno di David a Gerusalemme. Le Cronache non fanno menzione della loro richiesta di un re e riducono il racconto della successione a una unica linea (*1 Cronache* 23,1): «Quando David fu vecchio e carico di giorni, fece Salomone suo figlio re d'Israele». Ma questa è storia sacra, priva di qualsiasi politica, aliena da rivolte, ignara di negoziazioni – e senza gli anziani.

Il libro dei Giudici mette chiaramente in luce queste due possibili storie, quella religiosa e quella secolare. Stando al quadro narrativo, Dio «suscita» di volta in volta un giudice liberatore. Perché allora Iefte deve negoziare con gli anziani di Galaad i termini del suo incarico? La storia di Gedeone è più vicina di quanto ci si attenderebbe riguardo a come dovrebbe operare la liberazione divina: «Lo spirito del Signore discese su Gedeone ed egli suonò la tromba... E inviò messaggeri», e tutto il popolo si raccolse intorno a lui (*Giudici* 6,34-35). Iefte, al contrario, è invitato a un colloquio di selezione – non con Dio ma con gli anziani delle tribù. Gli israeliti si erano già riuniti di loro iniziativa e aspettavano solo un comandante militare; gli anziani ebbero la funzione di commissione d'indagine (10,17-18). Evidentemente la storia di Iefte fu scritta in origine fuori dello schema della liberazione; fa pensare alla possibilità di un diverso tipo di storia nella quale la politica come apparato umano avrebbe una parte maggiore – e così pure soggetti come gli anziani. Israele avrebbe potuto avere una storia completa di questo tipo anziché frammentaria e intermittente, se non fosse che gli storici fondamentali o gli ultimi editori che raccolsero i materiali disponibili, eliminando ciò che non serviva ai loro scopi, erano teologicamente impegnati. Se una storia politica di tipo secolare fosse stata scritta, o ci fosse stata conservata per intero, sapremmo molto probabilmente assai più di quanto ci è noto delle soluzioni costituzionali d'Israele, dei limiti dell'autorità regale, dei centri di potere che le fecero concorrenza, della natura del conflitto politico, dei rapporti tra funzionari locali e nazionali. Sapremmo probabilmente con precisione chi erano gli anziani, che cosa facevano e dov'erano.

Capitolo 12
La politica in ombra

La religione dell'Israele antico che si riflette nei testi biblici anticipa tratti di cultura democratica (termine ovviamente anacronistico): l'uguaglianza e la partecipazione senza distinzioni sono elementi importanti della sua dottrina e forse anche della sua pratica. La democrazia, così come si presentava, era una democrazia che sottostava a Dio, e Dio, così come lo concepivano gli israeliti, non aveva il carattere, lo stile e il comportamento di un capo democratico. Dopo l'unicità, l'onnipotenza era il suo attributo più importante. Nella Bibbia si parla ripetutamente di Dio con le metafore della monarchia: egli è un re che regna in eterno. Non è presentato come re feudale in rapporto con i sudditi mediante complesse mediazioni gerarchiche; tutti gli israeliti gli sono soggetti in modo uguale. Nonostante il suo sia un potere assoluto, il suo governo non è assoluto; egli ha scelto di legare a sé Israele con un patto e di guidare la condotta del suo popolo per mezzo di leggi. Questa decisione del Dio d'Israele rispecchia probabilmente concezioni israelite in materia di libertà e libero arbitrio. Non è questo il luogo per fare ipotesi sulle origini sociali di queste concezioni, che nei libri biblici si presentano pienamente sviluppate. Sovranità divina e libertà umana sono le idee determinanti della cultura religiosa. Insieme ne spiegano la natura quasi democratica e, come si vedrà, la sua incapacità di dare a questa democrazia una forma politica qualsiasi.

La quasi democrazia d'Israele mostra tre caratteristiche che hanno a che vedere col patto, la legge e la profezia. Il patto con Dio, anzitutto, richiede da ciascuno la fedeltà; gli individui non sono legati dalla volontà di Dio ma soltanto dal loro stesso consenso. «Ciascuno» sembra qui da intendere alla lettera, in modo da farvi rientrare anche i gruppi socialmente subalterni e politicamente privi di potere. Il consenso effettivo è di natura collettiva; come gli anziani (e a differenza dai profeti) il popolo parla a una voce sola, in modo molto simile alla «volontà generale» delle future teorie della democrazia. In tutti questi casi, antichi e moderni, si può dubitare che nella volontà generale siano realmente compresi i desideri del povero e del debole.

Nei testi biblici i poveri, le donne e anche i forestieri, quantomeno formalmente, sono tenuti in conto e sono riconosciuti come agenti morali, quale che sia l'estensione effettiva della loro azione. Come scrive Delbert

Hillers, «in ciò che riguarda Jahvé si dà un'uguaglianza fondamentale di condizione».[1]

In secondo luogo, la legge di Dio, data in linea di principio a ciascuno e accettata da ciascuno, sembra sia stata di fatto largamente conosciuta e al tempo stesso straordinariamente aperta all'interpretazione e alla revisione. Certo, nulla di simile a qualsivoglia procedimento democratico per la costituzione di leggi, nessuna elaborazione politica di quest'apertura religiosa. Nelle considerazioni che si sono esposte sui tre codici di leggi si è definita la produzione di leggi nell'Israele antico un'attività «segreta», non nel senso di un'attività esoterica e misteriosa, ma di un'attività non riconosciuta, d'interpretazione più che di legiferazione: non se ne teneva conto, ma se si fosse stati là a vedere, non sarebbe stata invisibile. Con riguardo alla situazione sociale, dev'esservi stato coinvolto un numero relativamente grande di persone, ma i re di Israele e di Giuda non intervennero né a fare la legge né a interpretarla. Erano soggetti alla legge, esattamente come in linea di principio vi era soggetto qualsiasi israelita e qualsiasi «straniero alle porte»; la subordinazione alla legge non variava a seconda del rango, benché i sacerdoti avessero diritti e obblighi supplementari.

In terzo luogo, i profeti, che con i sacerdoti, i giudici, gli scribi e gli anziani erano gli interpreti della legge divina, parlavano in luoghi pubblici a uomini e donne comuni, i quali ascoltavano e presumibilmente capivano quanto quelli dicevano (col linguaggio dei libri profetici noi incontriamo maggiori difficoltà). Benché talvolta perseguitati, questi demagoghi religiosi, come li chiamava Weber, pare abbiano goduto di grande libertà in quel che potevano dire. I profeti per i quali si dispone di informazioni biografiche provenivano sia da ceti inferiori sia da quelli elevati (nulla si sa dei quattrocento profeti di Ahab, ma il numero stesso e il loro servilismo fanno pensare a umili origini), e alcuni di loro censurarono gli uomini più potenti della società israelita – come censurarono pure tutti gli altri. Le loro critiche pubbliche e senza inibizioni sono un indicatore importante di democrazia religiosa – almeno nel senso che le persone alle quali i profeti rivolgevano le loro accuse e i loro moniti, benché non fossero ancora cittadini erano riconosciute come membri responsabili della comunità del patto.

Soltanto il sacerdozio, l'appartenenza al quale è ristretta e le cui pratiche sono autoritarie, si pone al di fuori e contro la quasi democrazia d'Israele. I sacerdoti sono figure gerarchiche, e non solo rispetto alla gente comune; tendono a organizzarsi in gradi e livelli e a esibire insegne di status. Come per qualsiasi aristocrazia, il loro vizio è probabilmente l'arroganza. Ciò nondimeno anche i sacerdoti, o alcuni di loro, avevano una visione del futuro in cui tutti gli israeliti avrebbero condiviso le loro preroga-

[1] D.R. Hillers, *Covenant. The History of a Biblical Idea*, Baltimore 1969, 78.

tive. Nella concreta realtà biblica non esercitarono mai un dominio religioso incontestato; dovettero coesistere con profeti, giudici e scribi – oltre che con uomini e donne comuni, come fa capire il Deuteronomio: «poiché voi siete un popolo santo» (7,6). Nel complesso, tranne che per certi aspetti dell'operato dei sacerdoti, le esigenze rituali e giuridiche della religione israelita sembra siano state ampiamente conosciute e probabilmente non furono tanto difficili da soddisfare. Anche i requisiti morali, molto più difficili da rispettare, che i profeti aggiunsero o misero al posto della legge rituale, non esigevano conoscenze particolari: «Uomo, ti è stato mostrato ciò che è buono» (*Michea* 6,8).

Ma questa cultura religiosa non ebbe in politica chiari riflessi corrispondenti – se non forse al tempo in cui «ognuno faceva ciò che era giusto ai propri occhi» (*Giudici* 21,25). Quella fu una brutta epoca agli occhi dell'autore o editore finale del libro dei Giudici. «Ognuno» non è un personaggio che riscuota molta ammirazione nella Bibbia, dove di populismo se ne vede ben poco, così come non vi s'incontra alcun regime che incarni i tratti democratici della religione di Israele: appartenenza sulla base del patto, attività di interpretazione delle leggi, libertà profetica. Gli autori biblici sembrano essere scarsamente interessati a delineare regimi ideali. Estremamente carente è il modo in cui si parla del regno messianico. «Da nessuna parte», scrive Nicholas Wolterstorff, «gli autori biblici tentano di abbozzare i principi di una struttura sociale dell'età messianica».[1] È possibile che sul piano locale, nella vita comune e quotidiana dei clan e villaggi d'Israele, la cultura religiosa abbia avuto effetti politici producendo spontaneamente termini politici corrispondenti (per es. la democrazia rudimentale degli anziani), ma non lo si sa. Certo è, invece, che sul piano nazionale non ci furono corrispondenze – se non forse nell'immagine deuteronomica di un re che studia e rispetta la legge di Dio, un re tuttavia che nei testi biblici in seguito non compare più.

La ragione di questa grande assenza della politica risiede probabilmente nella cultura religiosa stessa. In un certo senso qualsiasi regime politico si trovava virtualmente in competizione col governo di Dio. Finché Dio è il sovrano in carica, non possono esistere stati sovrani né si può elaborare una teoria della sovranità del popolo (o di chiunque altro). Il popolo acconsente ma non governa. Solo quando si pensa che Dio si ritiri, che stia a una certa distanza dal mondo delle nazioni, rinunciando così a intervenire politicamente, c'è spazio per la politica umana.

La teoria alta della monarchia è ciò che nella Bibbia più si avvicina alla illustrazione di un regime politico ideale – e si tratta dell'esatto contrario di un regime democratico. Il re imita la sovranità di Dio e rivendica per sé l'appoggio incondizionato di Dio, ma evidentemente spera di governa-

1 N. Wolterstorff, *Justice. Rights and Wrongs*, Princeton 2008, 68.

re da sé. La sapienza di Salomone, anche se viene presentata come dono di Dio, si estende all'intelligenza secolare: conoscenza delle cose dello stato e *torah*. L'alleanza con Iram di Tiro, re cananeo, rivela l'indipendenza della monarchia al suo apogeo, come pure i molti matrimoni di Salomone con donne straniere adoratrici di idoli. Saul era stato punito per violazioni ben minori della legge religiosa; Salomone viene solo ammonito – non di persona, da un giudice come Samuele o da un profeta come Natan, ma a cose fatte, nei libri storici. Dietro la ripresa del mito nei salmi regi è possibile avvertire una grande sicurezza di sé. Nella persona del re sono per sempre uniti potere e pietà – così dicono alla corte i profeti e nel tempio i poeti.[1]

Ma agli occhi di alcuni, forse molti, israeliti, questa unione era una sfida della sovranità di Dio tanto quanto ne era un'imitazione: come Dio aveva detto a Samuele e Samuele agli anziani, la monarchia rappresentava il rifiuto del governo divino e questo rifiuto non resta senza risposta. Quando Dio è chiamato re, si nega l'indipendenza dei suoi soggetti regi. Quando Dio è detto uomo di guerra, la necessità di guerrieri regi è messa in questione. I profeti ne arguiscono che i re umani non dovrebbero farsi guidare da consiglieri umani; non dovrebbero cercare di svolgere una politica propria o prendere decisioni politiche. La loro sapienza è inefficace o inesistente. Né sarebbe di qualche aiuto consultare il popolo o i suoi rappresentanti. I re dovrebbero «informarsi presso il Signore» – ossia consultare i profeti e fare affidamento soltanto sulla protezione divina. È necessario che imparino che di Dio «è la mano tesa sulle nazioni». Poco d'altro resta loro da imparare.

Prudenza politica e segreti di stato sono ugualmente estranei alla visione del mondo biblica (la letteratura sapienziale solo in parte fa eccezione a questa regola generale, dal momento che la sapienza biblica si occupa di vita privata più che pubblica). Certo, i re chiesero consigli di natura sia secolare sia religiosa e lottarono per farsi un posto tra le nazioni; ma l'idea che un capo politico potesse, da sé, determinare il destino d'Israele non si trova né nei profeti né nelle storie. La sorte d'Israele era saldamente nelle mani di Dio, come sempre era stato fin da quando Dio stesso aveva sbaragliato gli egiziani: «Cavallo e cavaliere ha gettato nel mare» (*Esodo* 15,1).

Qualsiasi regime politico, monarchia inclusa, si trova di fatto relativizzato da argomentazioni religiose di questo tipo. Se i profeti siano ostili alla monarchia in sé o si mostrino critici soltanto nei confronti di certi re, è questione molto controversa, ma non è che un problema secondario. Più importante è che non c'è profeta che non neghi alla monarchia un valore

---

[1] Cf. F. Moore Cross, *Canaanite Myth and Hebrew Epic. Essays in the History of the Religion of Israel*, Cambridge 1973, specialmente la parte quarta.

indipendente, risultato della presunzione di re che pensino di essersi fatti da sé. D'altro canto nessun altro regime ha maggior valore, nessun altro governante una maggiore ragion d'essere. Quando i re obbediscono a Dio, per Israele le cose vanno bene; quando disobbediscono, le cose vanno male. I governanti mondani, i poteri vigenti, quale che sia la loro natura sociale o politica, sono più facilmente disobbedienti che obbedienti, ma la disobbedienza è funzione della renitenza e della testardaggine umane, non dell'imperfezione delle istituzioni.

È quindi evidente che la Bibbia non ha insegnamenti politici, quantomeno nel senso in cui si può dire che essa possiede insegnamenti morali e religiosi. Se nel testo possono trovare espressione divergenze in materia di morale e di religione, è anche possibile individuarvi una larga area di consenso; certe proposizioni generali sono avallate da tutti gli autori biblici. Quando invece si viene alla politica, si hanno unicamente insegnamenti negativi; la sola proposizione che la maggior parte degli autori probabilmente approverebbe è che il rapporto tra governanti e governati conta meno del rapporto tra Dio e Israele. Dove si affrontano questioni totalmente politiche, come nel caso della monarchia, il disaccordo è la regola. Forse perché il problema è visto da una certa distanza e in gran parte non è affrontato in termini dottrinali, si fanno pochi sforzi per nascondere o superare le differenze (a meno che non si tratti di ideologi della monarchia). La Bibbia contiene una storia manifesta di cambiamenti politici – dai giudici ai re ai sacerdoti – quantunque respinga espressamente l'idea di cambiamento in fatto di religione e di morale. I suoi autori invitano a una politica comparata, anche se non la praticano, mentre non invitano né praticano mai una religione comparata. Tutti i regimi politici che si susseguono hanno i loro difensori, ma nessuna religione alternativa viene difesa né quindi neppure viene seriamente illustrata. Anche quando si volesse essere fondamentalisti in politica (in quanto distinta dalla religione), sarebbe difficile stabilire i fondamentali.

A chi cercasse nella Bibbia una politica fondamentalista rimarrebbero per lo più delle domande. Quale dei regimi di cui parlano le storie è l'autentico regime biblico? la monarchia di Dio? la monarchia dei re (davidici)? il regno sacerdotale? il governo misto di re, giudici, sacerdoti e profeti a cui fa pensare *Deuteronomio* 16-18? Come conciliare i tre codici di leggi – e a chi spetta? tra sacerdoti, profeti, giudici e scribi, quali sono gli interpreti autorevoli della legge di Dio? Qual è la funzione degli anziani? Quale posto occupa Israele tra le nazioni? la politica estera d'Israele dovrebbe ispirarsi al principio dell'autodifesa o a quello dell'espansione territoriale oppure a quello della pacificazione e dell'accomodamento – o forse Israele semplicemente non dovrebbe avere politica estera? Si deve pensare Israele come nazione politica oppure come comunità di fede?

Isolando un momento particolare della storia biblica, ci si troverebbe in grado di rispondere a qualcuna di queste domande. Ma le risposte sarebbero circostanziali in senso stretto, perché ciò che la Bibbia documenta è una serie di adattamenti a circostanze mutevoli. L'istituzione della monarchia è solo il caso più ovvio – una risposta a necessità pratiche frutto d'inventività o dettata dall'imitazione, alla quale il Deuteronomio fornisce a posteriori l'autorizzazione divina. Il governo di sacerdoti è parimenti la risposta non a guerre locali ma alla conquista imperiale, e anch'esso si vede attribuita una giustificazione retroattiva in quelli che risulteranno essere scritti non canonici, postbiblici (come la Sapienza di Ben Sira). In ogni caso queste visioni retrospettive hanno la sola funzione di rendere evidente l'assenza di qualsiasi apriori politico, di qualsiasi regime che possa passare per essere il migliore. Al pari di qualsiasi altra religione anche quella israelita può essere messa al servizio di molti e diversi regimi, ma in certo senso – e penso in un senso profondo – essa è politicamente indifferente.[1]

Questa indifferenza potrebbe semplicemente lasciare libera la politica, aperta alla determinazione della prudenza e del senso pratico. In tal caso gli uomini e le donne osservanti potrebbero con licenza della Bibbia prendere in considerazione alternative costituzionali senza richiamarsi alla dottrina religiosa. Chi prende decisioni e come si prendono decisioni? Non sono domande alle quali gli autori biblici si mostrino particolarmente o criticamente interessati. I problemi centrali della filosofia politica come la intesero i greci – governare ed essere governati, il regime migliore, il senso della cittadinanza, il processo deliberativo, la virtù civica, l'obbligazione politica – non si trovarono mai al centro del pensiero israelita. Forse è qui e là possibile cogliere prospettive e posizioni attinenti a questi problemi, ma non argomentazioni.

D'altro canto l'indifferenza politica non si estende anche al contenuto delle decisioni che furono prese. Sia i testi giuridici sia quelli profetici hanno molto da dire su ciò che i capi politici, chiunque essi siano, dovrebbero fare. La politica non è libera. Lasciando da parte l'ideologia monarchica e parlando ancora alla maniera greca, si può dire che Dio, così com'era concepito nell'Israele antico, non fissò una politica ma certo stabilì un'etica.

Stranamente i decreti etici di Dio non pare governino le relazioni internazionali. I primi capitoli di Amos, che fanno pensare a un codice universale, a una sorta di legge internazionale, non stabiliscono un precedente per la profezia che seguirà, e le questioni morali che Amos solleva non compaiono affatto negli scritti storici. Sembra che l'impegno di Dio con le nazioni vanifichi qualsiasi impegno umano – o perlomeno qualsiasi im-

---

1 Per una prospettiva radicalmente diversa si veda D.J. Elazar, *Covenant and Polity in Biblical Israel*, New Brunswick, N.J. 1995.

pegno meditato. I re erano impegnati, ma senza darsene pensiero; anche i profeti erano impegnati, ma soltanto come vettori della parola di Dio. Quando nei testi va delineandosi una dottrina profetica, si tratta di una dottrina che ingiunge di affidarsi in totale passività a Dio. Per come i profeti la intendono, la parola di Dio non ingiunge un'etica dell'autodifesa o una politica di cooperazione e benevolenza tra le nazioni o qualcosa di simile a una crociata religiosa. Per quanto posso dire, la guerra santa deuteronomica non viene giustificata a posteriori dai profeti letterari. Versetti estrapolati dal contesto potrebbero ispirare una politica estera di questo o quel (e pressoché qualsiasi) tipo. Un Dio impegnato nella storia è un Dio pericoloso, perché è sempre possibile interpretarne le intenzioni e cercare di venirgli in aiuto, solitamente ammazzandone i nemici. Per principio Dio non necessita di aiuto – e al riguardo i profeti sono di una chiarezza assoluta –, ma di fatto nella maggior parte dei casi i suoi nemici sembrano avere la meglio, oppure egli si muove tanto lentamente da far temere che non si arriverà mai a vederli finalmente sconfitti. L'impegno di Dio ha come risultato l'impazienza degli uomini. La passività profetica contrasta con quest'impazienza, ma si tratta delle due facce della stessa medaglia. La mentalità necessaria ad affrontare un mondo dal quale Dio si è disimpegnato, un mondo in cui la politica sia ambigua e contingente, è affatto diversa.

Se Dio governa la società internazionale non pare governare la vita interna d'Israele. Qui sono individui che si rapportano tra loro, non nazioni, e gli individui sono liberi di decidere – e ciò significa anche liberi di creare una società buona o malvagia. Qui si devono mettere in pratica politiche, si deve obbedire a leggi, emettere sentenze. Qui c'è spazio per l'ambiguità e la contingenza. Almeno temporaneamente qui Dio non è impegnato, o è impegnato soltanto dopo i fatti, per giudicare più che per stabilire ciò che avviene. Fino a Giobbe il modo di vedere biblico sembra essere che Dio punisce gli individui malvagi e le società malvagie, premiando gli individui e le società buoni, qui e ora, senza necessariamente attendere il giorno del Signore. Sia agli individui sia alle società egli concede giorni che appartengono interamente a loro, nei quali essi possono fare bene o male; minaccia la punizione prima di infliggerla (come nel caso di Ninive), per dar loro il tempo di pentirsi. Il mondo è la scena su cui Dio manifesta il suo potere e realizza i suoi fini; ma la società nazionale, quantomeno per un certo tempo, appartiene all'umanità.

I testi biblici non sempre sondano gli abissi di quest'appartenenza, ma talvolta riescono a far comprendere come gli esseri umani, scegliendo tra bene e male, benedizione e maledizione, probabilmente prendano decisioni né interamente buone né interamente cattive. La realtà della vita morale – fintanto che Dio è in attesa dietro le quinte e c'è spazio per la vita morale – sarà una realtà complessa. Anche la politica sarà quindi una realtà complessa, poiché le relazioni individuali, alle quali gli autori biblici sono interessati, comprendono i rapporti e i conflitti tra potenti e deboli, ricchi e poveri – oltre che, in tutta la storia biblica, tra monoteisti e politeisti, tra uomini e donne vincolati o meno a un patto.

Tutti questi rapporti sono appesi a decisioni individuali e benché le decisioni vengano perlopiù presentate in termini convenzionali e i soggetti delle decisioni come personaggi convenzionali, talvolta s'incontrano giudizi divisi e storie complicate, che si propende per considerare più realistiche. La storia del regno di Amasia di Giuda in 2 Re, ad esempio, come sovente questi racconti s'interessa soltanto alla sua politica religiosa:

Ed egli fece ciò che è giusto agli occhi del Signore, non come David suo padre... Non furono tolte le alture; il popolo sacrificava e bruciava ancora incenso sulle alture (14,3-4).

Nonostante questo giudizio relativamente favorevole, Amasia è un re sfortunato; provoca una guerra col regno del nord, la perde, assiste impotente quando l'esercito di Israele abbatte le mura di Gerusalemme e mette a sacco il tempio, per essere infine deposto dai suoi sudditi. Se ora si passa alla storia di Geroboamo (il secondo) nel regno del nord, raccontata nel medesimo capitolo, questi «fece quel che è male agli occhi del Signore», e tuttavia si rivela il soldato vittorioso che trova Israele oppresso dai vicini e lo libera dall'oppressione. Le sue vittorie sono attribuite prima a lui (14,25) poi a Dio, del quale si dice che ha «salvato [Israele] per mano di Geroboamo» (14,27). Non arrivo a capire che cosa pensasse lo storico che scrisse queste due storie; in ogni caso la sua prospettiva non è lineare. Questi re agiscono in un mondo in cui il bene e il male non sono in pacchetti separati.

L'invettiva del profeta è al contrario un discorso semplificatorio. Nazioni, città e classi sociali vengono condannate nel loro insieme – come nel caso di Geremia, che in tutta Gerusalemme non riesce a trovare un solo giusto (5,1). Ma pure la profezia ha le sue complessità, anche queste meglio percepibili quando essa si rivolge alla vita interna d'Israele e ne prende di mira i capi politici e religiosi. Già si è accennato come l'atteggiamento dei profeti nei confronti della monarchia sia controverso. A mio parere è verisimile che alcuni profeti fossero ostili all'istituzione, ma ciò non significa che negassero l'autorità dei re del loro tempo e che avessero cessato di esigere da loro giustizia e fedeltà al patto. È probabile che il loro atteggiamento nei confronti del sacerdozio fosse simile. I profeti che denunciarono i sacrifici intendevano sostituire la credenza del popolo nella loro efficacia con una nuova credenza: solo la condotta morale avrebbe fatto di Israele la nazione santa che si pensava fosse. Nessun profeta pretese tuttavia l'abolizione del sistema dei sacrifici o negò la legittimità dei sacerdoti. Allo stesso modo, le vibrate denunce dei ricchi non erano dettate da qualche tipo di comunismo rudimentale: la profezia non fu mai in rotta con i diritti della proprietà. È vero piuttosto che i profeti ebbero una visione complessa e moderata dei doveri sociali che l'idea di giustizia comportava. Benché i giudizi che davano fossero all'ingrosso, essi avevano anche, per così dire, un programma al minuto, ed è possibile immaginare una società che percorse un certo tratto, se non l'intero percorso, secondo questo programma. Di una tale società si potrebbe dire ciò che gli stessi profeti non dissero mai degli israeliti com'erano di fatto:

Ed essi facevano ciò che era giusto agli occhi del Signore, ma non tutto ciò che Mosè aveva ordinato ai loro maestri.

Se nella politica biblica qualcosa è fondamentale, questo è appunto il programma al minuto, l'etica sociale di una comunità vincolata a un patto: pratica la giustizia, proteggi il debole, nutri il povero, libera lo schiavo (israelita), ama il forestiero (residente). I re mesopotamici rivendicavano la loro fedeltà a un'etica analoga. Quel che sembra distinguere l'Israele biblico è la natura collettiva del suo impegno.[1] Quando sia vissuto seriamente, il patto dovrebbe dare origine a obblighi condivisi da tutti gli israeliti e a una solidarietà diffusa. Gran parte della legge d'Israele può essere letta come tentativo di esprimere questa solidarietà – in senso proprio, di metterla in pratica. Questo è il senso delle leggi sulla schiavitù, del divieto d'usura, delle leggi sui margini del campo e sulla spigolatura (*Levitico* 19, 9), delle regole sul pagamento delle garanzie (pegni) e dei salari, delle ripetute ingiunzioni di aver cura dello straniero, dell'orfano e della vedova. Queste ingiunzioni sono sempre collocate sullo sfondo della schiavitù in Egitto. Agli israeliti viene comandato di continuo di ricordare d'essere stati schiavi e stranieri in Egitto. Poiché tutti loro sanno che cosa vuol dire essere oppressi, non dovrebbero opprimersi l'un l'altro. Nell'etica della comunità sono compresi i forestieri che sono «in mezzo» a loro: certo questi non sono più stranieri e nazioni straniere.

Le violazioni del patto incominciano dalla negazione della solidarietà, quando questa è invece un dovere. Raramente i profeti denunciano violazioni particolari senza indicarne l'origine. La ricchezza e il potere ripugnano a motivo del compiacimento e dell'indifferenza morale che di solito alimentano; la ricusazione della legge del patto è conseguenza del compiacimento e dell'indifferenza, non direttamente della ricchezza e del potere. Resta quindi possibile immaginare che vi sia benevolenza anche in posizioni elevate. Persino i ricchi israeliti di Amos, con le loro case per

---

[1] Cf. J.A. Berman, *Created Equal. How the Bible Broke with Ancient Political Thought*, Oxford 2008; per un confronto più guardingo di Israele con i suoi vicini si veda anche M. Weinfeld, *Social Justice in Ancient Israel and in the Ancient Near East*, Jerusalem 1995.

l'estate e case per l'inverno, con i loro letti d'avorio, che «bevono vino in coppa e si ungono con i migliori unguenti», potrebbero superare l'esame,

ma non si rattristano per l'afflizione di Giuseppe (6,6).

Siamo responsabili dei nostri simili – tutti noi per tutti noi: questa è l'etica sociale degli autori biblici, e ciò invoglia a scrivere un altro libro che potrebbe fare il paio con questo: un filosofo morale legge la Bibbia ebraica.

Come più volte si è accennato in questi capitoli, nell'etica sociale si può vedere un programma politico. Si potrebbe anche pensare che sia la versione biblica di una politica prudenziale – perché ricordarsi della schiavitù in Egitto e praticare la giustizia all'interno, insieme alla fede in Dio, è tutto ciò che occorre per preservare l'esistenza d'Israele nella sua terra. Una buona politica interna è la miglior politica estera. Tuttavia l'etica sociale dei profeti di fatto non viene mai presentata come programma politico né condusse a progetti costituzionali (al di là del racconto minimalista di re, sacerdoti, profeti e giudici nel Deuteronomio) o a considerazioni politiche. Forse il peculiare radicalismo della Bibbia ebraica deve qualcosa a queste assenze: leggendo i testi biblici generazioni di uomini e donne oppressi poterono immaginare in tutta libertà come sarebbe stata una società buona e quali misure pratiche sarebbero state necessarie per pervenirvi. Ma poterono anche limitarsi, al pari di molti profeti, ad attaccare l'ordine esistente senza avere in mente nessun'alternativa concreta o pratica, con la veemenza dell'attacco a mascherare la loro passività di fatto di fronte alla gerarchia sociale o alla natura affatto fantasiosa della loro politica.

La fede nella sovranità di Dio e nel suo impegno nella storia contribuisce a trasformare in messianismo queste aspirazioni radicali: esso lascia troppo poco spazio all'azione politica quotidiana anche all'interno della società nazionale. I profeti sanno che cosa si dovrebbe fare, ma hanno poca fiducia nelle capacità di uomini e donne se non vengono aiutati. L'origine segreta della politica messianica è un profondo pessimismo riguardo all'autogoverno della comunità del patto. Se questo pessimismo fosse giustificato, non saprei dire. Scommetterei che dipese più dalle condizioni reali della comunità che dalla riluttanza a pensare alla comunità in termini politici – ossia in termini di divergenze di opinioni, di negoziazione e compromesso; di misure parziali e di progressi che si sommano; del fare una cosa dopo l'altra. Israele fu più spesso oggetto di giudizio assoluto che di valutazione condizionata e di consiglio. L'assolutismo è al tempo stesso la grande forza e la grande debolezza dei profeti.

Considerate le alternative che la Bibbia offre, il solo modo di evitare l'assolutismo profetico è di mettere al centro le leggi. Una centralità politica della ragion pratica, del dibattito in assemblea, delle decisioni prese dal popolo – cose che potrebbero far pensare all'alternativa greca – non fu mai presa in considerazione. L'autore di uno scritto postbiblico, il primo libro dei Maccabei, illustra con invidia la politica romana:

Nessuno di loro si è posto in capo una corona o ha indossato la porpora in segno di vanto, ma si sono costruiti un senato, e ogni giorno trecentoventi senatori si consultano di continuo riguardo al popolo per ben governarlo (8,15).

Sopra si è riportata parte di questo passo per mostrare come nessun autore biblico abbia mai detto nulla di simile. L'obbedienza alla legge di Dio non richiede consultazioni o discussioni o voti; richiede soltanto una decisione morale. Ma questa è di fatto anche una decisione umana, condizionata dalla fragilità umana, sempre provvisoria e insicura, mai del tutto perfetta. I profeti non avevano tempo per la fragilità. Benché presupponessero sempre la validità dei codici di legge, la loro richiesta tipica non è quella di un'obbedienza puntuale bensì l'impegno globale, che si esprime nell'idea del ḥesed, la «fedeltà al patto». Essi sembrano pensare che il popolo nel suo complesso o i suoi capi nel loro insieme siano totalmente fedeli o totalmente infedeli (in certi testi biblici, plausibilmente recenti, s'incontrano accenni a un «resto» del popolo che sarà trovato fedele alla fine dei tempi). Ciò che i profeti escludono o non menzionano è la possibilità cui fa pensare il racconto che gli storici fanno del re Amasia: che nel popolo e tra i suoi capi alcuni siano fedeli in una certa misura e per qualche tempo.

Al contrario, questo genere di ambiguità è proprio della natura stessa delle leggi; talvolta sono rispettate, talaltra no. Se venissero sempre rispettate si potrebbe dubitare della loro necessità. Le leggi sono limitazioni più o meno efficaci del comportamento. Riflettere su di esse induce a sperare nell'elaborazione del miglior sistema giuridico possibile, che risponda al requisito di maggiore anziché di minore efficacia.

La speranza in un sistema giuridico di questo tipo determinò lo sviluppo del giudaismo postbiblico. Gli scribi e i sapienti, più tardi i rabbi, mirarono a evitare le patologie dell'assolutismo etico e del messianismo politico. La loro attività conobbe certo pericoli suoi peculiari, che si riassumono nella parola «legalismo», vale a dire la grettezza della legge. Anch'essi evitarono la politica (si potrebbe anche dire che fu la politica a evitarli: essa negò loro le opportunità offerte dal potere), ma essi fecero della discussione sulla legge una sorta di consultazione pratica, assumendosi la piena responsabilità del risultato delle loro discussioni. Contrariamente ai profeti, che attendevano il giorno del Signore, affermarono il principio su cui la politica di necessità si fonda: «non sta in cielo».

Indice analitico

A motivo dell'onnipresenza di Dio in questo libro, non avrebbe senso registrarne il nome nell'indice sottostante. Libri e personaggi della Bibbia (Esodo, Mosè) sono repertoriati soltanto quando siano discussi, non quando siano semplicemente menzionati. Fatta eccezione per Gerusalemme, qualsiasi altro toponimo viene trascurato.

Indice dei passi citati

BIBBIA EBRAICA

LETTERATURA GIUDAICA

Indice degli autori moderni

PER PAIDEIA EDITRICE
STAMPATO DA CDC ARTI GRAFICHE
CITTÀ DI CASTELLO (PERUGIA)
MARZO 2013